D0363420

ET SURTOUT NE TE RETOURNE PAS

LISA UNGER

ET SURTOUT NE TE RETOURNE PAS

Traduit de l'américain
par Valérie Dariot

Vous désirez recevoir notre catalogue…
Vous pouvez nous joindre à l'adresse ci-dessous :

EDITIONS V.D.B.
Les Restanques
F.-84210 LA ROQUE-SUR-PERNES
e-mail : editions.vdb@wanadoo.fr

Vous pouvez également visiter notre site :

http://www.editionsvdb.fr

Titre original :
DIE FOR YOU

Publié par Shaye Areheart Books,
une marque de the Crown Publishing Group,
une division de Random House Inc., New York

À Elaine Markson… indéfectible soutien,
chevalier sans peur
et merveilleuse amie.

PROLOGUE

Une neige légère recouvre peu à peu les toits rouges de Prague. Je lève les yeux vers le ciel hivernal couleur d'acier, tandis que le gris des pavés disparaît déjà sous une fine couverture blanche. Un calme glacial plane sur la petite place. Les boutiques sont fermées, les chaises renversées sur les tables des cafés. Au loin résonnent les cloches d'une église. Un vent violent gémit. Ses bourrasques soulèvent des papiers épars qui passent devant moi en voletant. Dans son silence tourmenté, cette matinée serait presque belle, si je n'avais pas si mal, si je n'avais pas si froid.

La partie de mon corps en contact avec le sol est tout engourdie et mes muscles protestent quand je m'assois péniblement. Je m'agrippe au dossier d'un banc pour me hisser sur mes pieds. Le vent s'engouffre dans mon col et dans les manches de mon manteau. Combien de temps suis-je restée couchée sur le pavé glacé de cette place déserte ? Comment suis-je arrivée ici ? Je me souviens de la question que j'ai posée à une jeune femme au visage tatoué. Je me rappelle ses traits juvéniles et déjà abîmés.

« *Kde ?* » Où ? lui ai-je demandé.

Elle m'a dévisagée d'un air intrigué. Je me souviens de son regard furtif, de sa façon de danser d'un pied sur l'autre. « *Prosim.* » S'il te plaît. « *Kde je Kristof Ragan ?* » Où est Kristof Ragan ?

De très loin affleure le souvenir de sa réponse. Mais il est trop profondément enfoui sous mon crâne douloureux pour que je parvienne à l'en extraire. « Secoue-toi, m'intime une voix intérieure. Appelle à l'aide. » J'ai la sensation qu'une menace plane, mais j'en ignore la nature.

La peur me cloue sur place. Affalée contre le dossier du banc, je vois le monde vaciller autour de moi et pense avec appréhension au pavé qui sera si dur sous mon poids si jamais je tombe à nouveau. Je porte un jean et ma veste en cuir déboutonnée laisse apparaître la dentelle de mon soutien-gorge à travers un trou dans mon pull. Ma peau est rougie par le froid. La jambe droite de mon pantalon est déchirée de part en part, révélant une entaille sanguinolente à mon genou. Je n'arrive plus à prendre appui. Mes pieds sont ankylosés par le froid.

Sur la place déserte, l'aube vient de se lever. Les ampoules bleu électrique d'un grand sapin de Noël brillent dans la lumière pâle et vaporeuse du jour. Serrés tout autour de lui, des arbres plus petits sont également ornés de décorations scintillantes. À côté se dressent les baraques en bois d'un marché de Noël. Le pied ouvragé des réverbères noirs est ceint de guirlandes de lumières et des couronnes de fête sont accrochées aux fenêtres et aux portes. Dans le bassin d'une fontaine asséchée pour l'hiver, la neige commence à s'amonceler. Face au spectacle enchanteur qu'offre la place de la Vieille-Ville, je me rappelle que nous sommes le jour de Noël. D'où l'absence de la foule des touristes qui en temps ordinaire déambuleraient déjà sur la place, mais aussi des Praguois partant au travail et des fêtards regagnant leur domicile en titubant. Autrefois j'adorais cet endroit. Je m'y sentais la bienvenue, mais pas aujourd'hui. Je suis aussi seule qu'au lendemain de l'Apocalypse. L'action s'est déroulée sans moi et je suis restée à la traîne.

Je progresse lentement vers la chaussée. J'avance en m'appuyant contre le dossier des bancs et les murs des immeubles en prenant garde de ne pas trébucher. Les flèches des églises montent vers le ciel et les figures douloureuses des saints me contemplent de haut. J'aperçois mon reflet dans une vitrine. Quand je vois mes cheveux emmêlés, un reste de coquetterie me pousse à y passer la main pour tenter de les coiffer. J'humecte mes doigts et tente d'effacer les traces de mascara qui ont coulé sous mes yeux. Ma veste est déchirée à l'épaule et j'ai un bleu sur la joue. Je m'emporte contre la femme que je vois dans la vitre. Égocentrique, infatuée d'elle-même. J'exhale un soupir de dégoût dont la buée se dissipe dans l'air.

Lasse de contempler mon image, je recommence à marcher. Devant moi je distingue une voiture blanc et vert de la police. Petite et compacte, elle ressemble plus à un tube de rouge à lèvres qu'à une automobile. En la regardant, je me prends à rêver d'entendre hurler la sirène d'une Chevrolet Caprice bleu et blanc transportant à son bord deux bons vieux flics new-yorkais. Mais je devrai me contenter de ceux-ci. J'allonge le pas et je leur fais signe de la main.

— Bonjour, leur dis-je. Vous pouvez m'aider ?

Une femme policier sort du véhicule côté conducteur et s'avance vers moi, en affichant un rictus pas très engageant. Elle est très mince et semble flotter dans son uniforme noir. Le rouge criard de ses cheveux teints ne flatte pas sa carnation laiteuse, et son regard bleu a une expression inquiétante.

Quand j'arrive à sa hauteur, je lui demande :

— Vous parlez anglais ?

— Un peu, me répond-elle avec un fort accent.

Elle scrute mon visage. Des flocons de neige s'accrochent à ses cheveux. Une Américaine en goguette, c'est ce que je lis dans son regard. Elle en a vu des centaines dans le même état.

Je redresse fièrement le menton face à son air réprobateur.

— J'ai besoin d'aide, lui dis-je. Je dois me rendre à l'ambassade des États-Unis.

Son expression s'est durcie. Son regard n'est plus narquois ni méprisant, mais carrément soupçonneux.

— Votre nom ? me demande-t-elle.

L'air de rien, elle laisse lentement glisser sa main jusqu'à son arme, une chose noire et menaçante, qui semble bien trop imposante pour ses petits doigts blancs. Je surprends son geste et j'hésite. Je n'aurais jamais dû l'interpeller. Je n'ai aucune envie de lui révéler mon identité. Je voudrais tourner les talons et déguerpir.

— Veuillez me montrer votre passeport.

Son ton est plus ferme encore. Je vois luire la peur dans son regard, mêlée d'une légère excitation. Instinctivement, je m'écarte. La femme fait encore un pas vers moi.

Les épaules rejetées en arrière, elle se dresse de toute sa hauteur.

— Pas un geste, m'ordonne-t-elle.

Je m'exécute. L'air semble se figer, tandis que je passe en revue toutes mes options.

— Je vous ai demandé votre nom.

Soudain je me retourne et me lance dans une course lente et maladroite. La femme se met à brailler en tchèque et je n'ai pas besoin de comprendre sa langue pour savoir que je suis dans le pétrin. Je sens bientôt ses mains sur moi et me retrouve à terre une fois de plus. Elle me plaque au sol avec son genou. Ce petit bout de femme possède une force insoupçonnable. Je lutte pour reprendre ma respiration. La femme hurle dans sa radio. Elle me tord les bras dans le dos. Mais soudain son corps est secoué d'un soubresaut et vacille. Son arme heurte le pavé. Je parviens à me dégager et tourne la tête vers elle. Elle gît sur le flanc, le regard fixe et terrifié. J'esquisse un mouvement vers elle, mais je m'arrête net en voyant un flot rouge jaillir de sa bouche ouverte et se répandre sur la neige. Sur son ventre, une tache s'étend et du sang s'écoule entre ses doigts fins.

C'est alors que je lève la tête et que je l'aperçois. Sa silhouette se dresse comme une colonne sombre sur le fond blanc. La main qui serre l'arme est retombée contre sa cuisse. Il se tient immobile et silencieux dans le vent qui balaie ses cheveux. Sans le quitter des yeux, je me redresse et commence à m'éloigner.

— Pourquoi ? Pourquoi fais-tu ça ?

Il s'avance vers moi et le son de ses pas se répercute contre la façade des immeubles qui nous entourent.

« Pourquoi ? » me crie l'écho de ma voix. Mais l'homme garde le même visage fermé, froid, comme si je n'avais jamais compté pour lui. Et c'est peut-être le cas. Tandis que je me détourne de lui pour m'enfuir, il lève son arme. Sans attendre, je me lance dans une course effrénée contre la mort.

PREMIÈRE PARTIE

LES ADIEUX

« Vous serez ensemble
quand les blanches ailes de la mort
disperseront vos jours. »

Le Prophète, Khalil GIBRAN.

1

La dernière fois que j'ai vu mon mari, une minuscule larme de confiture de framboises se mêlait aux poils blonds de son bouc. Nous venions de boire un cappuccino préparé par le percolateur hors de prix que j'avais acheté sur un coup de tête trois semaines auparavant et de manger des croissants qu'il nous avait rapportés de ses trois kilomètres de jogging quotidien. Il ne voyait là rien d'ironique. Son corps mince et ferme était une mécanique obéissante qui ne prenait jamais un gramme sans son consentement. Tout mon contraire. Il me suffisait de sentir l'odeur d'un gâteau pour qu'aussitôt mes cuisses se mettent à enfler.

Les croissants étaient encore chauds. J'avais tenté de résister, mais il les avait déjà ouverts en deux puis tartinés de beurre et de confiture. Il m'en avait laissé un, bien fondant, sur son assiette blanche. J'ai voulu lutter, mais c'était peine perdue. Le croissant était délicieux, croustillant à souhait. En un instant, il était englouti.

J'ai léché le beurre sur mes doigts en disant :

— Tu as une très mauvaise influence sur moi. Il me faudra une bonne heure de cardia pour brûler toutes ces calories.

Il a tourné vers moi ses yeux bleus, l'air contrit.

— Je sais. Je suis désolé.

Puis il a souri. Oh, ce sourire ! Inutile de résister, je devais lui sourire, même si j'étais fâchée contre lui.

— Oui, mais il était délicieux, non ? Tu vas t'en souvenir toute la journée.

Parlait-il du croissant ou de notre câlin de ce matin ?

— Oui, c'est vrai, ai-je répondu.

Il m'a embrassée. De son bras puissant enroulé autour de mes reins, il m'a pressée contre lui comme une invitation plus qu'un adieu.

C'est à ce moment-là que j'ai vu le morceau de framboise collé à sa barbe et que je lui ai fait signe de se frotter le menton. Il avait une réunion importante. Une réunion cruciale, selon ses propres termes. Il a examiné son reflet dans la porte vitrée du micro-ondes et essuyé la confiture.

— Merci, m'a-t-il dit en marchant vers la porte.

Il a attrapé au passage la sacoche en cuir qui renfermait son ordinateur portable et l'a accrochée à son épaule. Elle semblait lourde et j'ai pensé qu'elle allait froisser la veste de son costume en drap de laine qu'il avait payé une petite fortune. Mais je me suis abstenue de tout commentaire. Après tout, je n'étais pas sa mère.

— Merci pour quoi ? lui ai-je demandé.

— D'être la plus belle chose que je verrai aujourd'hui.

C'était un incorrigible charmeur. Il l'avait toujours été. En riant, j'ai noué mes bras autour de son cou et je l'ai embrassé une dernière fois. Il savait trouver les mots.

Je l'ai accompagné jusqu'à la porte et l'ai regardé traverser les quelques mètres du couloir jusqu'à l'ascenseur. Il a appuyé sur le bouton et, pendant qu'il attendait, je lui ai lancé :

— Fonce. Montre-leur de quoi tu es capable.

C'était ce couloir qui nous avait décidés à acheter notre appartement. Avec son épais tapis rouge, ses lambris et ses hauts plafonds, il incarnait à nos yeux l'élégance new-yorkaise d'avant-guerre. Les portes de l'ascenseur se sont ouvertes. C'est peut-être à ce moment-là, juste avant qu'il entre dans la cabine, que j'ai vu une ombre passer sur son visage. Ou peut-être l'ai-je imaginée *a posteriori*. Mais ce voile — de tristesse ? d'appréhension ? — s'est aussitôt dissipé.

— Ne t'en fais pas pour moi, m'a-t-il répondu avec son assurance coutumière.

Sous ce calme apparent, j'ai pourtant perçu une légère trace d'accent de son pays natal, signe qu'il était stressé. Je ne me faisais pas de souci pour lui. Je n'avais jamais douté de ses capacités. Quel que soit l'enjeu de cette réunion, une vague histoire d'investisseurs pour sa société, j'étais sûre et certaine qu'il obtiendrait ce qu'il voulait, comme toujours. Un signe de la main, un dernier regard espiègle à mon intention et les portes de l'ascenseur se sont refermées sur lui.

— Je t'aime, Izzy, ai-je cru l'entendre me crier.

La cabine s'est enfoncée dans le puits de la cage d'ascenseur en emportant sa voix.

J'ai souri. Après cinq années de mariage, une fausse couche et quelques grandes mises au point qui s'étaient prolongées jusqu'aux petites heures du jour, après des nuits torrides et des soirées de câlins plan-plan, après les jours avec et les jours sans, après les chagrins et les déceptions qui jalonnent inévitablement toute vie de couple qui survit aux premières semaines, après des instants très sombres que j'avais cru fatals, où j'avais pensé que je serais mieux sans lui, et après tous les moments de folle passion où j'avais été sûre d'être incapable de survivre loin de lui, après tout cela, il n'avait plus besoin de me dire qu'il m'aimait, mais j'étais heureuse qu'il l'ait fait.

J'ai regagné notre appartement et entamé ma journée. À peine cinq minutes plus tard, j'étais au téléphone avec Jack Mannes, mon ami et agent depuis toujours.

— Des nouvelles de mon chèque ?

L'éternelle question de tous les auteurs.

— Je vais me renseigner.

La sempiternelle réponse de tous les agents.

— Comment avance ton livre ?

— Il avance.

Une vingtaine de minutes plus tard, je sortais courir un peu. J'avais encore sur les lèvres le goût de beurre et de confiture qu'y avait laissé Marcus en m'embrassant.

En arrivant dans la rue, balayée par un vent glacial, il regretta de ne pas avoir pris son manteau. Il songea à revenir sur ses pas, mais il n'en avait plus le temps. Alors il boutonna sa veste, mit sa sacoche en bandoulière et enfonça ses mains dans ses poches. Il remonta à grands pas la 86e Rue ouest en direction de Broadway. Arrivé au coin de la rue, il s'engouffra dans la station de métro. Malgré l'odeur âcre d'urine dans l'escalier carrelé de jaune, il fut content de se retrouver au chaud. Il franchit le portillon à l'aide de sa carte et attendit sur le quai.

Comme il était plus de 9 heures, il n'y avait pas foule. L'heure de pointe était passée. Un jeune cadre se penchait au-dessus des voies, guettant l'approche de la rame et surveillant les aiguilles de sa montre. En dépit de son luxueux pardessus et de ses chaussures de prix, il semblait défait et dépenaillé. Sans savoir pourquoi, Marcus Raine ressentit une bouffée de mépris pour ce retardataire paniqué.

Les mains dans les poches, il s'adossa au mur et attendit. Attendre, telle était l'immuable condition du New-Yorkais, attendre un métro, un bus, un taxi, un café au bout d'une file interminable, attendre avec des centaines d'autres personnes pour voir tel film ou visiter telle expo. Aux yeux du reste du monde, les New-Yorkais passaient pour des êtres impatients et irascibles. Mais ces hommes et ces femmes s'alignaient les uns derrière les autres avec la résignation des damnés, en râlant parfois, mais en patientant toujours.

Il habitait cette ville depuis ses dix-huit ans, mais il se considérait encore comme un visiteur au zoo autorisé à se promener dans la cage aux fauves. Il avait toujours eu ce sentiment, même quand il était enfant dans son pays natal. Il s'était toujours senti à part. Observateur extérieur, il acceptait sa condition et s'en accommodait sans jamais s'apitoyer sur son sort. Isabel comprenait cette impression. En tant qu'écrivain, sa position n'était pas très différente de la sienne. « On ne peut bien observer qu'en se mettant à l'écart », aimait-elle à dire.

Cette remarque faisait partie des choses qui l'avaient tout de suite attiré. Ayant lu par hasard l'un de ses romans, il l'avait trouvé particulièrement profond et captivant. Intrigué par la photo de l'auteure au dos du livre, il avait recherché son nom sur Internet et ce qu'il avait appris à son sujet n'avait fait que redoubler son intérêt. Elle était issue d'un milieu aisé, mais avait bâti sa propre réussite avec ses romans à succès. Elle avait voyagé dans le monde entier et parlait avec beaucoup de justesse des endroits qu'elle avait visités. « Prague est une ville hantée par les secrets, avait-elle écrit. Des rues charmantes vont rétrécissant pour se transformer en sombres passages. De lourdes portes de chêne cachent de mystérieuses cours et les façades ouvragées abritent de sinistres histoires. Son visage finement ciselé est ravissant, mais son regard glacial. Elle esquisse parfois un sourire, mais jamais elle ne rit. Elle sait, mais elle ne dira rien. » Cette description recelait une vérité qui échappait généralement aux étrangers. Cette Américaine avait réussi à capter la véritable essence de sa ville, et cela l'avait touché.

Mais c'étaient la cascade de ses épaisses boucles brunes, ses yeux noirs tels des corbeaux posés sur le paysage neigeux de sa peau, la courbe de son cou, la finesse de ses mains qui l'avaient décidé à se rendre à une séance de dédicace pour la rencontrer. Il avait tout de suite su qu'elle était celle qu'il attendait, pour reprendre une expression des Américains, dont l'existence ne semble pas avoir d'autre but que de trouver leur moitié. Dans son esprit, pourtant, cette expression avait un tout autre sens. Du moins au début.

Tout cela semblait si loin. Le frisson de la première rencontre, la montée du désir. Il rêvait souvent de pouvoir revenir au premier soir et de revivre les années qu'ils avaient passées ensemble. Il avait commis tellement d'erreurs, certaines qu'elle connaissait, d'autres qu'elle ignorait et ne pourrait jamais connaître.

Il entendit la rame approcher et s'écarta du mur. Il marchait vers le bord du quai quand il sentit une main se refermer sur son bras. D'un geste instinctif, Marcus se dégagea, leva son poing serré et recula d'un pas.

— Tout doux, Marcus, plaisanta l'autre homme avec un rire rauque. On se détend.

Il pressa l'une contre l'autre ses deux mains épaisses.

— Ivan, parvint à articuler Marcus d'une voix posée, en dépit des battements accélérés de son cœur.

La scène était surréaliste, comme sortie tout droit d'une imagination tourmentée. Ivan venait de resurgir du passé comme un mort échappé de sa tombe.

— Alors quoi, t'as perdu ta langue ?

Son rire, cette fois, était moins franc.

— Tu ne me demandes pas comment je vais après tout ce temps ? Ça ne te fait pas plaisir de me voir ?

Marcus étudia les traits de l'homme qui lui souriait. Une mâchoire taillée à la serpe et des yeux noirs qui pouvaient devenir en un instant aussi froids que la glace. Même quand il était jovial comme en ce moment, Ivan restait inquiétant. C'était tellement inattendu de le retrouver dans ce décor que Marcus réussit presque à se convaincre qu'il rêvait et qu'il était encore dans son lit au côté d'Isabel. D'un instant à l'autre il allait se réveiller de ce cauchemar comme de tous ceux qui le hantaient.

Son métro arriva et repartit, mais Marcus n'avait toujours pas prononcé un mot. Ils étaient tous les deux seuls sur le quai, à présent. La guichetière avait le nez plongé dans son livre. Marcus entendait le grondement des rames au niveau inférieur et le brouhaha des voitures circulant au-dessus de sa tête. Il laissa s'écouler un temps beaucoup trop long. Dans le silence qui s'était installé entre eux, Marcus vit les traits d'Ivan se durcir.

Alors il lâcha un éclat de rire tonitruant dont l'écho alla se perdre dans le tunnel de béton. Surprise, la guichetière releva la tête un court instant puis se replongea dans sa lecture.

— Ivan ! s'exclama Marcus avec un sourire faux. T'en fais une tête !

Ivan eut un rire hésitant, mais finit par lui donner une bourrade. Marcus l'étreignit avec ferveur et les deux hommes s'envoyèrent de vigoureuses claques dans le dos.

— Tu aurais un petit moment à me consacrer ? demanda Ivan.

Sur ce, il lui passa un bras autour des épaules et l'entraîna vers la sortie. Son bras de lutteur pesait une tonne. Il aurait fallu un treuil pour le soulever. Marcus feignit de ne pas avoir perçu la menace dans la voix d'Ivan.

— Tu rigoles, dit-il. Pour toi, j'ai tout mon temps.

Il toussota pour dissimuler le tremblement de sa voix. Si Ivan avait remarqué son trouble, il n'en laissa rien paraître. Ils se dirigèrent vers l'escalier et Marcus fut envahi par un sombre pressentiment. Ivan le tenait fermement. Pour animer la conversation, il racontait une histoire drôle à propos d'une prostituée et d'un curé, mais Marcus ne l'écoutait pas. Il pensait à Isabel. Il la revoyait telle qu'elle lui était apparue ce matin-là, le visage chiffonné par le sommeil, ses boucles en bataille. Elle était adorable dans son pyjama, toute enveloppée de l'odeur de leur étreinte et d'un parfum de chèvrefeuille. Ses lèvres avaient un goût de beurre et de confiture.

Ils débouchèrent dans la rue. Ivan riait de sa propre blague et Marcus l'imita, sans avoir la moindre idée de ce qu'était la chute de l'histoire. Ivan en connaissait un tas, toutes plus débiles les unes que les autres. Il avait appris l'anglais comme ça, en lisant des recueils d'histoires drôles et en allant écouter des spectacles comiques. Il affirmait haut et fort que personne ne peut prétendre connaître une langue s'il n'en comprend pas l'humour. Marcus était sceptique. Mais si on tenait à sa peau on ne discutait pas les affirmations d'Ivan. La moindre petite anicroche pouvait lui faire péter un câble. En un instant, il passait de la franche gaieté à la fureur et vous massacrait de ses poings larges comme des enclumes. Il avait toujours été ainsi, depuis leur lointaine enfance.

Ivan s'approcha d'une Lincoln garée sur une zone de stationnement interdit le long de la 86e Rue. Il déverrouilla les serrures à distance et alla ouvrir la portière du côté passager. La voiture était neuve et devait valoir une petite fortune. Marcus en conclut qu'il avait renoué avec des moyens d'existence qui lui avaient valu beaucoup d'ennuis par le passé.

L'espace d'un instant, son regard se porta sur l'entrée de son immeuble. Il vit la porte de verre, les boiseries cirées et la large allée d'accès circulaire. Une grande couronne de Noël suspendue à la marquise lui rappela qu'ils n'étaient qu'à quelques jours des fêtes de fin d'année.

Il vit sortir une jeune femme — comment s'appelait-elle déjà ? Janie ? — accompagnée de ses deux enfants en bas âge. Il repensa soudain au bébé qu'Isabel avait perdu. Il en avait voulu à sa femme quand elle était tombée enceinte et s'était senti presque soulagé quand elle avait fait une fausse couche. Mais en voyant cette jeune maman avec ses deux fillettes, il fut submergé par le remords. Il détourna la tête pour que la femme ne le reconnaisse pas lorsqu'elle passerait devant lui sur le trottoir d'en face.

— Tu as la belle vie, lâcha Ivan, contemplant lui aussi l'entrée de l'immeuble.

Dans la lumière crue du matin, Marcus l'examina plus attentivement. Il nota la présence de cernes bleus sous ses yeux et d'une profonde cicatrice sur sa joue dont il n'avait pas gardé le souvenir. Ivan continuait de sourire, mais toute chaleur avait disparu de son expression.

— Parlons plutôt de toi. Comment ça va ? l'interrogea Marcus, la poitrine oppressée.

Ivan haussa les épaules.

— Pas aussi bien que toi.

— Qu'est-ce que tu veux ? demanda Marcus après un bref silence.

— Tu ne pensais pas me revoir, hein ?

— Ça fait un bail.

— Ouais, un sacré bail, reprit l'autre d'un ton caustique.

Marcus avança jusqu'à la voiture. Il n'avait pas vraiment le choix. Il vit Isabel quitter leur immeuble. Elle s'était coiffée. Ses cheveux étaient maintenant retenus en arrière à l'aide d'un fin bandeau. Elle portait sa tenue de jogging : un vieux sweat bleu délavé et des tennis passablement usées. Il grimpa à bord de la voiture et la vit s'arrêter puis jeter un regard autour d'elle. De l'endroit où il se trouvait, il reconnut la moue qu'elle affichait quand elle s'apprêtait à faire une chose qu'elle n'avait pas envie de faire. Soudain elle pivota sur elle-même et s'éloigna au pas de course. Il aurait voulu s'élancer pour la suivre, mais Ivan venait de s'installer au volant en répandant dans l'habitacle une odeur de tabac froid et de transpiration. La voiture s'affaissa sous son poids.

Il repartit du même rire rauque.

— T'en fais pas, dit-il. Je veux seulement causer et trouver un arrangement.

— Est-ce que j'ai l'air inquiet ? rétorqua Marcus avec un sourire détaché.

L'autre ne lui répondit pas.

Alors qu'ils s'engageaient dans la circulation, Marcus se remémora un vers du *Prophète* : « Ce n'est pas un habit que j'ôte aujourd'hui, mais une peau que j'arrache de mes propres mains. » Marcus regarda sa vie s'éloigner et disparaître au loin. À chaque pâté de maisons, il laissait derrière lui un fragment de son être. Le lien qui le rattachait à Isabel se tendit et finit par rompre. Il en ressentit une douleur intense dans la poitrine, mais curieusement réussit à trouver le réconfort dans la pensée que celui qu'elle allait pleurer et finir par haïr, que cet homme à qui elle ne pourrait jamais accorder son pardon n'avait en réalité jamais existé.

2

— Rick, c'est moi, Isabel.

Il était près de 22 heures. Sur le plan de travail de la cuisine, des lasagnes refroidissaient dans leur plat de verre et à l'intérieur du réfrigérateur la salade était en train de se flétrir. Cela faisait maintenant treize heures que Marcus était parti travailler.

— Isabel, content de t'entendre. Quel bon vent ?

Sous le ton enjoué, j'ai immédiatement perçu une note circonspecte.

— Vous travaillez tard, ce soir ? ai-je demandé en prenant sur moi pour paraître désinvolte.

La télévision était allumée, le volume réglé au minimum. Des flashs d'information de CBS défilaient à l'écran : une bombe avait explosé en Irak, une célèbre chanteuse s'était rasé le crâne et venait d'entamer une cure de désintoxication, un officier de police avait été abattu à Chicago. J'ai entendu de l'eau couler derrière le mur. Notre voisin prenait sa douche.

L'hésitation que j'ai perçue à l'autre bout du fil m'a emplie d'appréhension.

— Hélas, a-t-il fini par me répondre, une fraction de seconde trop tard. Tu sais comment ça se passe ici. Un univers impitoyable.

Son rire sonnait faux. Il semblait mal à l'aise et j'ai senti qu'il cherchait à protéger ses arrières.

— J'aimerais parler à mon mari.

Avait-il entendu la tension dans ma voix ?

— Bien sûr, ne quitte pas.

J'étais soulagée. Toute mon inquiétude venait de se dissiper. Il travaillait tard et avait oublié d'appeler. Ce ne serait pas la première fois. Je m'étais fait des idées. J'ai patienté.

Rick a fini par reprendre le combiné.

— Isabel, je crois qu'il est sorti manger un morceau. Je lui ferai part de ton appel.

— Mais il ne répond pas sur son portable. Je tombe toujours sur la boîte vocale.

— Il n'a peut-être plus de batterie.

— Oui, c'est sans doute ça. Merci.

Sale menteur, ai-je pensé en raccrochant. Il m'a mise en attente le temps de contacter

Marcus puis il a repris mon appel et m'a débité son baratin. Je savais que je ne me trompais pas. Ils avaient l'habitude de se couvrir ainsi l'un l'autre quand des clients cherchaient à les joindre. En loyal associé de mon mari, Rick avait déjà agi ainsi avec moi à plusieurs reprises pour diverses raisons, plus ou moins avouables. J'avais toujours jugé étrange leur petit jeu, parce que au fond, bien que complices en affaires, ils n'étaient pas amis. En fait, je sentais même une certaine animosité entre eux. Pourtant mentir pour se protéger mutuellement des importuns faisait partie de leur fonctionnement.

Je me suis versé un second verre d'une bouteille de chardonnay que nous gardions dans le frigo. J'aimais mon mari, mais les soirs comme celui-là me rappelaient que notre couple n'était pas sans faille. Quand la pression se faisait plus intense, je croyais entendre grincer ces fissures qui menaçaient de nous séparer l'un de l'autre.

À minuit, déjà passablement ivre, j'étais installée devant la télévision allumée dont je fixais les images sans vraiment y prêter attention. Je guettais le bruit de l'ascenseur, le cliquetis d'une clé dans la serrure ou la sonnerie du téléphone. J'étais restée pendue à ce téléphone pendant des heures à composer sans fin le numéro du portable de Marcus. Il lui était déjà arrivé d'appeler d'un bar où il s'était soûlé après une dispute ou de raconter un vague mensonge à propos d'un travail à terminer. Mais ce soir-là était différent. Quelque chose s'était passé. J'ai regardé l'heure sur l'horloge électronique du décodeur du câble. 00 h 22. 00 h 23. 00 h 24. Où pouvait-il bien être ?

Environ deux ans plus tôt, Marcus m'avait trompée avec une femme qu'il avait rencontrée lors d'un voyage d'affaires à Philadelphie. Leur aventure avait duré deux mois, c'est du moins ce qu'il m'avait avoué par la suite. Il y avait eu de longues conversations au téléphone, des déplacements professionnels de dernière minute. Elle était venue une fois à New York pendant que j'étais partie assister à un congrès d'écrivains, mais Marcus m'avait juré qu'elle n'avait pas mis les pieds chez nous. Ce n'était pas vraiment une histoire d'amour, mais pas non plus une incartade d'une nuit.

J'avais immédiatement eu des soupçons, la première fois qu'il m'avait fait l'amour après son retour de Philadelphie. Les gens sont toujours trahis par les détails, ces petites choses insignifiantes que les écrivains sont les seuls à remarquer. Je ne parle pas des erreurs grossières, comme une tache de rouge à lèvres sur le col d'une chemise ou l'odeur d'une autre femme. Je parle de l'intangible, de ces fils invisibles qui nous relient les uns aux autres.

Marcus semblait ailleurs et son regard absent m'a alertée. Nos deux corps n'étaient plus à l'unisson. Ses baisers avaient un goût différent. Cette nuit-là, je n'ai pas réussi à atteindre l'orgasme. La distance entre nous était impossible à combler. Cela n'était encore jamais arrivé. Au plan physique, tout avait toujours bien fonctionné entre nous, même quand nous n'étions pas en grande forme, même quand nous avions eu une terrible dispute, même quand nous étions crevés ou malades.

Je suis restée très calme. Il n'y a eu ni scène, ni cris, ni bris de vaisselle. J'ai attendu qu'un indice matériel vienne confirmer mes doutes. Le fossé entre nous ne cessait de s'élargir. Je refusais de me sentir responsable, de me demander ce qui clochait chez moi et à quel moment je m'étais plantée. L'autoflagellation n'a jamais été mon fort. Marcus avait rencontré une autre femme et ils avaient couché ensemble, l'expérience lui avait plu et il en voulait encore : je comprenais d'instinct la situation.

Je connaissais bien mon mari, son admiration pour la beauté et la force de ses appétits. Mais pour qu'il désire poursuivre leur aventure, il fallait que cette femme ait quelque chose de particulier. Marcus n'était pas homme à s'enferrer dans la trahison. Moi aussi j'avais fait des rencontres durant nos années de vie commune et j'avais connu des tentations, mais il n'était pas dans ma nature d'être infidèle, ni même malhonnête. Je ne pouvais même pas mentir sur le prix que m'avait coûté une paire d'escarpins chez Manolo Blahnik. « Mais tu ne peux décemment pas appeler ça des chaussures, Isabel. C'est à peine plus qu'une spatule attachée avec du fil dentaire. Tu ne pourras jamais marcher plus de cent mètres avec ces trucs à tes pieds ! »

La preuve que j'attendais s'est présentée sous la forme d'un texto. Marcus se trouvait sous la douche et son portable était resté sur la table de nuit. Mon mari n'avait pas pour habitude de laisser traîner son téléphone. J'ai entendu le vrombissement signalant l'arrivée d'un SMS et je n'ai pas pu m'empêcher d'ouvrir le message.

Il était signé d'un simple « S » et disait : « Je n'arrête pas de penser à toi. Je te sens encore à l'intérieur de moi. »

Marcus est entré dans la chambre entouré d'un nuage de vapeur, répandant dans son sillage les effluves de son savon mentholé parfumé à la sauge. Je me suis tournée vers lui. Il a vu le téléphone dans ma main et l'expression peinte sur mon visage. Nous sommes restés figés les yeux dans les yeux. J'avais l'impression de voir un étranger sortir à moitié nu de notre salle de bains. J'avais la gorge nouée et la poitrine dans un étau. L'air autour de nous s'était chargé d'électricité.

— Est-ce que tu l'aimes ? ai-je finalement réussi à articuler.

Je me suis étonnée de rester si calme. Cette question était la seule à poser et la réponse qu'il y apporterait déterminerait tout le reste.

Il a secoué la tête avec véhémence.

— Non, bien sûr que non.

— Dans ce cas, romps avec elle.

Il a opiné imperceptiblement.

— D'accord.

— Et trouve-toi un autre endroit pour dormir ce soir. Je n'ai pas envie de te voir pour le moment.

— Isabel !

— Je suis très sérieuse. Va-t'en. Maintenant.

J'étais blessée. Mon orgueil en avait pris un coup et mon cœur fendillé était sur le point de se briser. Mais le plus grave était la déception. Je l'avais pensé plus maître de lui. Je lui avais prêté plus de force de caractère. Il m'avait menti. Rien que me rappeler les prétextes qu'il avait inventés afin de rejoindre cette femme dans une chambre d'hôtel sapait considérablement mon estime pour lui.

Notre séparation a duré plusieurs jours. Nous avons eu de longues conversations au téléphone et fini par admettre que notre couple traversait une crise. Nous avons beaucoup pleuré. Chacun a fait acte de contrition et l'autre a accepté ses excuses. Marcus a regagné le domicile conjugal et nous avons repris notre petite vie. Je n'étais pas certaine d'avoir entièrement surmonté cette épreuve. À dater de cet instant, rien n'a plus jamais eu le même goût, ni la même texture. Nous n'avons pas fait de thérapie de couple, ni disséqué l'affaire et passé des nuits à discuter pour savoir pourquoi c'était arrivé et si cela risquait de se produire encore.

Nous en convenions tous les deux. Il y avait des écueils à surmonter. Marcus était un accro du travail, et moi aussi. En outre, il y avait mes angoisses et mes névroses que nous n'avions jamais vraiment affrontées lui et moi. Mon sentiment d'insécurité ne datait pas d'hier.

Toutefois, j'ai refusé de voir dans cette histoire autre chose qu'un simple accident de parcours et nous ne l'avons plus jamais remise sur le tapis. À l'époque, je pensais que nous traitions tout cela avec beaucoup d'élégance et un détachement très intellectuel, mais ce n'était peut-être que du déni. Comme si j'avais découvert une grosseur sous mon bras, mais que je refusais d'aller la faire examiner par peur du diagnostic. Dans ce cas, on garde tout pour soi, parce que si les autres savaient, les choses deviendraient réelles.

À 3 heures du matin, j'en étais venue à penser à cette aventure, à cette femme et à tout ce que je n'avais pas voulu savoir à l'époque. Comment s'appelait-elle ? À quoi ressemblait-elle ? Où travaillait-elle ? Était-elle blonde, brune ou rousse ? Élégante ? Intelligente ? Était-il avec elle en ce moment ? Ou bien avec quelqu'un d'autre ? M'avait-il quittée ?

Bizarrement, pas un seul instant je n'ai envisagé qu'il ait pu lui arriver quelque chose, qu'il ait été poussé sous le métro par un fou, écrasé par un bus, blessé à la tête par une pierre tombée de la façade d'un vieil immeuble d'après-guerre, bref qu'il ait été victime d'un de ces accidents typiquement new-yorkais dont on parle dans les médias. Il me semblait impossible qu'une chose pareille ait pu lui arriver. Marcus était beaucoup trop… comment dire… sûr de lui. Il maîtrisait son environnement et ne croyait pas aux accidents.

À 5 heures, j'étais passée par toute la gamme des émotions. À l'inquiétude avait succédé la peur panique, puis la colère. Après un bref instant de rémission et des phases successives d'abattement et de désespoir, la terreur était revenue et pour finir la haine. Je m'apprêtais à appeler ma sœur quand le portable que je serrais toujours dans ma main s'est mis à sonner. L'appel venait de Marcus.

— Dieu du ciel, Marcus, mais où es-tu ?

J'étais hors de moi, soulagée et impatiente d'entendre comment il allait justifier son absence. L'excuse allait devoir être sérieuse et plausible. « Isabel, je suis à l'hôpital. On m'a agressé. J'ai reçu un coup à la tête. J'étais assommé et je viens juste de reprendre conscience. Ne pleure pas. Je vais bien. »

Mais sur la ligne je n'ai entendu que des parasites et le hurlement très lointain de ce qui pouvait être une sirène. Puis les voix étouffées de deux hommes en colère. Tantôt ils parlaient, tantôt ils criaient, mais je ne comprenais pas un traître mot de ce qu'ils se disaient.

— Marcus ! ai-je appelé.

Soudain a retenti un hurlement terrible, suivi d'un gémissement presque animal. Terrifiée, j'ai appelé encore :

— Marcus !

Mais les gémissements ont continué, me mettant les nerfs à vif, et pour finir la communication a été coupée.

3

A quoi tient un bon mariage ? Un mariage comme on en voit dans les publicités, avec promenades main dans la main au clair de lune, étreintes passionnées sous les étoiles et dîners aux chandelles. Un tel mariage existe-t-il ? Ces instants ne sont-ils pas que des îlots de félicité sur l'océan d'une vie consistant à se brosser les dents côte à côte, à se disputer pour des questions d'argent ou à cause d'un risotto brûlé et à passer trop de temps devant la télévision ? Mon mariage avait-il été exceptionnel ? J'étais incapable de répondre à cette question. J'aimais Marcus et je n'imaginais pas vivre sans lui. Je lui avais ouvert mon cœur sans retenue. En dépit de nos défauts et de nos erreurs, nous nous étions trouvés et nous avions réussi à vivre en couple un certain temps.

Nous avions passé nos derniers instants ensemble dans la cuisine à manger des croissants en échangeant des baisers, et nous serions probablement retournés au lit faire l'amour si nous avions disposé d'un peu plus de temps, pourtant cela ne signifiait rien. Un autre jour, vous nous auriez trouvés à nous chamailler pour savoir qui de nous deux irait faire les courses ou vous nous auriez vus indifférents l'un à l'autre, lui occupé à lire le journal et moi à regarder par la fenêtre en réfléchissant à mon prochain roman. Ou bien encore, vous m'auriez vue pleurer au souvenir du bébé que j'avais perdu et de mon incapacité à concevoir un enfant, pendant que lui, les bras croisés sur la poitrine, serait resté en retrait. Notre position sur le sujet n'avait jamais été très claire. J'étais tombée enceinte par accident, aimait à me rappeler Marcus, comme si ça pouvait être une consolation. Oui, chacun de ces instants ne signifiait rien en soi et n'était qu'un fragment de notre vie commune.

À 9 heures, le lendemain matin, je me tenais devant l'entrée du bâtiment où travaillait Marcus. Sa société spécialisée dans l'édition de logiciels occupait le dernier étage d'un petit immeuble de grès brun sur Greenwich Avenue qui accueillait également le cabinet d'un avocat, les bureaux d'un agent littéraire et l'échoppe d'un bouquiniste. J'avais essayé d'ouvrir la porte avec la clé que je détenais. Sans succès. Puis je me suis souvenue que les locaux avaient été cambriolés le mois précédent et que les voleurs étaient repartis avec un butin de près de cent mille dollars en équipement informatique. Après ça, les serrures avaient été changées et un système d'alarme avait été installé.

J'ai donc décidé d'attendre, à l'abri du porche pour éviter le vent glacial. Face à moi, une pharmacie, un sex-shop et une boutique branchée arboraient dans leurs vitrines des décorations de Noël rouge et argent. J'observais les gens qui vaquaient à leurs occupations, un gobelet de café dans une main, le portable dans l'autre et d'énormes sacoches sanglées en travers de la poitrine. Ils avaient l'esprit tout occupé par le boulot, les achats de Noël et les cartes de vœux qu'ils n'avaient pas encore envoyées. Hier encore, j'appartenais à cette tribu de gens affairés, avançant tête baissée. Vingt-quatre heures plus tard, j'avais l'impression d'avoir foncé dans un mur. Il ne restait plus de ma vie qu'un tas de tôle froissée et j'avais été éjectée à travers le pare-brise. J'étais anéantie. Il n'y avait plus aucune trace chez moi de la panique que j'avais ressentie quand Marcus n'était pas rentré à la maison, ni du terrible choc éprouvé après l'inquiétant coup de téléphone de la nuit. J'étais comme un blessé qui se vide de son sang au bord de la route.

À la suite de cet appel, j'avais composé le numéro de la police. L'opératrice m'avait répondu que la disparition d'une personne adulte ne constituait pas une urgence. Je lui avais parlé de l'appel que j'avais reçu et des cris entendus à l'autre bout du fil. Elle m'avait rétorqué que j'avais peut-être entendu une télévision ou bien qu'il s'agissait d'une blague de mauvais goût. Les maris faisaient parfois des plaisanteries cruelles à leurs femmes. Là-dessus, elle m'avait expliqué que sans preuve tangible et sans antécédents psychiatriques, la police n'accepterait pas d'émettre un avis de recherche pour une personne majeure, surtout pour un individu de sexe masculin.

— Il nous faut un indice matériel, madame.

— Quel genre d'indice ?

— Du sang, des traces d'une effraction, une demande de rançon. Vous voyez ?

Puis elle m'avait donné un numéro que je pouvais appeler et une adresse où je pourrais faire un signalement en apportant des photographies et le dossier dentaire de mon mari. Le dossier dentaire, oui, j'avais bien entendu.

— Vous savez, la plupart des gens refont surface au bout de soixante-douze heures.

— La plupart, c'est combien ?

— Plus de soixante-cinq pour cent.

— Et les autres ?

— Les autres sont victimes d'accidents. De meurtres, plus rarement. Et il y a aussi des cas de disparition volontaire.

Quelque chose dans le ton de sa voix m'avait donné le sentiment d'être la centième femme qui l'appelait cette nuit-là pour lui raconter la même histoire. Je me suis sentie ridicule et honteuse. Réveille-toi, ma grande, m'aurait-elle dit si elle l'avait pu. Ton jules s'est fait la malle.

À ce moment précis, la réaction la plus naturelle aurait été d'appeler ma sœur et son mari pour leur raconter ce qui m'arrivait et recevoir un peu de réconfort. Mais je n'en ai rien fait. Je ne pouvais pas m'y résoudre, parce qu'il aurait fallu que je parle de l'aventure qu'avait eue Marcus et j'en étais incapable. Pour toutes ces raisons et aussi pour d'autres, je n'ai pas non plus appelé Jack. Même s'il l'avait toujours cachée, je n'ignorais pas son antipathie à l'égard de Marcus.

Entre lui et moi, les choses étaient compliquées. Par ailleurs, si Marcus apprenait que j'avais appelé Jack dans un moment de crise, il prendrait ça pour une confirmation de toutes ses accusations passées sur les rapports que j'entretenais avec mon agent. Marcus avait toujours été agacé par notre intimité, jugeant qu'elle outrepassait une relation professionnelle. Pour tout dire, mes liens avec Jack étaient un sujet récurrent de querelle conjugale. Marcus me reprochait de lui confier trop de choses, de le voir trop souvent, d'accepter qu'il me touche d'une façon trop familière.

— Tu ne comprends rien à notre amitié, lui rétorquais-je.

— Oh que si, je la comprends, lâchait-il avec un rire mauvais. Mais je crois que c'est toi qui ne comprends pas. Tu es bien trop confiante, bien trop naïve.

— N'importe quoi !

Depuis son incartade, cependant, Marcus avait moins de reproches à me faire au sujet de Jack et pour tout commentaire il se contentait de regards exaspérés.

Mais tout cela était loin de mes préoccupations tandis que je m'habillais et rassemblais quelques photos de Marcus. L'affreux cri entendu au téléphone ne cessait de retentir dans ma tête et j'imaginais le pire. Pour me calmer, j'essayais de trouver des explications rationnelles à cet appel. On lui avait volé son téléphone ou alors il l'avait perdu. Ou peut-être m'avait-il quittée, peut-être se trouvait-il en ce moment dans le lit d'une autre femme, après avoir abandonné son portable dans une poubelle au moment où commençait pour lui une vie nouvelle. J'appuyais compulsivement sur la touche Bis de mon téléphone et je tombais chaque fois sur sa boîte vocale. Enfin le jour s'était levé. J'étais sortie avec l'idée d'aller signaler sa disparition au poste de police, mais je m'étais retrouvée devant l'immeuble de sa société, espérant que quelque chose viendrait mettre fin à ce cauchemar.

J'ai fini par apercevoir Rick. Il remontait la rue bordée de cafés branchés en pianotant sur son BlackBerry et ne m'a pas vue qui attendais devant la porte. Il était grand, dégingandé, avec une chevelure noire bouclée, une fine barbe et des pattes soigneusement taillées. Il portait ce matin-là un jean délavé et, sous son épais blouson de cuir qu'il gardait ouvert malgré la température glaciale, un tee-shirt qui proclamait : *Love Kills Slowly*. « L'amour tue à petit feu. » Il a grimpé les marches d'un pas alerte. Comme il ne m'avait pas remarquée, je l'ai appelé.

Il a levé les yeux de l'écran de son téléphone mais ne m'a pas reconnue immédiatement.

— Isabel.

Ses sourcils se sont froncés.

— Que fais-tu ici ? Il y a un problème ?

Il a jeté un coup d'œil au-dessus de ma tête et scruté la rue.

— Marcus n'est pas rentré hier soir, lui ai-je annoncé.

Il a pris un air surpris. Son regard s'est dirigé un court instant vers la gauche avant de revenir vers moi. Il cherchait une échappatoire. Sans lui laisser le temps d'inventer un mensonge, j'ai enchaîné :

— Est-ce qu'il était vraiment avec toi quand je t'ai appelé ?

Rick a rangé son BlackBerry dans sa poche et regardé le sol. J'ai noté qu'ici et là ses cheveux commençaient à grisonner et que de très fines pattes-d'oie étaient apparues au coin de ses yeux.

— Non, a-t-il reconnu. Il n'était pas là. Il n'est pas repassé au bureau après sa réunion. Il n'a même pas téléphoné.

J'ai senti passer sur moi le courant d'air glacé de la désillusion et la peur est revenue en force.

— Entre un moment, Izzy. Il fait froid dehors.

Je l'ai suivi dans l'escalier, tout en essayant de reconstituer mentalement l'emploi du temps de Marcus. Il ne m'avait pas appelée après sa réunion, comme il avait promis de le faire. J'avais commencé à essayer de le joindre dès 15 heures pour savoir comment elle s'était passée. À ce moment-là je n'étais pas du tout inquiète. Il lui arrivait si souvent d'avoir ce genre d'oubli. Pendant la journée, il avait l'esprit entièrement occupé par son travail. Je ne me suis toujours pas inquiétée quand il n'est pas rentré dîner. Mais alors qu'avec Rick j'atteignais les dernières marches grinçantes de l'étroit escalier, je me suis rendu compte que personne n'avait eu de contact avec Marcus depuis près de vingt-quatre heures.

Arrivée sur le palier, j'ai espéré un instant le trouver là à nous attendre. Il nous expliquerait qu'il avait passé la nuit sur le canapé de son bureau après une soirée trop arrosée. « Excuse-moi, me dirait-il. La réunion a viré au désastre. Je suis sorti prendre un verre et j'ai dérapé. Pardon. » Même si rien de tel ne lui était jamais arrivé, je m'imaginais la scène dans ses moindres détails tandis que Rick tapait le code du système d'alarme, tournait sa clé dans la serrure et poussait la lourde porte métallique. Je l'imaginais si fort que j'ai fini par y croire et j'ai presque ressenti, après le soulagement, une brusque flambée de colère.

Mais les lieux étaient déserts et silencieux. J'ai contemplé les rangées de bureaux éclairées par la lueur des écrans d'ordinateur et les conduits de ventilation courant au plafond dans le plus pur style industriel chic. Le box vitré de Marcus était plongé dans le noir. Soudain une sonnerie électronique a retenti, semblable au piaillement d'un oiseau pris dans un piège. Rick a laissé tomber sa sacoche et a couru décrocher.

Je l'ai regardé, le cœur battant, jusqu'à ce qu'il m'indique d'un léger signe de tête que l'appel ne venait pas de Marcus. Désœuvrée, je suis entrée dans la pièce où travaillait mon mari et j'ai allumé la lampe de bureau. J'ai vu Rick m'observer à travers la cloison, le combiné du téléphone coincé entre son oreille et son épaule. Je me suis assise dans le fauteuil en cuir de Marcus et j'ai plaqué mes mains ouvertes sur le froid métal de sa table. Une photo de notre mariage nous montrait l'un et l'autre béats, sur un fond de coucher de soleil rouge et or. Nous avions l'air tellement transportés de joie qu'on aurait dit une mise en scène. J'ai fouillé dans une pile de documents et d'enveloppes de papier kraft, lu des post-it collés sur l'abat-jour de la lampe et sur le téléphone à la recherche d'un indice. Puis j'ai allumé l'ordinateur. Rick est entré à ce moment-là et m'a paru mal à l'aise.

— Il n'aime pas qu'on envahisse son espace, m'a-t-il dit.

— Fous-moi la paix, ai-je répondu d'une voix morne.

Il a fixé la pointe de ses chaussures, enfoncé ses mains dans ses poches et haussé les épaules, ce qui lui a donné l'apparence d'un vautour. Il est trop vieux pour le style urbain chic qu'il affiche, ai-je pensé en le regardant. Il a besoin d'aller faire un tour chez Barney's et de grandir un peu. Dans leur duo, Marcus était le gars en costume-cravate, classique mais mode. Tandis que Rick avait cultivé à fond son look punk de programmeur informatique, jusqu'au teint cadavérique du type qui baigne continuellement dans la lueur de son écran. J'avais toujours pensé que Marcus aurait dû être en charge des relations avec la clientèle, mais il détestait cet aspect du métier. C'était donc Rick qui allait sur le terrain démarcher avec son équipe de commerciaux et qui gérait les besoins sans cesse croissants de leurs clients. Marcus était le cerveau de leur entreprise, celui qu'on ne voit jamais mais qui contrôle tout. Rick était un peu sa marionnette et je me demandais souvent s'il lui en tenait rigueur.

— Tu sais où il est ? lui ai-je demandé.

Comme il ouvrait la bouche pour me répondre, je l'ai mis en garde :

— Pas de bobards.

Il a fixé un point derrière moi avec une expression soucieuse, voire légèrement effrayée. Enfin, il a secoué la tête en agitant sa toison bouclée.

— Non, et j'aimerais bien le savoir.

— Quand tu as vu qu'il n'était pas rentré de sa réunion et qu'il n'avait pas appelé, tu ne t'es pas inquiété ? Il ne t'a pas effleuré l'esprit que ce n'était pas normal ?

Pour toute réponse, il a ouvert ses paumes vers le ciel.

J'ai explosé.

— Qu'est-ce que tu essaies de me dire ? Que ce n'était pas inhabituel ?

Il est resté coi, évitant mon regard. Des gouttelettes de sueur perlaient à son front. J'ai laissé le silence s'installer. J'espérais qu'il allait répondre, mais rien n'est venu. Alors j'ai raconté à Rick le coup de fil que j'avais reçu avec tout le calme dont j'étais encore capable. Pendant que je parlais, il s'est laissé tomber dans le fauteuil qui faisait face au bureau de Marcus et a appuyé sa tête contre sa main.

Puisqu'il continuait de se taire, j'ai ajouté :

— Je vais rappeler la police.

J'ai fait mine d'attraper le téléphone.

Comme frappé par la foudre, il a brusquement redressé la tête.

— Non, attends !

J'ai laissé retomber ma main.

— Rick, dis-moi ce qui se passe.

Soudain, nous avons entendu un fracas venant de l'escalier et la porte d'entrée a volé en éclats. Rick s'est levé d'un bond de son siège et j'ai fait de même. Je me suis redressée si vite que mon fauteuil à roulettes est allé s'écraser contre le mur derrière moi.

Cloués sur place, nous avons vu une dizaine d'individus faire irruption dans les locaux, l'arme au poing. Ils étaient habillés de noir de la tête aux pieds, à l'exception de l'inscription FBI imprimée en lettres blanches sur leur tenue.

Le temps semblait s'étirer interminablement. Les hommes se sont déployés à travers la pièce comme des rats dans un labyrinthe.

Nous avons été repérés par une femme à la silhouette élancée et aux cheveux blonds coupés court. Elle a immédiatement foncé vers nous et s'est mise à hurler. Je ne comprenais rien à ce qu'elle disait, je voyais seulement le canon de son arme pointé vers nous. Rick s'est pris la tête entre les mains. Le menton baissé contre la poitrine, il a fermé les yeux.

Il s'y attendait, ai-je pensé. Qu'est-ce qu'ils ont fait ? Je suis restée figée sur place, mes doigts crispés sur le rebord du bureau avec la sensation que le sol s'était dérobé sous mes pieds et que je tombais dans un trou sans fond.

Quand j'ai fait la connaissance de Marcus, je m'étais déjà résignée à devenir vieille fille. J'acceptais même ce rôle avec un certain soulagement après la ribambelle de losers et de cas pathologiques qui avait peuplé ma vie depuis bon nombre d'années. Je m'étais faite à l'idée d'être la fille incasable qui ne trouverait jamais chaussure à son pied. Mon problème n'était pas le manque d'occasions : je ne pouvais pas faire un pas sans faire une rencontre au supermarché du coin, dans une librairie, dans un café et parfois sur le quai du métro. Mon problème était que même quand les choses semblaient bien engagées, elles ne s'installaient jamais dans la durée. Je commençais à ressentir une forme de détachement, d'apathie même. Je commençais à redouter la sonnerie du téléphone et j'avais l'esprit ailleurs lors des soirées en tête à tête. Et quand ça n'était pas moi, c'était lui qui cessait d'appeler et finissait par disparaître de ma vie. Il était rare que j'aie à passer par l'horrible stade de la rupture. En général, les choses se délitaient d'elles-mêmes.

— Tu sais quoi, Izzy ? Je crois que ton problème, c'est que tu te suffis à toi-même, m'avait lâché un beau soir ma sœur Linda autour d'une bonne bouteille de pinot gris.

Mariée, mère de deux superbes enfants, une formidable carrière de photographe, Linda est mon aînée de cinq ans et Dieu merci parce que dans le cas contraire je devrais la tuer.

— Tu attends d'un homme qu'il se fasse une place sans rien bousculer dans ta vie. Tu n'es pas prête à modifier quoi que ce soit ni à faire la moindre concession.

Elle était à côté de la plaque et j'avais protesté :

— Quand j'aurai rencontré un homme fait pour moi, je n'aurai pas à changer ma vie pour lui faire de la place.

Sur quoi j'avais bu une gorgée de vin.

— Est-ce que je n'ai pas raison ?

Linda avait soutenu mon regard un moment puis haussé les épaules.

— Oui, en un sens. Disons que lorsque tu es avec la bonne personne, les concessions te coûtent moins.

Depuis leur cuisine, Erik, le mari idéal, m'avait crié :

— T'as raison, Izzy, te laisse pas marcher sur les pieds. Fais-les tous plier.

— Chut, lui avait susurré Linda quand il nous avait rejointes au salon. Tu vas les réveiller.

Elle parlait d'Emily et de Trevor.

— Et toi, tu as plié ? avais-je demandé à Erik.

— Pas qu'un peu ! Et c'est pas fini.

Il avait laissé tomber son corps svelte sur une chaise basse tendue de daim. Ainsi installé face à nous, il était invité dans notre conversation et avait fait rouler sa tête en arrière pour un effet plus théâtral.

— Arrête ton char, tu veux ?

L'œil pétillant, ma sœur lui avait souri et de son pied nu avait cherché le genou d'Erik. La façon qu'elle avait de le regarder me gênait parfois. Ces deux-là s'adoraient. Il n'y avait jamais entre eux la moindre chamaillerie, le moindre sarcasme, le moindre petit commentaire marmonné, ni la moindre insulte voilée comme chez tous les couples de mon entourage. Ce qui ne veut pas dire qu'ils ne se disputaient jamais. Mais leurs prises de bec étaient spontanées, sincères et rapidement oubliées. Saines, en un mot. Ces deux-là étaient tellement parfaits que ça m'en rendait malade.

Je me rappelle avoir pensé ce soir-là que jamais je ne connaîtrais rien de pareil. Mais, au lieu d'en être désespérée, j'en éprouvais un curieux soulagement. À vingt-huit ans, j'avais renoncé. Je rendais les armes, et cette décision non seulement me semblait justifiée mais m'apaisait.

— Et Jack ?

Cette question était revenue si souvent dans la bouche de ma sœur qu'au lieu de répondre comme je le faisais d'habitude je m'étais levée pour remplir mon verre.

Et puis Marcus avait débarqué dans ma vie. « Je suis l'un de vos plus fervents admirateurs. » Ce furent ses premiers mots. J'avais souri, je l'avais remercié du compliment et j'avais pris le livre qu'il me tendait. J'avais tout de suite remarqué ses mains, larges et puissantes. Je venais de terminer une lecture publique de mon dernier roman dans une librairie de quartier, devant une petite assistance qui s'était hâtée de partir sans acheter un seul exemplaire de mon bouquin. Cet homme était le seul à n'avoir pas fui avec les autres. Il soufflait dehors un vent violent, et ses rafales en poussant la porte de la boutique faisaient tinter le carillon de l'entrée. Il neigeait, mais les gros flocons fondaient dès qu'ils touchaient le sol sans nous offrir le spectacle d'un joli tapis blanc. J'avais signé le livre de cet homme tout en pensant à mon lit douillet. J'avais hâte de me glisser sous ma couette en regardant à la télé la rediffusion d'une vieille série. Du coin de l'œil, j'avais vu bâiller l'employé de la caisse. Il était près de 21 heures, et en dehors de nous trois la librairie était déserte.

J'avais rendu son livre à mon admirateur, mais au lieu de partir il était resté planté devant moi, comme s'il cherchait en lui le courage d'engager la conversation. Je m'attendais à ce qu'il me parle du roman qu'il écrivait ou me demande des trucs pour dénicher un agent ou un éditeur. Mais rien n'était venu.

— Encore merci, lui avais-je dit. J'apprécie votre courage d'avoir osé sortir par une nuit pareille.

— Je n'aurais raté cette soirée pour rien au monde.

Je m'étais levée et j'avais repris mon manteau sur le dossier de ma chaise. Quand je m'étais retournée, il avait disparu et je n'avais même pas entendu tinter le carillon de la porte. J'étais vannée et je ne voulais qu'une chose : rentrer chez moi. À part ses mains, j'avais à peine vu cet homme et j'aurais été incapable de le reconnaître si je l'avais croisé de nouveau. C'était plutôt inhabituel chez moi, car, d'ordinaire, j'emmagasinais tous les détails et j'absorbais toutes les énergies à la façon d'une éponge. Je n'aurais pas pu faire autrement, même si je l'avais voulu. La malédiction de l'écrivain. Mais pas ce soir-là, peut-être à cause de la fatigue ou de mon désir compulsif de rentrer chez moi. Ou bien y avait-il chez cet homme un je-ne-sais-quoi qui lui permettait de se fondre dans le décor et de passer inaperçu. Quoi qu'il en soit, il m'était déjà sorti de la tête quand j'avais souhaité bonne nuit à l'employé de la librairie et que j'étais sortie.

Il m'attendait près de la porte sous un grand parapluie. En le voyant, j'avais eu un mouvement de recul.

Remarquant mon expression angoissée et la rapidité avec laquelle j'avais battu en retraite vers l'entrée de la librairie, il s'était empressé de me rassurer :

— Ne vous inquiétez pas, je ne suis pas un sadique.

Il avait ri d'un air penaud et levé les yeux vers les flocons de neige qui tourbillonnaient dans l'air. Il était peut-être gêné de m'avoir effrayée.

— Est-ce que vous me prendrez pour un fou si je vous invite à dîner ? m'avait-il demandé après un instant de silence.

— Sans doute.

Je l'avais observé avec attention. J'avais étudié l'expression de son regard et son langage corporel. Il était grand et puissant, avec des épaules larges. Il tenait son parapluie d'une main ferme. Avec ses chaussures de prix et son ordinateur portable qu'il portait en bandoulière dans une luxueuse sacoche en cuir, il n'avait rien d'un tueur en série. Il était vêtu ce soir-là d'un caban sombre et d'une écharpe grise en cachemire. Sous l'éclairage des réverbères, ses yeux bleus et francs brillaient d'un éclat fascinant et sa mâchoire semblait avoir été taillée dans le roc. Un sourire amusé flottait sur ses lèvres. Je n'étais pas très couverte et je grelottais.

— Allez, m'avait-il encouragée, venez perdre un peu la tête avec moi. Dans un endroit public, en tout bien tout honneur.

Son sourire s'était élargi. Il semblait s'amuser de lui-même et de la situation dans laquelle il s'était fourré. J'avais souri à mon tour, séduite par son charme et son audace.

Pas le moins du monde démonté par mon silence et par la manière dont je devais le détailler, il avait insisté :

— À quand remonte votre dernière folie ?

J'aurais dû partir, arrêter un taxi et rentrer chez moi. J'en avais l'intention et je commençais même à marcher vers le bord du trottoir quand j'avais soudain eu l'un de mes rares moments de clairvoyance. Ma sœur avait raison quand elle me disait que je me suffisais à moi-même, que je n'étais pas prête à faire de la place à quelqu'un dans ma vie. J'avais tout à coup eu envie de lui prouver qu'elle se trompait.

J'avais regardé l'inconnu d'un œil neuf. Il continuait d'attendre, le sourire aux lèvres. N'importe quel autre homme aurait pris la mouche. Rebuté par ma froideur, il aurait déjà tourné les talons. Mais Marcus n'était pas comme les autres. Il obtenait toujours ce qu'il voulait. C'était un homme patient.

— Soyons sérieux, m'avait-il dit, et pour la

première fois j'avais entendu une légère pointe d'accent dans sa voix. Si j'avais voulu vous tuer, je l'aurais déjà fait.

J'avais ri avec lui de cette plaisanterie et un instant plus tard nous étions à bord d'un taxi roulant dans la nuit froide et humide.

Nous nous étions rendus au café Orlin, un lieu accueillant et discret, l'une de mes adresses favorites dans l'East Village. Nous y étions restés jusqu'au petit matin. Nous avions perdu la notion du temps, absorbés l'un par l'autre. Après l'exploration de notre passé, nous avions parlé d'art, de voyages et de livres — surtout des miens, et j'avoue que son intérêt pour mon travail m'était apparu plus que flatteur. Tout se passait sans effort, nous étions parfaitement à l'aise l'un avec l'autre. Quand nous étions ressortis pour retourner à nos occupations, la neige avait cessé de tomber. Marcus m'avait raccompagnée chez moi dans la nuit verglacée et cristalline. Il avait pris ma main et je l'avais laissé faire. Sa peau était lisse et sèche et sa poigne ferme comme un étau. Une douce chaleur m'avait envahie quand nos doigts s'étaient entrelacés.

À l'entrée de mon immeuble, j'avais tourné

mon visage vers lui. Je m'attendais à ce qu'il me dise : « Je t'appelle » ou bien : « Merci pour cette charmante soirée. » Quelque chose de vague qui marquerait des points de suspension, quelque chose qui m'inciterait plus tard à me demander si cette nuit avait réellement été aussi spéciale que je l'avais pensé.

— Je peux te revoir ce soir ? m'avait-il demandé.

J'en étais restée soufflée. Que faisait-il des stratégies de séduction, des obstacles à dresser, de l'indifférence à feindre ? N'avait-il jamais étudié son manuel de dragueur ?

Me voyant surprise, il avait enchaîné :

— Je n'ai pas le temps de jouer à des petits jeux.

Son regard était doux, aussi doux que sa main sur mon bras, mais il y avait dans son ton comme de la lassitude.

— Si tu n'as pas envie de me revoir, ton cœur le sait déjà. Alors dis-le et je ne t'en tiendrai pas rigueur. Mais si tu en as envie, alors réponds-moi tout simplement oui.

Je n'avais pas pu m'empêcher de rire.

— Oui, avais-je répondu. Oui, j'ai envie de te revoir ce soir.

J'avais déjà des projets, un dîner avec Jack. Tant pis, je l'annulerais. J'étais bien décidée à faire de la place pour cet homme dans ma vie.

— Dans ce cas, je passe te chercher à 20 heures.

Il avait pris ma main et l'avait pressée contre ses lèvres.

— J'en meurs déjà d'impatience.

Sur ce, il m'avait laissée là, tout étourdie sous la pâle lueur des réverbères. Il avait remonté ma rue à grandes enjambées et tourné l'angle sans un regard en arrière. J'étais presque certaine de ne plus le revoir. En entrant dans mon immeuble, je m'armais déjà pour affronter la déception qui ne manquerait pas de venir.

Rick a été menotté et enfermé dans un bureau. Tandis qu'ils l'emmenaient, il n'a même pas eu un regard pour moi et n'a pas prononcé un mot en dépit de mes appels désespérés.

— Rick ! Dis-moi ce qui se passe, par pitié !

Je l'ai suivi des yeux le temps que deux agents l'escortent jusqu'à la porte.

— Nous avons quelques questions à vous poser, madame Raine, m'a dit la femme. Alors je vous demande d'attendre ici.

Sur ce, elle m'a empoigné le bras et m'a

ramenée *manu militari* derrière le bureau de Marcus.

Je dois reconnaître qu'à ce moment-là j'ai quelque peu dérapé. J'ai hurlé ma rage et exigé de savoir ce qui était arrivé à Marcus. La femme m'a laissée me défouler en m'observant comme si j'étais un être insignifiant et pitoyable. Au bout d'un moment, épuisée, j'ai fini par me calmer.

— Asseyez-vous, madame Raine. Il y a beaucoup de choses dont nous devons parler, vous et moi, m'a-t-elle dit d'un ton condescendant.

Cette femme avait quelque chose d'étrange. Elle n'avait pas la tête d'un agent du FBI. Elle me faisait plutôt penser à une strip-teaseuse. Sa beauté avait un je-ne-sais-quoi de vulgaire et je n'aurais pas été surprise qu'elle commence à s'effeuiller sous mes yeux. Elle m'a observée longuement, un peu trop longuement je dois dire, puis elle est ressortie sur ses longues jambes en refermant la porte derrière elle.

Vidée, abasourdie, je me suis mollement laissée aller dans mon fauteuil et j'ai regardé à travers la cloison vitrée les agents qui emportaient les disques durs des ordinateurs, les dossiers des armoires, et vidaient les tiroirs. Ils avaient rengainé leurs armes. Ils travaillaient sans hâte, avec des gestes mécaniques, chacun s'acquittant de la tâche qui lui avait été assignée. Tous évitaient de regarder dans ma direction. Au bout d'un moment, la scène a pris pour moi un tour étrange. J'avais l'impression de regarder un téléfilm que j'aurais pris en cours et dont je ne comprendrais pas l'histoire. J'ai senti monter en moi un fou rire nerveux et tout de suite après l'envie irrépressible de hurler.

J'avais noté qu'aucun des employés de la société ne s'était présenté à son poste. J'en ai conclu qu'on les avait renvoyés chez eux ou bien qu'on les maintenait sous bonne garde dans le hall de l'immeuble.

Tout à coup, j'ai pris conscience que rien ne m'obligeait à rester sagement assise comme on me l'avait demandé. Marcus était peut-être déjà détenu par le FBI. J'avais posé la question aux agents, mais ils ne m'avaient pas répondu. Une arrestation expliquerait pourquoi il n'était pas rentré et n'avait pas appelé. J'ai senti renaître l'espoir. Certes, cette hypothèse n'avait rien de réjouissant, mais au moins cela signifiait qu'il était sain et sauf et que je pouvais lui venir en aide. Il était temps pour moi de rameuter la troupe : Linda et Erik, ma mère et Fred, sans oublier Jack. Et je devais aussi nous trouver très vite un bon avocat.

J'ai aperçu mon reflet dans la vitre. J'avais l'air d'une vieille femme, pâle et défaite, dans ma longue jupe noire et le grand pull que je portais sous mon manteau. La masse de mes boucles brunes était encore plus indisciplinée que d'habitude. Je devais me ressaisir, reprendre le contrôle de la situation.

J'ai décroché le téléphone. Plus de tonalité. J'ai levé le nez et regardé les agents fédéraux toujours affairés à désosser les locaux que Marcus avait mis tant d'énergie à agencer. Le chantier de rénovation avait duré des mois et englouti des milliers de dollars de nos économies, sans parler des emprunts. Je me suis levée et j'ai marché jusqu'à la porte. Elle était verrouillée. Prise de panique, j'ai tourné la poignée encore une fois. Ma bouche était sèche, ma gorge nouée. Avaient-ils le droit de me séquestrer ? De me détenir ici sans inculpation officielle et sans me laisser le droit de passer un appel ?

J'ai commencé à tambouriner contre la porte, puis contre la paroi vitrée. Personne n'a daigné lever les yeux. Cette fois, je les ai observés plus attentivement. Un des hommes avait une profonde cicatrice qui partait du coin de son œil droit et disparaissait dans le col de sa veste noire. Il était trapu, ses cheveux étaient longs et sales. Un autre avait les mains tatouées. Une femme s'était dissimulé la tête sous un bonnet, mais une mèche de cheveux violets n'arrêtait pas de s'en échapper et de lui retomber dans les yeux.

Une terrible intuition m'a frappée à l'instant précis où, tournant la tête, j'ai vu que la femme blonde était revenue dans le bureau : ce n'étaient pas des agents du FBI. J'ai marché vers elle.

— Qu'est-ce qui se passe ici ? ai-je demandé très calmement.

— Marcus s'est trompé sur ton compte, a lâché la blonde. Tu vas nous créer des problèmes.

Ses paroles ont été comme une gifle. J'ai tout de suite reconnu son accent, elle ne prenait même plus la peine de le masquer.

— Vous pouvez répéter ? ai-je prononcé dans un mince filet de voix. Qui êtes-vous ?

La femme me dépassait de presque une demi-tête, elle était plus carrée et robuste que moi, mais je n'avais pas peur d'elle. Qu'elle soit armée ou pas, je mourais d'envie de passer mes mains autour de son long cou blanc. Elle a paru comprendre ce qui me trottait dans la tête, parce que j'ai vu ses yeux s'agrandir sous l'effet de la surprise. Alors elle a levé son arme d'un geste vif et l'a abattue contre ma tempe. Je n'ai pas eu le temps d'esquiver le coup, ni même de sentir son impact. J'ai seulement entendu un choc sourd à l'intérieur de mon crâne. Un voile rouge s'est formé devant mes yeux et j'ai aperçu une paire de gros godillots noirs avant de heurter le sol. Ensuite il y a eu un éclair bleu et puis plus rien.

4

J'ai entendu une voix hurler : « Aidez-moi, pour l'amour du ciel, aidez-moi ! » Puis j'ai senti une odeur âcre d'urine et celle, piquante, d'un antiseptique. J'ai senti aussi une autre odeur, douceâtre et métallique. Du sang. J'ai entendu des bruits de pas affairés, la sonnerie d'un téléphone. Une lumière blanche m'a aveuglée. Le téléphone continuait de sonner et son timbre strident me transperçait le crâne. J'ai voulu remuer, mais une douleur aiguë m'a traversée des sourcils à la nuque. Quand mes yeux ont fini par s'habituer à la lumière, j'ai reconnu les traits de ma sœur Linda. Elle avait de gros cernes d'inquiétude sous les yeux. Derrière elle, Trevor et Emily étaient blottis l'un dans les bras de l'autre, appuyés contre un mur blanc, leurs yeux verts, écarquillés, jetant autour d'eux des regards plus curieux qu'apeurés.

— Ça fait cinq heures qu'on poireaute ici, a protesté quelqu'un. Vous êtes dingues ou quoi ? Cette femme a une grave blessure à la tête !

J'ai reconnu la voix de mon beau-frère Erik.

J'étais allongée sur un brancard, dans le couloir encombré d'un service d'urgences. J'ai deviné qu'il devait s'agir de l'hôpital Saint-Vincent, dans le Village. Comment avais-je atterri là ? Je n'en avais pas la moindre idée.

L'explosion d'Erik a provoqué la réponse stoïque de quelqu'un qui mentionnait les cas prioritaires de deux crises cardiaques et d'une blessure par balle.

— Elle est inconsciente depuis des heures ! a-t-il continué de s'emporter. Vous n'allez pas me dire qu'elle n'a rien de grave. On l'a à peine examinée.

— Pouvez-vous me laisser travailler, monsieur ? a répondu une femme d'un ton d'autorité.

Puis levant la voix elle a ajouté :

— Je vous demande de vous asseoir immédiatement ou bien je vous fais évacuer.

Dans ce genre de situation, Erik pouvait faire preuve d'un très sale caractère. Quand il se sentait à la merci d'un système mal organisé, il n'était pas rare qu'il sorte de ses gonds. Si ses deux enfants n'avaient pas été présents, il aurait certainement accablé cette femme d'injures. Toutefois s'il a dit quelque chose, je ne l'ai pas entendu.

Linda m'a vue ouvrir les yeux et s'est penchée au-dessus de moi. Elle a posé sa main sur mon front et m'a murmuré :

— Oh, Izzy, Izzy, qu'est-ce qui a bien pu t'arriver ?

Pourquoi parlait-elle si doucement ? Et puis j'ai avisé le policier en uniforme installé sur une chaise à quelques pas de Trevor et Emily.

— Je n'en sais rien.

J'ai pris sa main et j'ai tenté de me redresser en m'agrippant à elle, mais sans succès. Alors je lui ai tout déballé : Marcus qui n'était pas rentré, ma visite à son bureau et ce qui s'était passé là-bas. Les événements de la nuit et de la matinée me revenaient par flash-back. Dans ma hâte à raconter ces souvenirs comme ils me venaient, mes mots s'embrouillaient. Linda n'en perdait pas une miette, mais je doutais qu'elle parvienne à trouver un sens à ce que je lui livrais pêle-mêle. Elle m'enveloppait de ce regard intense qu'elle avait toujours eu pour moi, même quand nous étions enfants et que je lui racontais des histoires insignifiantes. J'ai senti mon visage s'embraser sous l'effet d'un cocktail détonant de rage, de peur et de désespoir.

J'ai vu passer les mêmes émotions sur les traits de Linda.

— Oh, mon Dieu, Izzy, pourquoi ne m'as-tu pas appelée ?

— Où est-il, Linda ?

Un long sanglot s'est échappé de ma gorge et des larmes brûlantes ont commencé à couler.

— Qu'est-ce qui m'arrive ?

Aussi désemparée que je l'étais moi-même, ma sœur a secoué la tête et serré ma main.

— Nous allons éclaircir tout ça, m'a-t-elle déclaré d'un ton résolu. Tout va s'arranger.

De nous deux, elle avait toujours été la plus optimiste. De mon point de vue, la situation ne pouvait aller qu'en empirant, mais je n'ai rien dit.

— Je peux tenir votre arme ?

Trevor s'était approché du policier en faction. Dix ans, une chevelure blonde comme sa mère, c'était un vrai petit ange.

— Arrête de dire n'importe quoi, Trevor, a lâché sa sœur d'un air exaspéré.

Treize ans, des cheveux noirs pareils aux

miens, mais raides comme des baguettes de tambour, et le même caractère rétif.

— Emily, l'a réprimandée Linda. Sois gentille avec ton frère. Et toi, Trevor, laisse ce policier tranquille.

Il y avait dans son ton une virulence très inhabituelle. Les deux enfants ont tourné la tête et nous ont regardées fixement. Choyés à l'école comme à la maison, ils avaient rarement entendu dans leur vie quelqu'un leur parler avec brusquerie. Ils n'auraient pas eu l'air plus offusqués si leur mère les avait giflés. J'avais toujours douté qu'il soit très bon pour eux de grandir dans un environnement si protégé et je m'inquiétais souvent du choc qu'ils risquaient de ressentir lorsqu'il leur faudrait quitter le cocon de la pédagogie Montessori pour entrer dans le monde réel.

Voyant que j'avais repris connaissance, le policier a tiré sa radio de son ceinturon et s'est détourné pour parler. Je l'ai entendu prononcer le mot « témoin ».

— C'est de moi qu'il parle ? ai-je demandé à Linda. C'est moi, le témoin ?

Elle a hoché la tête et s'est frotté les yeux.

— Oui, ils attendaient de pouvoir s'entretenir avec toi.

— Qui ça ?

— La police, a-t-elle susurré à mon oreille. Ils t'ont retrouvée inconsciente dans les bureaux de Marcus. L'endroit a été dévasté. Ce qui n'a pas été volé a été mis en pièces et maculé de peinture à la bombe. Quelqu'un a appelé les urgences. Ils t'ont conduite ici et nous ont alertés. Les inspecteurs attendaient que tu reprennes connaissance pour venir t'interroger.

— Ces gens n'étaient pas des agents du FBI, ai-je dit sottement, comme si ce n'était pas une évidence.

— Non, tu as raison.

— Dans ce cas, pourquoi ne m'ont-ils pas tuée ?

Je ne disais pas ça pour me faire plaindre, mais parce que j'étais perplexe. En toute logique, ils auraient dû m'éliminer. J'avais vu le visage de chacun d'eux et je serais capable de les reconnaître. Alors pourquoi m'avaient-ils laissé la vie sauve ? Pour quelqu'un comme moi qui faisait profession d'écrire des intrigues policières, ce choix semblait imprudent et stupide.

Linda a laissé retomber son front dans sa main et s'est mise à sangloter. Ma sœur pleurait toujours sous l'effet du stress ou de la colère. Certains y voyaient une marque de faiblesse, mais moi je savais que c'était sa soupape de sécurité. Les enfants sont venus vers nous. Emily a pris ma main tandis que Trevor posait sa tête sur l'épaule de Linda, mêlant ses boucles blondes à celles de sa mère.

— Qu'est-ce qui t'est arrivé, Izzy ? m'a chuchoté Emily dans le creux de l'oreille.

Son haleine sentait le jus de fruits. Elle ne m'avait jamais appelée autrement qu'Izzy et je m'en félicitais. J'aurais détesté qu'elle s'adresse à moi comme à sa tante. Cela aurait mis entre nous une distance qui n'avait jamais existé. J'ai serré sa main très fort et scruté son visage soucieux. Maigrichonne avec des traits anguleux, elle était une ado dotée d'une sensibilité de poète.

— Je n'en sais trop rien, lui ai-je répondu sans grande conviction.

Elle s'est retournée vers le policier qui venait d'ouvrir un journal. Il semblait indifférent au drame que nous étions en train de vivre et attendait seulement la fin de son service.

Emily a ramené son regard sur moi.

— Où est Marcus ? m'a-t-elle demandé.

J'ai retenu mes larmes. Linda en pleurs, c'était déjà bien suffisant. Il n'était pas dans l'ordre des choses que les enfants réconfortent les adultes.

— Je l'ignore aussi, ai-je réussi à articuler.

— Comment ça ?

Trevor avait tourné la tête vers moi. Le frère et la sœur m'observaient maintenant avec une expression apeurée. Erik a posé ses mains sur leurs épaules. Les deux enfants ont pivoté vers leur père et l'ont enlacé par la taille.

— Haut les cœurs ! a-t-il lancé d'un ton léger. Tout va s'arranger, vous verrez.

Erik n'était pas particulièrement costaud, mais il dégageait une grande sérénité. Dès qu'il apparaissait, les gens se sentaient mieux. Les hommes le prenaient en sympathie et les femmes badinaient avec lui.

Quatre paires d'yeux se sont braquées sur lui. Et je l'ai vu rassembler ses forces.

— Je vous le promets, a-t-il affirmé.

Plusieurs heures se sont écoulées avant qu'un médecin se penche sur mon cas. Ma blessure à la tempe a été nettoyée, suturée et pansée. J'avais reçu un sale coup à la tête, m'a mise en garde le jeune urgentiste. Je devais veiller à changer mon pansement, ne pas oublier de prendre mes antibiotiques et me reposer.

— Sinon, gare aux conséquences. Les blessures à la tête ne doivent jamais être traitées à la légère.

Il était d'une pâleur effroyable. Sous la peau presque transparente de ses mains, on devinait le réseau bleuté et noueux de ses veines. Il avait la mine de quelqu'un qui passe ses journées et ses nuits sous la lumière crue des néons.

Nous nous trouvions toujours au service des urgences, mais dans un espace fermé par un rideau à peine plus grand qu'un mouchoir de poche. Le policier n'avait pas bougé de son poste. Je distinguais sa silhouette trapue à travers la fine étoffe du rideau blanc. Les inspecteurs censés venir m'interroger n'avaient pas encore montré le bout de leur nez.

— Un coup à la tempe peut être fatal, a poursuivi le médecin d'un ton grave. Vous avez eu beaucoup de chance.

Je n'avais pas la force de lui répondre. Linda me tenait toujours la main. Elle était assise à mon chevet, sur un tabouret minuscule et inconfortable. Erik avait déposé les enfants chez sa mère et projetait d'aller enquêter sur ce qui était arrivé à Marcus et sur le cambriolage dans ses locaux, si c'était bien de cela qu'il s'agissait. Un calme étrange m'avait envahie, un peu comme si mon cerveau avait disjoncté. L'organisme humain peut encaisser une certaine dose de douleur, de peur et de chagrin, au-delà de ce seuil nos circuits mentaux se mettent en état de black-out. C'est le moyen qu'a trouvé notre psychisme pour surmonter les traumatismes, m'avait expliqué un psychiatre que j'avais interrogé dans le cadre de mes recherches pour la rédaction d'un de mes romans. Je comprenais mieux maintenant ce qu'il avait voulu dire.

— Ça va ? m'a demandé Linda après le départ du médecin, une question qu'elle répétait compulsivement tous les quarts d'heure depuis que j'avais repris conscience.

— Tu pourrais arrêter de me poser cette question ?

— Désolée.

Elle a redressé le dos et s'est étirée.

— Tu me fais penser à maman quand tu dis ça.

— C'est bon, je me suis excusée. On peut clore le dossier ?

— Erik a appelé ?

Elle a sorti son téléphone de sa poche et fait mine de consulter l'écran, mais nous savions l'une et l'autre que son portable n'avait pas sonné. Elle a fait non de la tête. J'ai ouvert la bouche, mais elle m'a devancée :

— J'ai essayé le portable de Marcus et le fixe de votre appartement il y a cinq minutes.

J'ai fermé les yeux et le visage de cette femme blonde m'est apparu. Quelles avaient été ses paroles exactes ? « Marcus s'est trompé sur ton compte. Tu vas nous créer des problèmes. » Chaque fois que je réentendais sa voix dans ma tête, mon estomac se soulevait et je m'enfonçais un peu plus dans le désespoir. D'autres mots ne cessaient de resurgir de ma mémoire en dépit de mes efforts pour les en effacer : « Je te sens encore à l'intérieur de moi. »

— Tu penses à cette femme ? m'a dit Linda, lisant dans mes pensées comme d'habitude.

Cette forme de télépathie avait toujours existé entre nous. Je décrochais le téléphone pour l'appeler et elle avait déjà fait la même chose de son côté, chacune finissait les phrases de l'autre et il nous arrivait souvent de nous acheter l'une à l'autre les mêmes cadeaux.

— Tu es certaine que c'est bien ce qu'elle a dit ?

— Certaine.

Elle s'est penchée en avant et a posé ses coudes sur ses genoux. Elle avait cette expression concentrée qu'elle prend toujours quand elle s'apprête à faire un effort de diplomatie.

— Je dis seulement que tu as reçu un sale coup à la tête.

— Je sais ce que j'ai entendu, Linda.

J'ai aussitôt regretté l'agressivité de mon ton ; pourtant, au lieu de m'excuser, j'ai fermé les yeux et je lui ai tourné le dos.

Linda n'a pas réagi tout de suite, mais, au bout d'un court instant, j'ai entendu le tapotement de son pied par terre.

— Tu veux que j'appelle quelqu'un ?

— Qui ça ?

— Jack, peut-être.

— Non, laisse tomber et fais-moi un peu d'air, s'il te plaît.

Je l'ai entendue se lever et pousser un léger soupir.

— Je vais nous chercher à manger, a-t-elle déclaré.

— Parfait, et surtout ne te presse pas.

Elle m'a touché délicatement l'épaule, puis elle est sortie. Je l'ai entendue demander au flic de garde si elle pouvait lui rapporter quelque chose et je m'en suis voulu encore plus d'avoir été si odieuse avec elle. De nous deux, Linda était la gentille, la fille simple et accommodante, tandis que moi, j'étais la peste. Bébé déjà, j'étais celle qui ne dormait pas la nuit, qui était difficile à table, qui faisait des coliques, qui, dès la grossesse, avait donné à sa mère des brûlures d'estomac. Devenue adulte, je restais celle qui oubliait de remercier, qui arrivait systématiquement en retard et qui ne rappelait jamais quand on lui laissait un message sur son répondeur. Linda était tout le contraire de moi. Elle n'oubliait jamais un anniversaire ni d'envoyer des fleurs pour les obsèques d'un lointain parent. Sa ponctualité n'était jamais mise en défaut. Non seulement elle arrivait à l'heure prévue, mais dans une tenue impeccable et jamais les mains vides. « Ta sœur est un trésor » figurait au palmarès des dix phrases qui me mettaient le plus en rogne, parce qu'elle était suivie d'un silence qui semblait signifier : « On se demande bien ce qui t'est arrivé. » S'ils avaient su, non pas qu'elle n'était pas tout ça, mais qu'elle n'était pas que ça.

J'ai profité de ce court instant de solitude pour laisser couler mes larmes sans personne près de moi pour m'étouffer sous ses caresses et me dire que tout irait bien. Mais ce répit n'a pas duré longtemps.

— Madame Raine ? Inspecteur Grady Crowe.

Je me suis retournée.

Selon mon estimation, un romancier relève environ cinquante pour cent de détails de plus qu'un individu lambda. Des détails qui sont archivés en vue d'une utilisation ultérieure.

C'est l'affaire d'une fraction de seconde et je suis à peine consciente du processus qui s'opère en moi. Dans le cas de l'inspecteur Crowe, j'ai immédiatement remarqué le menton fraîchement rasé, le pli impeccable du pantalon, la manière étudiée dont les manches de la chemise bleue dépassaient de la veste noire en daim, la coupe nette de ses cheveux bruns, l'arc dessiné des sourcils et le sourire poli qui ne parvenait pas à masquer la dureté de son regard.

À partir de toutes ces observations, le romancier peut broder. J'ai aussitôt rangé l'homme qui se tenait devant moi dans la catégorie des perfectionnistes, des pointilleux qui prêtent une grande attention aux menus détails et aux apparences, au risque parfois de perdre de vue le tableau d'ensemble. La ligne droite de ses lèvres m'a laissé penser qu'il devait travailler sans relâche à obtenir ce qu'il voulait, avec une obstination qui frisait parfois l'inconscience.

En règle générale, l'histoire que j'invente n'est pas très éloignée de la réalité, mais il arrive parfois, dans quelques cas très rares, qu'elle se substitue à la réalité elle-même et m'empêche de voir les choses telles qu'elles sont.

L'inspecteur Crowe s'est avancé sans attendre mon invitation. Je me suis assise péniblement et j'ai pris à contrecœur la main qu'il me tendait. Sa poignée de main était chaleureuse et ferme. J'ai noté qu'il sentait le café.

Il a porté à sa tempe l'un de ses doigts aux ongles manucurés.

— Eh bien, ils vous ont salement amochée.

J'ai cru deviner un sourire sur ses lèvres et ça m'a mise hors de moi.

— Vous trouvez ça drôle, inspecteur ? ai-je protesté, plus abattue que véhémente.

— Oh non, pas du tout.

Réel ou imaginaire, son sourire avait disparu. L'air très sérieux, l'homme a sorti de la poche intérieure de sa veste un calepin relié en cuir et un stylo Montblanc.

— Je viens vous interroger au sujet de Marcus Raine, votre mari, et de ce qui s'est passé à son bureau ce matin.

Il a ouvert un portefeuille pour me montrer son insigne doré et sa plaque d'identification.

Soulagée, j'ai déroulé le récit des récents événements. À une ou deux reprises, l'inspecteur a tenté de m'interrompre d'un geste de la main, mais j'ai poursuivi sans me soucier de lui. J'étais lancée et je ne m'arrêterais pas avant d'avoir raconté cette scène dans toute son horreur, comme s'il fallait que tout sorte, que tout soit couché sur le papier pour que je puisse amorcer la première étape et commencer à comprendre, résoudre et réparer ce qui avait été cassé depuis que Marcus n'était pas rentré. L'inspecteur a soigneusement consigné ma déposition dans son calepin. J'ai entendu son portable vibrer dans sa poche à deux reprises, mais il s'est abstenu de décrocher. Un bon point pour lui. Par intermittence, il se dédoublait et alors je voyais, au côté de l'homme en chair et en os, son double sorti de mon cerveau malmené.

Il a posé de nombreuses questions : qu'est-ce qui m'avait fait penser que ces individus étaient des membres du FBI ? Leurs blousons à l'emblème du Bureau. Avais-je demandé à voir leurs insignes ? Non. Pouvais-je les décrire ? Oui, et c'est ce que j'ai fait à partir des bribes de mes souvenirs. Serais-je capable de les identifier sur photos ? Oui, probablement. Mon mari avait-il des ennemis ? Était-il impliqué dans des activités illégales dont j'aurais connaissance ? Quelqu'un avait-il des raisons de vouloir lui nuire, à travers moi ou à travers sa société ? Non, non, non et non.

— Que voulait-elle dire par là ? m'a-t-il finalement demandé quand le flot de mes paroles a commencé à se tarir.

À un certain point, il avait cessé de noter. Il se tenait maintenant devant moi, campé sur ses jambes légèrement écartées, les bras croisés sur la poitrine, dans la posture de l'agent en faction au coin d'une rue.

— Comment le saurais-je ? ai-je répondu avec humeur. Je ne l'avais jamais vue de ma vie.

— Pourtant elle connaissait votre mari.

C'était une question piège et je ne savais pas trop comment y répondre.

— Les propos qu'elle m'a tenus me laissent à penser qu'elle le connaissait, effectivement.

L'inspecteur a remué les épaules. Il avait visiblement envie de marcher, mais l'espace du box ne lui permettait pas de faire plus de deux pas dans un sens ou dans l'autre. Son téléphone a recommencé à vibrer.

— Comment se portait votre couple ? a-t-il enchaîné d'un ton plus prévenant. C'est une question très personnelle, je sais, et je m'en excuse.

— Je n'en comprends pas le sens, ai-je menti.

— Aviez-vous des problèmes de couple ?

J'ai avisé une alliance en or à son annulaire.

— Et vous, vous avez des problèmes dans votre couple ? ai-je lâché méchamment.

Il s'est perché sur le tabouret où Linda s'était assise.

— Oui, à vrai dire. Si j'en crois mon ex, tous les torts sont de mon côté. Nous sommes séparés depuis un an et officiellement divorcés depuis trois mois. Je ne peux pas me résoudre à ôter cette alliance. C'est bête, vous ne trouvez pas ? Elle est déjà fiancée à un autre homme. Le mariage doit avoir lieu dans une semaine.

Sous l'élocution châtiée de l'ancien élève d'un lycée privé, j'ai cru entendre percer une pointe d'accent de Brooklyn. Ainsi donc, en dépit du Montblanc et des fringues de marque, notre inspecteur avait grandi dans une banlieue populaire.

— Le pire, c'est que je n'ai rien vu venir. J'avais projeté de l'emmener aux Bahamas pour notre anniversaire de mariage. Elle va y aller, mais pour sa lune de miel avec un autre flic qu'elle a rencontré à la fête de Noël du commissariat de district. Que dites-vous de ça ?

Je me suis demandé ce que j'avais bien pu faire pour mériter ces confidences que je n'avais pas sollicitées. Mais cette spontanéité était peut-être chez lui un trait de caractère.

— Sans être parfait, notre couple n'avait pas de problèmes, ai-je fini par lui répondre avec un haussement d'épaules. Il a eu une brève aventure il y a deux ans. Cette histoire n'a rien à voir avec ce qui s'est passé.

L'inspecteur a opiné, puis s'est frotté le menton en fixant un point au-dessus de ma tête. Ses yeux étaient si noirs que je n'arrivais pas à distinguer la pupille de l'iris. J'avais la tête qui tournait et j'aurais voulu me reposer un moment, mais je ne voulais pas me montrer vulnérable devant un étranger.

— En ce qui concerne le matériel informatique qui a été volé. Il était neuf, n'est-ce pas ?

— En effet, il y en avait pour plus de cent mille dollars.

— Il y a eu un autre cambriolage le mois dernier, vous confirmez ?

— Oui.

— L'assurance a remboursé ?

Je commençais à comprendre son raisonnement.

— Où voulez-vous en venir ?

— Vous n'avez pas répondu à ma question.

— Oui, elle a remboursé. Un chèque d'environ cent cinquante mille dollars…

Je n'ai pas réussi à terminer ma phrase.

— Somme que vous avez reçue cette semaine ?

— En effet, lundi dernier.

— Où est cet argent, aujourd'hui ?

— J'imagine qu'il a été déposé sur le compte de la société. Je ne me mêle pas des affaires de Marcus. Franchement, je ne sais pas.

— Sa société, Razor Technologies, commercialise des logiciels, c'est ça ?

— Oui.

Irradiant de ma tempe, une méchante migraine descendait le long de ma nuque et gagnait mes épaules. L'effet des antalgiques devait être en train de se dissiper.

— Quel genre de logiciels ?

— Des jeux électroniques. La société conçoit des jeux pour ordinateurs, consoles et téléphones portables.

— Ça rapporte ?

— Oui, pas mal. L'année dernière, ils ont vendu à Sony leur jeu sur PC, *Spear of Destiny*, qui a très bien marché. Ils travaillent aussi pour d'autres clients moins importants.

— Qui, par exemple ?

J'ai fouillé ma mémoire sans parvenir à me rappeler un nom que Marcus aurait mentionné.

— Je ne sais pas.

— Vous ne savez pas ?

La tête penchée sur le côté, il a froncé les sourcils d'un air sceptique.

— Je n'ai pas grand-chose à voir avec Razor Technologies, ai-je répondu. Le cerveau de l'entreprise, c'est Marcus. C'est lui qui crée les concepts, qui écrit le code du logiciel et qui s'occupe de faire tourner l'affaire. Rick Marino, son associé, se charge des relations avec les clients.

L'image lointaine de Rick Marino, les poignets menottés, s'est formée dans mon esprit. Je ne m'étais pas encore demandé ce qu'il était advenu de lui. Diverses possibilités me taraudaient sans jamais s'imposer vraiment.

L'inspecteur a consigné quelques notes dans son calepin.

— Je sais qu'il est arrivé quelque chose de terrible à mon mari, ai-je dit, gagnée par un affreux pressentiment. Avez-vous l'intention de nous aider ?

— Je suis ici pour ça, madame Raine, m'a-t-il assuré. Seulement, pour mener mon enquête et découvrir ce qui est arrivé à votre mari, j'ai besoin d'avoir le plus d'éléments possible.

J'ai hoché la tête et décidé que le moment était venu de m'allonger. L'inspecteur a tendu la main pour m'aider, mais je l'ai repoussée. Je ne voulais pas qu'il me touche.

— A-t-il de la famille quelque part que nous pourrions appeler, un endroit où il aurait pu se rendre sans vous en parler ?

J'ai fait non de la tête.

— Marcus n'a pas de famille. Ses parents sont morts quand il était enfant. Il a été élevé en Tchécoslovaquie par sa tante maternelle. Après la chute du communisme en 1989, il a émigré aux États-Unis dès qu'il a pu. Il a obtenu une bourse à l'université de Columbia, mais il a dû travailler pour financer ses études et décrocher sa maîtrise d'informatique.

J'ai souri involontairement. J'avais toujours été si fière de Marcus, de sa force, de son courage, de sa détermination presque surhumaine à obtenir ce qu'il voulait. Même quand ces qualités avaient joué contre moi et contre notre couple, ce sentiment ne s'était jamais démenti.

— Avait-il des problèmes avec quelqu'un ? Des collègues, des clients ?

— Si c'était le cas, il ne m'en a jamais parlé.

Puis j'ai ajouté :

— En ce qui concerne le premier cambriolage… je suis persuadée que ceux qui ont fait ça possédaient une clé des bureaux et le code de l'alarme. Sur le moment, ça m'a semblé étrange.

— Un employé mécontent ?

J'ai opiné.

— Une enquête a été ouverte à l'époque. La

police soupçonnait un programmeur que Marcus avait renvoyé quelques semaines plus tôt. L'homme avait proféré des menaces. Mais j'ai oublié son nom.

— Je vais me renseigner.

J'ai fixé le plafond. Je m'exhortais à rester forte, mais des taches sombres dansaient devant mes yeux. J'ai soudain éprouvé cette sensation de vertige qui précède un évanouissement et j'ai volontairement ralenti le rythme de ma respiration.

— Vous allez bien ? m'a demandé l'inspecteur.

J'ai cligné des yeux et vu apparaître son double fantomatique derrière lui.

— À votre avis ? ai-je rétorqué.

— Non, vous n'avez pas l'air d'aller bien. Désolé de vous le dire.

Il a refermé son Montblanc et laissé retomber sa main sur ses genoux.

— Qu'est-ce qui est arrivé à Rick Marino ? ai-je dit après un court silence.

— Rick Marino est mort, a lâché l'inspecteur.

Il préférait ne pas me ménager, une règle qu'il s'était probablement fixée depuis longtemps. Il a continué à parler tandis que, abasourdie, j'essayais d'intégrer cette nouvelle donnée et de formuler une réponse adéquate.

— Nous avons trouvé son corps sans vie dans les locaux de Razor Technologies avec ceux de deux autres employés, Eileen Charlton et Ronald Falco.

J'ai essayé de me les représenter tels que je les avais vus pour la dernière fois. C'était dans notre appartement, lors d'une fête donnée par l'entreprise. Eileen était conceptrice de jeux. C'était une jeune femme menue, avec des lunettes rondes à monture métallique qui lui donnaient un air studieux. Je me rappelais aussi Ronald, un ingénieur du son, un grand gars dégingandé et timide, affligé d'un léger bégaiement. Étaient-ils mariés ? Avaient-ils des enfants ? Aucun souvenir.

— Je suis désolé, a finalement ajouté l'inspecteur.

— Mais qu'est-ce qui se passe ? ai-je prononcé d'une voix étranglée.

— Nous nous efforçons de le découvrir.

L'inspecteur a rangé son calepin et son stylo. Il croyait sincèrement à ce qu'il venait de dire et pourtant c'était comme si un immense gouffre noir s'était ouvert sous mes pieds. J'allais tomber et l'inspecteur Grady Crowe ne pourrait rien pour moi. Il semblait clair que lui-même était dépassé par les événements. Ce que je ne comprenais pas encore, c'est que je l'étais moi aussi.

Quand j'avais annoncé à ma sœur que j'épousais Marcus, je n'avais pas obtenu la réaction que j'attendais. Il est vrai que Linda ne le connaissait pas bien. La période de nos fiançailles avait été aussi intense que courte. Mais je savais que j'étais mordue. Et Marcus donnait tous les signes de l'être autant que moi. Il m'avait fait sa demande quelques mois à peine après notre première rencontre.

Il avait tenu à me faire visiter Prague. Nous avions séjourné à l'hôtel des Quatre Saisons, près du quartier historique de Mala Strana. Un jour, nous nous étions rendus à une heure de route de là, dans la petite bourgade où il était né et avait vécu jusqu'à son départ pour l'Amérique. Je n'avais rencontré aucun membre de sa famille. Sa tante qui l'avait élevé était morte un an plus tôt des suites d'un cancer des ovaires, m'avait expliqué Marcus.

Nous avions flâné à travers un dédale pittoresque de rues pavées en compagnie d'autres touristes. De temps à autre nous nous arrêtions dans une boutique ou dans un café pour boire une bière locale. Marcus connaissait l'histoire de sa ville natale dans les moindres détails. Autrefois deuxième plus grande cité de Bohême grâce à l'exploitation de ses mines d'argent, Kutna Hora n'était plus désormais qu'une destination de passage pour les touristes visitant Prague.

Marcus parlait en tchèque avec les gens du coin et m'expliquait ce qu'avait été la vie à l'époque du rideau de fer. Ici, à ce coin de rue, les interminables files d'attente pour acheter des oranges importées de Cuba, là les rayonnages vides dans un magasin qui désormais regorgeait de marchandises, là encore la minuscule école où la propagande communiste lui avait été inculquée dès son plus jeune âge.

Sur le chemin du retour, nous avions fait halte dans un petit restaurant typique. Avec sa salle lambrissée, ses lourdes tables en chêne massif et ses poutres apparentes, l'endroit n'avait probablement pas beaucoup changé depuis le Moyen Âge, sauf qu'il était maintenant équipé d'un juke-box et fréquenté par de jeunes voyous qui vidaient d'énormes chopes de bière en fumant comme des pompiers. Le patron avait déposé devant nous un gigantesque plat en fonte rempli de morceaux de viande et de pommes de terre. Nous avions mangé jusqu'à l'indigestion.

Marcus avait été très silencieux toute la journée. Mais son mutisme n'était pas morose ou boudeur, plutôt contemplatif et peut-être un peu mélancolique. J'avais pensé qu'il n'était pas facile pour lui de revenir dans la ville où il avait grandi et de repenser aux êtres chers qu'il avait perdus, sa mère puis sa tante. J'avais respecté son recueillement.

À la fin du repas, alors que nous attendions le dessert, Marcus m'avait dit :

— Je n'aurais jamais pensé que j'éprouverais un jour le désir d'amener quelqu'un ici, tu sais.

Son accent était plus prononcé depuis que nous avions débarqué en République tchèque, comme si le fait de remettre le pied dans son pays natal et de parler sa langue maternelle lui faisait redécouvrir une partie de lui-même qu'il avait négligée et sans doute cherché à étouffer.

— Je suis heureuse que tu aies partagé tout ça avec moi, lui avais-je répondu. Je me sens beaucoup plus proche de toi maintenant.

Il m'avait alors enveloppée d'un regard intense et je m'étais sentie rougir. Il n'était pas beau, du moins pas d'une beauté classique. Mais son intensité, la virilité de ses traits exerçaient sur moi une force magnétique qui m'embrasait.

— Je veux tout partager avec toi, avait-il murmuré, les yeux baissés.

Puis il avait plongé la main dans sa poche et fait glisser sur la table un petit écrin de velours bleu.

— C'est sans doute un peu rapide, mais qu'importe. J'aurais dû le faire dès le premier soir.

J'avais ouvert l'écrin. Il contenait un rubis taillé à l'ancienne serti dans une monture de platine. Un bijou magnifique.

Marcus m'avait pris les mains.

— Isabel, ceci est mon cœur que je te remets. Je donnerais ma vie pour toi. Épouse-moi.

En dépit de la surprise qui me laissait sans voix, j'avais hoché la tête avec ferveur. Marcus avait glissé l'anneau à mon doigt, puis s'était agenouillé à mes pieds et m'avait serrée dans ses bras. Autour de nous, les gens nous observaient. Une femme, sans doute une Américaine à en juger par son pull Tommy Hilfiger et son pantalon en toile kaki, mais surtout par les chaussures de sport qu'elle avait aux pieds, avait poussé un cri de joie et s'était mise à applaudir.

Qu'avais-je imaginé pouvoir ressentir en un moment pareil ? Je n'en sais trop rien. Cette scène a été si souvent représentée dans des publicités ou des comédies romantiques, sans parler des histoires racontées par vos sœurs et vos amies. Mais vous seule pouvez savoir ce que vous éprouvez réellement. C'est un des grands moments d'une vie, pourtant je l'ai vécu comme j'avais vécu chaque instant de mon existence, à distance, dans la peau de l'observateur qui raconte la scène. Il y avait Marcus, ému comme je ne l'avais jamais vu, les hommes accoudés au bar qui nous regardaient avec un sourire goguenard, l'éclairage trop sombre pour que je puisse réellement admirer la bague, un camion qui passait dans la rue et dont les vibrations faisaient tinter les bouteilles sur leurs étagères. Et puis je me voyais, moi, heureuse, surprise et je l'avoue un peu soulagée de savoir que je ne terminerais pas ma vie sans avoir connu ce moment.

— Je ne comprends pas, m'avait dit Linda. Tu le connais à peine.

Nous venions de dîner chez eux et avions profité de l'occasion pour leur annoncer nos fiançailles. Linda et Erik avaient manifesté leur joie, comme il se doit. Après les embrassades, nous avions discuté avec excitation de nos projets pour la cérémonie. Mais plus tard, dans la chambre de Linda, tandis que les hommes testaient avec les enfants un nouveau jeu vidéo mis au point par Marcus, ma sœur m'avait lâché ce qu'elle avait sur le cœur. Je m'y attendais, bien sûr : j'avais vu son dos se raidir, son sourire un peu crispé et la lueur d'inquiétude dans son regard.

— « Quand vient le bon, on le sait », lui avais-je répondu en haussant les épaules. Je me trompe ?

C'est alors qu'elle avait commencé à pleurer, pas très fort certes, mais assez pour provoquer en moi un sentiment de déception et beaucoup d'anxiété.

Je m'étais allongée près d'elle sur le lit.

— Je pensais que tu l'appréciais.

Elle avait fixé le plafond puis ramené son regard sur moi et m'avait pris la main.

— C'est juste que je le trouve si froid. Il y a chez lui une espèce de distance.

J'avais secoué la tête en signe de dénégation.

— C'est que tu ne le connais pas encore assez bien. La distance que tu ressens est une différence culturelle.

Mais j'avais beau m'en défendre, j'avais comme un nœud au creux de l'estomac.

Elle avait opiné et esquissé un sourire.

— Prends ton temps et réfléchis bien avant

de faire le grand saut. Apprends à le connaître mieux.

Alors je m'étais emportée :

— Tu sais quoi, Linda ? Je crois que tu n'as pas envie de me voir heureuse.

— Arrête ça immédiatement, Isabel !

J'avais baissé la voix pour que les autres n'entendent pas et j'avais ajouté :

— Je crois que tu aimes me savoir malheureuse. Je crois que tu préfères que je reste à jamais la pauvre fille toute seule pendant que toi tu as tout, la carrière, la famille idéale.

— C'est n'importe quoi ! avait-elle lâché. Et tu le sais parfaitement. Au fond de toi tu sais que j'ai raison. D'où ta colère. Mais bon sang, Isabel, cet homme est le portrait craché de notre père.

Si je n'avais pas tant aimé ma sœur, je crois qu'à ce moment-là je l'aurais frappée. Mais j'avais préféré me lever et quitter la chambre. Linda avait voulu me retenir. Je l'avais entendue m'appeler avec des remords dans la voix, mais il était trop tard. J'avais dit à Marcus que je ne me sentais pas bien et nous étions partis quelques minutes plus tard.

Après ça, je n'avais pas parlé à Linda pendant presque deux semaines qui m'avaient paru longues comme deux années. Finalement, elle m'avait téléphoné sous prétexte de m'emprunter une paire de chaussures et notre relation avait repris son cours normal, sans excuses, sans discussions, sans résolutions. Nous laissâmes simplement l'eau couler sous les ponts.

Six mois plus tard, j'avais épousé Marcus dans une petite église de la banlieue résidentielle de Riverdale, près de la maison où ma mère vivait avec mon beau-père. La cérémonie avait été suivie d'une petite réception réunissant ma famille et quelques amis. Marcus n'avait personne à inviter. À l'époque, je n'avais pas trouvé ça triste ni étrange. Je crois que je n'y ai même pas réfléchi. Nous étions heureux ensemble et c'était tout ce qui comptait à mes yeux.

5

En sortant de l'hôpital Saint-Vincent sur la Septième Avenue, l'inspecteur Crowe referma les pans de son blouson et remonta la fermeture à glissière jusqu'en haut, puis il prit dans sa poche son bonnet de laine noir et l'enfonça sur ses cheveux courts.

Dehors, c'était l'heure de pointe et dans les rues les gens marchaient arc-boutés contre le vent glacial. C'était une foule de bobos branchés typique du Village, très différente des piétons en costume-cravate qu'on pouvait voir à la même heure dans le quartier d'affaires de Midtown, un peu plus au nord. Besace en bandoulière, veste en cuir et jean en lieu et place de l'attaché-case, du cachemire et de la gabardine.

Crowe avait toujours préféré le sud de Manhattan, qu'il considérait comme plus authentique que Midtown, mais beaucoup moins que des quartiers comme Brooklyn. Des décorations de Noël brillaient de mille feux dans les vitrines, un concert de klaxons s'élevait de l'avenue où les voitures avançaient pare-chocs contre pare-chocs. L'odeur d'un feu de cheminée flottait dans l'air. Il adorait sentir ce parfum, surtout en ville. Les rues semblaient moins froides et impersonnelles quand on imaginait quelqu'un tranquillement installé devant un bon feu, buvant peut-être une tasse de thé.

Crowe se fraya un chemin à travers les voitures bloquées dans les embouteillages de la 12e Rue pour rejoindre sa Chevrolet Caprice banalisée. Le moteur tournait et les gaz sortant du pot d'échappement prenaient une coloration rouge sous l'éclairage du parking. Sa coéquipière était au téléphone et parlait dans l'oreillette de son kit mains libres. De loin, on aurait dit une folle en grande discussion avec elle-même. Un jour qu'il lui en avait fait la remarque, elle l'avait traité de luddite, et depuis lors il se promettait de chercher la signification de ce mot dans le dictionnaire.

À l'intérieur de la voiture, le chauffage était monté à fond. Jez le maintenait à vingt-six degrés pendant l'hiver. Elle était toute menue et ne supportait pas le froid. Crowe ne s'en plaignait pas. Son éducation lui avait appris à accorder aux femmes tout ce qu'elles désiraient. « Tu peux toujours lutter, lui disait son père. Tu peux ruer dans les brancards. Si t'es vraiment très con, tu réussiras même à prendre le pouvoir. Mais à long terme, tu t'en mordras les doigts. Crois-moi, fiston, mieux vaut capituler tant que t'es encore jeune. Tu t'épargneras quelques vilaines cicatrices. » Sur ce point, son père avait raison. Avec trois sœurs, Grady avait retenu la leçon très tôt. Ensuite sa femme s'était chargée de la lui enfoncer définitivement dans le crâne, avant de prendre le large au volant de l'Acura dernier modèle qu'il venait de s'acheter. Les payer de mots ne suffisait pas. La reddition se devait d'être pleine et entière.

— Alors, qu'est-ce que t'as pu en tirer ?

Crowe s'engagea sur la chaussée, coupant la route à un taxi qui klaxonna furieusement.

— Crowe, tu m'écoutes ?

— Quoi ? Tu m'as parlé ? Je te croyais toujours en conversation avec ton oreillette. ET téléphone maison, ajouta-t-il, s'essayant à une piètre imitation.

Le résultat était minable, mais, bonne fille, Jez lui fit la grâce d'un sourire.

— Non, c'est à toi que je parle. Qu'est-ce que tu as ?

Dans les films, les femmes policiers sont toujours des bombes, mais dans la vraie vie, aux yeux de Grady, ses coéquipières étaient tout sauf féminines. Cheveux courts, verbe haut et biceps de déménageurs. Jesamyn Breslow, dite Jez, faisait figure d'exception. Comparativement à ses collègues, elle était mignonne et féminine, avec son petit nez et son carré de cheveux blonds, ce qui ne l'empêchait pas d'avoir du répondant. Elle pratiquait le kung-fu, pourtant, contrairement aux autres flics, hommes et femmes confondus, elle ne faisait jamais étalage de sa force.

Crowe lui résuma son entretien avec la victime. Le mari disparu, l'appel au téléphone et les faux agents du FBI. Cette version des événements était confirmée par les blousons marqués de l'emblème du Bureau qu'on avait retrouvés sur place. Une opération préparée à la va-vite. N'importe qui, en y regardant de près, aurait remarqué que la sérigraphie avait été bâclée.

— Elle pense pouvoir les identifier, mais à part ça elle ne peut pas nous expliquer ce qui s'est réellement passé.

Il tendit le bras pour prendre son café resté dans le porte-gobelet. Il était aussi amer et glacial que son ex-femme, mais il le but quand même.

— Tu la crois ? demanda Jez. Tu sais comment tu es. En face d'une jolie fille, tu perds toute objectivité.

Elle avait aperçu la photo de cette femme sur le bureau de Marcus Raine et l'avait immédiatement reconnue. Elle avait même l'un de ses livres dans son sac. Isabel Connelly, son nom de jeune fille qu'elle avait gardé comme nom de plume, avait son portrait imprimé sur la quatrième de couverture.

— Oui, je la crois. Si tu avais vu dans quel état elle était.

Isabel Raine avait l'air d'une poupée abandonnée sur le bord de la route. En la voyant meurtrie et brisée, il avait immédiatement éprouvé le désir de la ramasser, de l'épousseter et de la reposer à sa place.

— Où on va maintenant ? demanda Jez.

— Elle nous autorise à fouiller leur appartement. Elle a appelé le concierge pour qu'il nous laisse entrer.

— Un avocat ?

— Pas encore. Elle s'inquiète pour son mari. Elle est persuadée qu'il lui est arrivé quelque chose.

— Après tout elle ne sait peut-être vraiment rien.

Crowe lui décocha un regard noir.

— Tu vois, j'ai encore les pieds sur terre.

Jez rit.

— Je suis d'accord, Crowe. Tu n'as rien d'un romantique.

— C'est sans doute ce que dirait mon ex.

Breslow appela sa mère et annonça qu'elle serait en retard pour venir chercher son fils Benjamin. En l'écoutant, Crowe songea que, dans le naufrage de son couple, le seul point positif était qu'il n'avait pas d'enfants. Il voyait Breslow se débattre seule pour élever son petit garçon. Cette vie qu'ils avaient créée ensemble la reliait néanmoins au père de Benjy à jamais. Lui et son ex s'étaient partagé le peu d'argent qu'ils avaient en commun et point barre. Pourtant il avait toujours voulu des enfants, et même une flopée. Pas elle. Un à la rigueur, mais plus tard. Elle ne s'intéressait qu'à sa carrière et refusait d'être une femme au foyer comme sa propre mère, pas en vivant sur un maigre salaire de policier. Sa mère à lui avait élevé quatre enfants sur un salaire bien inférieur et n'avait jamais travaillé. Elle était passée sans transition de la tutelle de ses parents à celle de son mari, mais la citer en exemple ne faisait qu'aggraver les choses.

— Tu me parles d'une autre époque, Grady,

lui rétorquait sa femme. Crois-tu réellement que ta mère soit heureuse ? Je n'ai jamais entendu tes parents se dire la moindre gentillesse. Je ne les ai même jamais vus s'embrasser.

Elle parlait toujours du bonheur comme d'une loterie dont elle attendait de remporter le gros lot. Alors que, pour lui, le bonheur n'était qu'une affaire de point de vue sur la vie. Face à trois personnes assassinées dans un bureau du centre-ville et à leurs traits déformés par la douleur de l'agonie, on se sentait malheureux, mais en rentrant chez soi on retrouvait sa femme et ses enfants : le point de vue sur la vie changeait. C'était pas plus compliqué que ça.

— Tu rumines encore tes histoires avec ton ex ? lui demanda Jez tout en inspectant ses ongles.

— Comment tu le sais ?

— À ta façon de crisper les mâchoires, comme si tu te mordais la langue. Tu fais toujours ça quand tu es préoccupé.

— Tu ne sais pas tout de moi.

— Non, c'est vrai. Mais après une année entière passée à côté de toi dans cette voiture, j'ai appris à te connaître. Écoute mon conseil : si tu n'arrives pas à te sortir cette histoire de la tête, fais-toi aider. Sinon, tu vas t'aigrir. Tu en parles constamment et tu y penses encore plus souvent. Il est temps de tourner la page, Crowe.

— Merci, docteur Freud.

Elle avait raison, il le savait. Il était comme un chien après un os. Il ne pouvait pas s'empêcher de le ronger jusqu'à la moelle.

Visiblement satisfaite d'avoir fait passer son message, Jez revint aux choses sérieuses.

— J'ai entré au sommier toutes les informations que nous possédons sur ce Marcus Raine : date de naissance, numéro de sécurité sociale. J'attends de voir ce qui va en ressortir.

— Sa femme semble convaincue qu'il est une victime dans cette histoire. L'appel qu'elle a reçu l'a ébranlée. Elle est persuadée que c'est lui qu'elle a entendu crier.

— Et toi, tu en penses quoi ?

— Je ne sais pas trop. Il faut creuser davantage.

Arrivés devant l'immeuble d'Isabel Raine, ils se garèrent dans l'allée semi-circulaire qui menait à l'entrée. Le concierge, qui les attendait, leur remit les clés et leur indiqua qu'ils devaient prendre l'ascenseur jusqu'au neuvième étage. Crowe s'étonna du peu de curiosité manifesté par le personnage. L'homme aux cheveux gris lustrés et plaqués en arrière était aussi impassible qu'une gargouille. Il avait reçu ses ordres d'Isabel Raine et rien d'autre ne l'intéressait. C'était un concierge new-yorkais de la vieille école, dévoué aux habitants de l'immeuble, muet comme la tombe, sauf pour les compliments qui lui garantiraient de copieux pourboires à Noël.

Après avoir noté son nom, son adresse et son numéro de téléphone, Crowe lui demanda :

— Quand avez-vous vu Marcus Raine pour la dernière fois ?

L'homme s'appelait Charlie Shane et vivait à Inwood, dans le nord de Manhattan.

— Hier matin, un peu avant 9 heures, répondit-il sans hésitation. Il se rendait à son travail, je suppose. Si j'ai noté l'heure, c'est parce qu'il était tard. D'habitude, M. Raine sort vers 7 heures. Mme Raine travaille chez elle, alors elle va et vient dans la journée de façon un peu imprévisible.

À sa façon de prononcer ce dernier mot, Crowe comprit que, dans l'univers de Shane, l'imprévisibilité n'était pas une qualité.

Il allait lui demander ses horaires de travail, mais l'autre le devança :

— Je suis ici du lundi au samedi, de 6 heures à 18 heures, et parfois même un peu plus tard.

Je travaille dans cet immeuble depuis vingt-cinq ans.

Crowe consulta sa montre. Il était près de 19 heures.

— Vous faites des heures supplémentaires, ce soir ?

— Timothy Teaford, le concierge de nuit, n'est pas encore arrivé. Je ne peux pas partir tant qu'il n'a pas pris son service.

— Il a appelé ?

— Non.

— Ça lui arrive souvent d'être en retard ?

— Oui, je dois l'admettre.

— Je peux connaître son nom et son adresse ?

— Ils sont deux à se partager le service de nuit, et le dimanche soir ils travaillent à tour de rôle. Mais bien évidemment ils n'entretiennent pas avec les habitants de l'immeuble les mêmes relations que moi.

— Bien sûr, opina Crowe. En attendant, j'aurai quand même besoin de leurs noms et adresses.

— Bien entendu, monsieur.

Le hall d'entrée ouvrait sur une cour intérieure ornée d'une imposante fontaine en pierre qui avait été vidée pour l'hiver. Crowe vit Breslow promener autour d'elle un regard éberlué. Sa coéquipière eut assez de classe pour s'abstenir de tout commentaire, mais il était visible que ce décor l'épatait. Lui-même avait vu des tas de vestibules pareils à celui-là : hauts plafonds, dallage en marbre, tableaux aux murs et mobilier cossu. Il était natif du quartier populaire de Bay Ridge, dans Brooklyn, mais avait fréquenté le très chic lycée de Regis dans Manhattan. Regis pratiquait l'admission sur concours et dispensait de frais de scolarité ceux qui réussissaient à passer le barrage, si bien qu'il y régnait une mixité sociale plus grande que dans d'autres écoles privées du quartier. Pourtant presque tous ses amis et camarades de classe étaient des fils à papa devenus depuis médecins, avocats, écrivains à succès ou présentateurs à la télé. Il aurait pu faire partie de leur monde, mais son rêve avait toujours été d'entrer dans la police comme son père avant lui.

Après Regis, il aurait pu intégrer Princeton, Georgetown ou Cornell, mais il avait préféré s'inscrire à l'université de New York. Il ne voyait pas l'intérêt de dépenser autant d'argent pour ses études. Même avec la bourse que lui proposaient ces prestigieux établissements, les frais de scolarité restaient astronomiques. Ses parents étaient prêts à l'aider, mais cela n'aurait rien laissé pour ses sœurs. L'université de New York ne lui coûtait rien. Son diplôme en poche, il était entré directement dans la police.

Sa famille avait été déçue, il le savait. Ils espéraient beaucoup de lui. De tous, son père avait été le plus mécontent. « Tu as travaillé si dur, se lamentait-il. Tu n'avais pas besoin d'aller à l'université si ta seule ambition dans la vie était de donner la chasse aux rebuts de la société. » Comme beaucoup de représentants des classes populaires, son père jugeait la réussite à un seul critère : l'enrichissement sans effort. Or le travail dans la police était dur et dangereux et un flic honnête ne pouvait pas espérer faire fortune. C'était un mauvais calcul et on finissait toujours par obtenir moins que ce qu'on donnait. Mais les jésuites avaient une autre façon de mesurer la réussite d'un homme. Son fils également.

Après une année passée en immersion chez les trafiquants de drogue les plus dangereux du sud du Bronx, grâce à son niveau d'études et à une belle arrestation qui l'avait fait remarquer de sa hiérarchie, il avait décroché son insigne. Cinq ans plus tard, il intégrait la police criminelle avec le grade d'inspecteur. Trop tôt, trop vite, pour les autres gars qui avaient plus d'ancienneté que lui. Crowe n'était donc pas apprécié de ses collègues autant que l'avait été son père. « T'occupe pas de ces ringards, lui disait celui-ci. Ces types, ce sont des crabes dans un panier. »

Ayant obtenu de Shane les coordonnées des deux autres concierges, Crowe et Breslow montèrent au neuvième étage. Les portes de l'ascenseur s'ouvrirent sur un long couloir.

— Tu sais, je crois qu'on n'a pas choisi le bon boulot, lâcha Jez tandis qu'ils foulaient la moquette épaisse du couloir.

— Ouais, répondit Crowe pour la forme.

Lui-même appréciait les belles choses : les vêtements de qualité, les bons restaurants. Mais l'étalage de la richesse le laissait de marbre.

Il frappa plusieurs coups secs à la porte et prit sa voix la plus grave pour s'annoncer :

— Police de New York. Veuillez ouvrir.

Il frappa encore.

Ils laissèrent s'écouler trente secondes, après quoi Crowe frappa une dernière fois, puis tourna la clé dans la serrure et poussa la porte. D'emblée, ils notèrent la présence de débris de verre dans le vestibule.

Aussitôt, ils se placèrent de part et d'autre de l'entrée et dégainèrent leurs armes. Progressant lentement, ils inspectèrent l'appartement pièce par pièce, en ouvrant toutes les portes. Après s'être assurés que les lieux étaient sûrs, ils rengainèrent leurs pistolets. Jez sortit sa radio pour demander des renforts et une équipe de la scientifique.

L'impressionnant duplex, avec ses parquets et sa hauteur sous plafond, sa cuisine tout équipée aux chromes étincelants et sa chambre avec salle de bains attenante, avait été littéralement dévasté. Les meubles étaient lacérés, les rideaux déchirés, le contenu des étagères répandu par terre, et les cadres des photos mis en pièces. Les unités centrales des deux ordinateurs qui se trouvaient dans l'appartement — un dans le bureau en mezzanine et l'autre sur une table de travail dans la cuisine — avaient disparu. Il ne restait plus que les écrans et les câbles arrachés, exactement comme dans les locaux de Razor Technologies. Une armoire de classement cachée dans un placard mural avait été entièrement vidée et ses tiroirs bâillaient comme autant de bouches ouvertes. Dans la salle de bains, quelqu'un avait renversé un flacon de vernis à ongles rouge sur une photo en noir et blanc d'Isabel Raine marchant sur une plage en compagnie de deux enfants et d'un chien. Le vernis n'était pas encore complètement sec.

Crowe redescendit au premier niveau et inspecta le salon. Les dommages commis semblaient relever d'une folie destructrice. Des photos de famille avaient été balayées de leur étagère et piétinées, des coussins lacérés laissaient apparaître des touffes blanches de rembourrage à travers leurs blessures. Un canapé tendu de chintz avait été tagué au marqueur indélébile. La rage déployée ici paraissait beaucoup plus personnelle que dans les locaux de la société.

Crowe s'avança dans la pièce et entendit crisser sous ses pas des morceaux de verre. Baissant les yeux, il vit un portrait de Marcus et d'Isabel Raine. Elle enlaçait son mari par le cou et riait, la tête renversée en arrière, tandis que lui fixait l'objectif d'un air grave, un sourire soulevant à peine la commissure de ses lèvres. Le cadre de la photo avait été foulé aux pieds et le verre pulvérisé à l'endroit où se trouvait le visage d'Isabel. Pourtant, bizarrement, celui de Marcus Raine était intact.

Jez s'approcha derrière Crowe et contempla la scène.

— La vache ! On dirait que quelqu'un avait les nerfs.

— Ouais, comme tu dis, approuva Crowe.

— Comment sont-ils entrés ?

Ils échangèrent un regard et Jez lâcha :

— Un des concierges.

Ni une ni deux, ils sortirent de l'appartement. Crowe s'arrêta juste le temps de refermer la porte à clé, tandis que Jez fonçait appeler l'ascenseur.

— Le type qui bosse de 18 heures à 6 heures ne s'était pas encore présenté à notre arrivée, dit Crowe quand les portes de l'ascenseur se refermèrent sur eux. Le vernis renversé dans la salle de bains n'était pas encore sec. C'est donc qu'ils sont venus pendant les heures de service de Shane.

— Douze heures de boulot d'affilée, pensa tout haut Breslow. Est-ce que c'est bien légal ?

— J'en sais rien, lui répondit son coéquipier. Je suppose que c'est à prendre ou à laisser.

— Qui peut accepter d'être aux petits soins d'une bande de nantis pendant douze heures d'affilée, de faire entrer leurs bonnes, de réceptionner leurs colis et leurs vêtements revenant du pressing ?

— Tel est le lot du concierge new-yorkais. Son sacerdoce.

— Cirer les pompes des richards, merci bien.

Aux yeux de Crowe, leur travail dans la police n'était guère différent de celui d'un concierge. « Protéger et servir », telle était leur devise. Pas seulement les nantis, certes. Toutefois les riches s'arrangeaient toujours pour obtenir le meilleur service. Plus de diligence et plus de déférence. Même de la part des flics. Si votre frère jouait au golf avec un sénateur, les policiers se montraient très zélés quand votre fille était violée ou votre femme dévalisée. Dans les quartiers défavorisés, tous les jours des filles étaient violentées et des gens agressés, mais ça ne faisait pas les gros titres des journaux. Parfois les policiers en uniforme ne se déplaçaient même pas et quand ils daignaient pointer le bout de leur nez, ils ne cherchaient pas à cacher leur mépris ni leur indifférence. Ce n'était pas toujours le cas, mais ça se passait souvent ainsi. Crowe avait travaillé dans le Bronx assez longtemps pour savoir ce que ces gars pensaient des délinquants et de leurs victimes. Leur attitude était très différente dans Midtown, là où vivaient et travaillaient les riches.

Quand ils arrivèrent dans le hall d'entrée de l'immeuble, Charlie Shane était parti. Son remplaçant était un maigrichon au menton mal rasé et aux cheveux blonds sales et hirsutes.

Crowe sortit son calepin et le feuilleta jusqu'à la page sur laquelle il avait noté le nom de l'employé. Il consignait tout dans ce calepin — les moindres détails, le fruit de ses réflexions, ses observations, ses questions — en se disant que tout cela lui serait utile le jour où il écrirait son roman. En attendant, l'exercice lui permettait de garder l'esprit vif et de conserver une trace de ce que les gens lui disaient. Il était sûr de toujours retrouver dans son carnet ce qui se perdait au fond de sa mémoire.

— Timothy Teaford ? prononça-t-il en s'approchant du type débraillé.

— C'est moi.

De près, l'homme paraissait plus jeune et plus nonchalant. Crowe nota la présence d'un tatouage dépassant de la manche de sa chemise et crut reconnaître un de ces bracelets de dessins tribaux à la mode. L'inspecteur se présenta et exposa la situation en quelques mots pendant que Breslow passait des appels.

— Ça craint, lâcha Teaford. Ils étaient sympas et me filaient de gros pourboires.

— Vous étiez en retard pour prendre votre service aujourd'hui, n'est-ce pas ?

— Ouais, j'étais malade. J'ai pas pu travailler la nuit dernière à cause de cette crève.

Crowe sentit sa coéquipière s'éloigner imperceptiblement. Breslow avait une phobie des microbes. « On voit que tu n'as pas de gosses, avait-elle rétorqué la première fois qu'il l'avait taquinée à ce sujet. Quand Benjy attrape ne serait-ce qu'un rhume, je suis bonne pour deux semaines de nuits blanches, de visites chez le pédiatre et une otite au bout du compte quand ça dégénère. Alors la grippe, je ne t'en parle même pas. »

— Quelqu'un peut-il confirmer votre présence chez vous hier soir ?

L'homme haussa les épaules.

— Ma copine. Elle s'est pointée avec des tacos. On a maté un film ensemble et elle est restée dormir.

— Dans ce cas, qui vous a remplacé à votre poste ?

— J'en sais rien. J'ai appelé pour prévenir que je viendrais pas, mais je sais pas à qui il a filé mes heures.

— « Il », c'est qui ?

— Charlie Shane, c'est lui le boss ici.

Crowe consulta ses notes. Shane avait omis de signaler que Teaford n'avait pas travaillé la veille. Il avait seulement mentionné que le jeune homme était en retard pour prendre son service.

— Où est-il en ce moment, votre chef ? Toujours dans l'immeuble ?

— Non, c'est bizarre. En y repensant, il n'était pas là quand je suis arrivé. Y avait personne. J'ai trouvé la porte fermée à clé et la loge vide. Il a fallu qu'un résident me fasse entrer.

— Ça lui arrive souvent de se conduire de cette façon ?

— Pas vraiment, non, répondit Teaford. Si on le laissait faire, ce mec pieuterait ici.

Il avait prononcé ce constat sans ironie, mais avec une perplexité toute juvénile, comme si le dévouement à un travail lui était incompréhensible et appartenait à un passé révolu, un peu comme les dinosaures.

— Franchement, je ne l'imagine pas quittant son poste avant que la relève soit assurée.

— Il n'a pas laissé de mot ? l'interrogea Breslow, entre deux appels.

Teaford fit non de la tête. Son apparence était décidément très peu soignée. Son uniforme était fripé. Son col portait une tache incrustée qu'il avait tenté de nettoyer et il avait même une croûte au coin de l'œil. Pourtant il y avait chez lui une innocence déconcertante et une douceur charmante.

— Vous savez comment le joindre ? lui demanda Crowe.

Teaford se pencha en avant, plissa les yeux

et lut à voix haute un numéro de téléphone collé au bureau à l'aide d'un bout de scotch. Jez le composa.

— C'est la messagerie vocale, annonça-t-elle au bout de quelques secondes. Monsieur Shane, ici l'inspecteur Jesamyn Breslow de la police de New York. Je vous demande de nous rappeler ou bien de revenir à l'immeuble au plus vite.

Sur quoi, elle énonça son numéro.

— Depuis le temps que je travaille ici, je ne suis jamais tombé sur sa boîte vocale, fit observer Teaford d'un air soucieux. Il répond toujours. Vous ne pensez pas qu'il lui est arrivé quelque chose ?

Mais Crowe se préoccupait moins de la santé de Charlie Shane que du tour que venait de lui jouer son instinct. Il aurait dû se méfier de ce type. Breslow ou lui-même aurait dû rester en bas pour le tenir à l'œil pendant que l'autre montait inspecter l'appartement. En même temps, il n'aurait pas été très judicieux ni même très réglementaire que l'un d'eux entre seul dans les lieux, surtout après ce qui s'y était passé.

— J'ai appelé pour demander que des gars en uniforme aillent l'attendre à son domicile au cas où il serait tout simplement rentré chez lui, mais ça me semble peu probable.

Jez était une femme d'action. Elle ne connaissait pas le doute et ne perdait jamais de temps à s'interroger sur ses erreurs. Elle vivait au présent. Crowe avait lu quelque part que cette capacité à voir les choses telles qu'elles étaient et non telles que vous vouliez qu'elles soient était la qualité première des gens aptes à survivre aux situations les plus extrêmes. Lui-même se serait pris la tête pendant dix bonnes minutes avant d'accomplir ce que Breslow avait expédié en deux temps trois mouvements.

Elle se trouvait à ce moment précis devant la porte de l'ascenseur, occupée à tapoter vigoureusement son stylo dans le creux de sa main, une de ses sales manies, pendant que Crowe finissait de noter les coordonnées de la petite amie de Teaford et d'ordonner au concierge de ne pas bouger jusqu'à leur retour. Quand il jeta un dernier coup d'œil en direction du jeune homme avant de s'éloigner, il lui trouva un air plus inquiet que coupable. Mais peut-être se trompait-il encore. Il avait déjà commis une erreur de jugement aujourd'hui, il n'était pas exclu qu'il en commette une autre.

— Arrête de ruminer, lui glissa Jez. On pouvait pas savoir.

Elle venait d'entrer dans la cabine de l'ascenseur et lui tenait la porte.

— On est payés pour savoir.

— C'est là que tu te trompes : on est payés pour chercher.

Crowe se retourna une dernière fois vers le concierge, qui était maintenant occupé à parler dans son portable.

— Je préfère t'attendre ici jusqu'à l'arrivée des renforts.

— Comme tu voudras, répondit Breslow en relâchant le bouton d'ouverture des portes.

— Ne touche à rien avant l'arrivée des gars de la scientifique, lui rappela-t-il.

Il eut le temps de la voir lever les yeux au ciel juste avant que les portes de l'ascenseur se referment.

Une minute plus tard, la cavalerie arrivait. Il ne s'agissait pas d'un cas d'urgence, mais ses collègues aimaient bien mettre leurs gyrophares et brancher leurs sirènes pour circuler plus vite et s'amuser un peu dans un district réputé pour être constamment congestionné. Il n'avait pas oublié l'excitation qu'on ressentait à circuler à toute allure dans les rues, surtout la nuit, et quel pied d'enfer c'était de voir le monde s'ouvrir pour vous laisser le passage. Il lui était arrivé de couper la radio de bord, juste pour ne pas entendre l'ordre d'interrompre une course poursuite. Il se révélait parfois préférable de laisser filer le suspect, plutôt que de risquer la vie de civils innocents, mais eux n'avaient qu'une idée en tête : attraper le fuyard. Un cocktail d'adrénaline et de testostérone courait dans leurs veines. Il fallait évacuer toute cette tension. Alors beaucoup de ces courses poursuites se terminaient par le passage à tabac du suspect.

Son père désapprouvait ce type de comportement. « Le héros est celui qui rentre tous les soirs chez lui retrouver sa famille, disait-il. Celui qui se protège et protège ses collègues pour qu'ils puissent continuer à vivre et à subvenir aux besoins de leur femme et de leurs enfants. »

Crowe comprenait la sagesse de ces paroles. Mais quand il filait à cent trente sur Broadway dans le hurlement des sirènes pendant qu'un pauvre diable se vidait de son sang dans son épicerie, abattu par une petite ordure qui avait pris la fuite, il avait tendance à ne pas en tenir compte.

6

Je me suis réveillée le lendemain matin dans la chambre d'amis de Linda. Je n'étais pas seule, car Emily et Brown, le chien de la famille, m'avaient rejointe sur mon grand lit et s'y sentaient comme chez eux. Brown était couché à mes pieds et Emily, pelotonnée contre moi. Leur présence était un réconfort. Sans eux à mes côtés, le désespoir qui m'avait submergée dès que j'avais ouvert les yeux aurait pu m'engloutir.

Mon abattement était tel que j'ai regretté un instant de n'avoir pas été tuée par ce coup à la tête. Il aurait mieux valu, car ainsi je n'aurais pas eu à traverser l'océan de chagrin, de terreur et de perplexité qui s'ouvrait maintenant devant moi. J'ai serré Emily contre moi et respiré le doux parfum de ses cheveux fraîchement lavés.

Les analgésiques que j'avais pris la veille,

après le départ de l'inspecteur, avaient réussi à effacer pour le restant de la soirée toutes les questions qu'il m'avait posées et leurs implications. Mais à présent la douleur physique était revenue et avec elle les paroles du policier. Je me sentais de plus en plus agitée et j'ai fini par m'extirper des couvertures. Emily n'a pas bronché et Brown a levé vers moi ses yeux humides de labrador. Il a grogné pour me signifier que je le dérangeais, puis il est venu s'installer à la place que j'avais occupée dans le lit et s'est rendormi. Brown était le chien d'Emily et la suivait partout comme son ombre.

J'ai ôté le pyjama fétiche de Linda, un truc en flanelle rose, trop large et tout déformé, adouci par de multiples lavages et pas sexy pour un sou. Il y avait sur la manche une tache de nature indéfinissable qui ne s'était pas effacée. Je n'avais aucun souvenir de l'avoir enfilé. J'ai remis les vêtements que je portais la veille et que j'ai trouvés sur une chaise près de la fenêtre, après quoi je suis sortie de la chambre avec l'intention de quitter la maison sans réveiller personne. Dans le cas contraire, je savais qu'ils essaieraient de me retenir et qu'ils y parviendraient sûrement. Je devais partir, retourner chez moi et tenter de comprendre ce qui m'arrivait. Mais Erik était déjà debout et buvait son café au comptoir qui séparait la cuisine du salon.

Ils habitaient un vaste loft aux murs percés d'immenses baies vitrées. Lumineux et chauds, les rayons du soleil matinal pénétraient dans la pièce à travers les fenêtres sans stores. L'espace était décoré sobrement de quelques meubles bas dans des tons ivoire et bruns. Des huiles en grand format de ma sœur — peintre talentueuse en plus d'être une photographe douée — et des sculptures rapportées de leurs voyages formaient un ensemble à l'éclectisme chic. Naguère aussi ordonné et élégant qu'une salle de musée, ce sanctuaire avait été envahi et portait maintenant les marques des ravages que lui avaient fait subir les plus jeunes membres de la famille. Un tee-shirt de Trevor pendu au dossier d'une chaise. Une haute pile de livres d'Emily menaçant de s'effondrer sur le canapé dont le revêtement en daim était taché par du raisin. Un fauteuil rembourré en forme d'hippopotame, une console de jeu raccordée à la télévision à écran plat et sur la table basse une partie de Monopoly inachevée. Le panier de Brown tapissé de poils. Le réfrigérateur en inox entièrement recouvert de dessins d'enfant, d'aimants décoratifs, de photos et d'autocollants.

Sans un mot pour Erik, je suis allée ramasser mon sac près de la porte et j'ai vérifié que mon portefeuille et mes clés se trouvaient à l'intérieur. C'est alors que je me suis rendu compte que mon alliance avait disparu. Comment ce détail avait-il pu m'échapper ? J'ai levé un regard interrogateur vers mon beau-frère qui m'observait, perché sur un tabouret.

— Vous me l'avez retirée à l'hôpital ?

Il ne m'a même pas demandé de quoi je parlais.

— Non, m'a-t-il répondu d'une voix douce. Elle n'était déjà plus là quand nous t'avons retrouvée. Je suis désolé, Izzy. Linda l'a tout de suite remarqué, mais nous avons décidé de ne pas t'en parler. Nous avons préféré t'épargner ça.

Le visage de cette femme dans les bureaux de Marcus m'est immédiatement apparu. J'ai revu son expression méprisante et j'ai pensé : c'est elle, cette garce m'a pris mon alliance.

Erik s'était approché de moi pendant que nous parlions. Je l'ai laissé passer son bras autour de mes épaules et me conduire jusqu'au canapé. Je m'y suis laissée choir, renversant les livres d'Emily, qui se sont éparpillés sans bruit sur le sol. Nous n'avons pas fait un geste pour les ramasser. Dans un coin de la pièce, un gigantesque arbre de Noël croulait sous les décorations et les guirlandes lumineuses. Son clignotement incessant agressait mes yeux fatigués.

— Je ne crois pas que tu devrais partir maintenant, m'a dit Erik.

Il avait des cernes bleutés autour de ses yeux et une raideur inhabituelle au niveau de la bouche.

— Je dois rentrer, Erik. Il faut…

J'ai laissé ma phrase en suspens.

— Il faut quoi ?

— Je ne sais pas, ai-je répondu d'un ton vif.

J'aurais voulu laisser exploser ma rage, mais j'ai réussi à me maîtriser. Je ne tenais pas à réveiller ma sœur et à affronter son visage soucieux.

— Je ne sais pas, ai-je répété. Fouiller l'appartement, peut-être. Chercher des indices qui me révéleraient ce qui est arrivé à mon mari.

Erik a hoché la tête d'un air compréhensif.

— La police s'en charge. Et pour le moment tu as besoin de t'occuper de toi.

Il a touché sa tempe pour me rappeler que j'étais blessée à la tête.

— Laisse-nous veiller sur toi.

Je me suis levée d'un bond et j'ai marché

jusqu'à la porte. Erik n'a pas essayé de me retenir. Ce n'était pas ce genre d'homme. Lui était du genre à dire ce qu'il avait à dire et puis à s'effacer en laissant les gens prendre leurs propres décisions. Il s'est assis à la place que j'occupais un instant plus tôt sur le canapé. J'ai repris mon sac. Au moment où je posais la main sur la poignée, Erik m'a stoppée dans mon élan.

Il s'est frotté les yeux et a poussé un soupir.

— Il y a un truc dont j'hésite à te parler depuis un moment.

J'ai été gagnée par une soudaine appréhension.

— Je t'écoute.

Il a gardé la tête baissée un court instant, puis s'est redressé et a fixé un point au-dessus de moi. En voyant son expression, je suis revenue m'asseoir dans un fauteuil installé près du canapé. Depuis sa rencontre avec Linda, Erik avait été un frère pour moi. J'aimais ce frère en lui, tout comme j'aimais le mari et le père qu'il était pour Linda et leurs enfants.

— J'ai donné de l'argent à Marcus. Une grosse somme.

Blond comme Marcus, Erik avait en lui la bienveillance et la franchise qui manquaient parfois à mon mari. Marcus avait un corps sec et musclé, tandis qu'Erik, bien que mince et tonique, avait aussi une certaine nonchalance dans son maintien. Son étreinte était réconfortante. On pouvait se blottir contre lui et se sentir protégée entre ses bras qui vous enveloppaient entièrement, tandis que Marcus érigeait autour de lui un rempart et vous repoussait presque. Sans établir de comparaison entre les deux hommes, je ne pouvais m'empêcher de relever ces différences, comme un observateur définit les choses par ce qui les distingue et guette en elles les détails révélateurs.

— Je ne comprends pas, ai-je prononcé.

Erik s'est éclairci la voix. Ses mains tremblaient légèrement.

— Il y a deux mois environ, il est venu me trouver parce qu'il cherchait des investisseurs. Il travaillait à développer un nouveau concept qui promettait de révolutionner l'univers du jeu vidéo et de le porter à un niveau de réalisme encore jamais atteint.

J'ai secoué doucement la tête. Je ne voyais pas du tout de quoi il parlait. Jamais Marcus n'avait évoqué ce nouveau projet devant moi.

Erik m'a désigné le téléviseur fixé au mur.

— Il m'en a même fait une démonstration. Le graphisme était… comment dire… impressionnant. Je ne trouve pas d'autre mot.

Il a gardé les yeux rivés sur l'écran, comme s'il y voyait toujours les images du jeu.

— À ce qu'il disait, ses premiers investisseurs étaient prêts à doubler leur mise et il voulait que Linda et moi profitions de cette formidable aubaine. Je n'avais aucune raison de douter de lui. Il faisait partie de la famille et son affaire était florissante.

— Combien lui as-tu donné ?

— Un demi-million.

J'en suis restée soufflée. J'ai aussitôt repensé à une récente conversation que j'avais eue avec Linda à propos de leurs difficultés à joindre les deux bouts. Ils n'étaient pourtant pas pauvres. Ils pouvaient même se considérer comme des gens aisés, mais il y avait tant de dépenses. Les frais de scolarité des enfants, les charges de l'appartement, les impôts, les frais médicaux, l'assurance-vie, l'assurance de la voiture et le loyer de leur place de parking. Elle se disait accablée.

— Mais vous n'aviez pas cet argent, ai-je objecté. Vous n'aviez pas cinq cent mille dollars d'économies.

— Euh… non.

D'un ample geste du bras il a embrassé l'espace qui nous entourait.

— On ne peut pas se plaindre, mais on n'a

pas cet argent. J'ai pris une hypothèque sur le loft.

Je connaissais ma sœur. Elle n'était pas du genre à se lancer dans des aventures financières. Elle avait fini de rembourser l'emprunt du loft depuis quelques années, après sa première grande exposition. Linda réussissait bien, mais une artiste ne pouvait pas compter sur des revenus réguliers d'une année sur l'autre. Son loft était son « matelas de sécurité », comme elle l'appelait. Ce type de logement était très recherché depuis quelque temps et il valait maintenant une petite fortune. En cas de coup dur, elle pourrait toujours le revendre et vivre plusieurs années avec l'argent qu'il lui rapporterait. Elle avait besoin de cette sécurité pour se sentir heureuse, pour se sentir une bonne mère. Elle avait besoin de savoir qu'elle pourrait toujours subvenir aux besoins d'Emily et de Trevor. Je connaissais les raisons pour lesquelles ce confort était essentiel à son équilibre mental. Erik les connaissait aussi.

— Linda n'aurait jamais accepté, ai-je protesté.

Il est devenu tout pâle. Ses lèvres pincées ne formaient plus qu'une mince ligne. Alors j'ai compris.

— Elle n'en sait rien, c'est ça ?

Il a baissé la tête d'un air contrit.

— Tu la connais. Elle déteste parler d'argent.

— Tu l'as fait sans la consulter.

— C'était une opération à très court terme, tu sais.

Erik s'est levé et a marché jusqu'à la fenêtre. J'ai coulé un regard coupable vers la porte de leur chambre, imaginant voir apparaître Linda, le cheveu en bataille, l'œil ensommeillé, curieuse de savoir de quoi nous étions en train de parler. Mais la porte était fermée. Erik a continué, d'une voix à peine audible.

— Deux mois, disait Marcus. C'était le temps qu'il faudrait pour conclure la vente, leur plus gros contrat depuis la création de leur boîte. Deux des plus grands éditeurs de jeux vidéo étaient sur les rangs et les enchères allaient grimper en flèche. J'allais doubler ma mise, au bas mot. J'avais prévu de rembourser l'hypothèque sur le loft et de placer le reste à la banque. Ainsi, nous aurions eu le filet de sécurité dont Linda a tellement besoin. Elle n'aurait plus jamais eu à s'inquiéter pour l'argent. C'était comme ça que j'envisageais les choses.

— Mais tu n'as pas pu obtenir un prêt sans sa signature, ai-je insisté.

Après la naissance de Trevor, Erik avait renoncé à une très bonne situation dans l'informatique pour permettre à Linda de continuer à travailler sans confier les enfants à des étrangers pendant la journée. Il s'était ensuite occupé de la carrière de ma sœur, se chargeant de tout — des négociations commerciales, de sa promotion, de la conception et de la maintenance de son site Web, de sa comptabilité — en veillant en même temps à l'éducation de leurs deux enfants. C'était un arrangement idéal où chacun trouvait son compte. Ils avaient tout mis en commun, leurs revenus et leurs avoirs bancaires.

— Elle a signé, a-t-il dit, ses deux mains posées à plat sur l'appui de fenêtre. Sauf qu'elle ne savait pas ce qu'elle signait.

La fenêtre donnait sur d'autres ateliers d'artistes dont beaucoup d'habitants partageaient l'aversion de ma sœur pour les rideaux et les stores.

— Oh, mon Dieu, Erik !

Telle que je la connaissais, Linda serait effondrée en apprenant ce qu'il avait fait.

— Si quelqu'un d'autre me l'avait demandé, jamais je n'aurais fait une chose pareille. Mais il s'agissait de Marcus.

Il s'est retourné vers moi. En voyant mon expression, il a tenté de me faire comprendre :

— Marcus était un génie et un membre de la famille !

Son ton plein d'admiration était à l'image des rapports très particuliers qu'entretenaient mon mari et mon beau-frère. Linda s'en amusait et disait qu'Erik en pinçait pour Marcus. Pour Erik, Marcus était la vedette de la cour du lycée, celui dont il fallait être le copain. Cela ne m'avait pas échappé. Marcus lui aussi semblait l'avoir remarqué et y trouver un certain plaisir. Au bout du compte, c'était sans doute sans conséquence et j'y voyais même un avantage. Les deux hommes s'entendaient comme larrons en foire. Ils se retrouvaient le soir pour boire un verre et parfois emmenaient les enfants passer une journée à la campagne pour que Linda et moi puissions nous faire dorloter à notre centre de remise en forme.

— Je n'ai pas cherché à la tromper, tu sais. Je voulais seulement lui faire une surprise.

Ne sachant quoi dire, je me suis tue et j'ai contemplé le spectacle de la rue à travers la fenêtre.

— Il devait me rendre mon argent hier, Izzy. Il était prévu que nous nous retrouverions pour déjeuner et qu'il me remettrait mon chèque. Mais il n'est pas venu.

Dans un atelier de l'immeuble d'en face, j'ai vu une femme au corps incroyablement souple et musclé adopter successivement plusieurs postures de yoga. Dans un autre loft, une jeune maman pourchassait en riant un petit enfant nu comme un ver. J'avais très bien entendu ce que venait de me confier Erik, mais j'étais en train d'analyser ces nouvelles données à la lumière de tout ce que l'inspecteur Crowe m'avait dit et ne m'avait pas dit la veille.

— Il ne t'aurait pas joué ce tour, ai-je prononcé d'une voix faible. Il lui est forcément arrivé quelque chose.

Erik s'est contenté de hocher la tête. Il avait l'air sombre, presque désespéré, et je n'aimais pas ça.

— Tu en as parlé à la police ?

Il a opiné.

— Oui, je suis désolé. J'ai eu l'impression de le trahir, mais j'ai pensé que cette information pouvait être utile à leur enquête.

J'aimerais pouvoir dire que j'étais tétanisée, mais ce serait mentir. J'avais plutôt l'impression d'être dans une ville bombardée et de ne pas savoir où courir me mettre à l'abri. J'étais comme un animal aux abois contraint de choisir entre l'attaque et la fuite.

Erik a posé ses deux mains sur mes épaules.

— Excuse-moi, Izzy. Tout ça ne te concerne pas. Tu as suffisamment de soucis pour le moment. Si je t'en ai parlé, c'est parce que je ne voulais pas que tu l'apprennes de la police.

— Mais bien sûr que ça me concerne, ai-je protesté.

Il a fermé les yeux et secoué la tête.

— Non.

— Est-ce que Linda est au courant ?

— Non, pas encore. Je dois d'abord trouver comment lui annoncer la chose. Je…

Il a poussé un gros soupir. Ses yeux se sont ouverts et son regard s'est dirigé vers la porte close de la chambre où dormait ma sœur. Il n'a pas terminé sa phrase.

— Ne lui dis rien pour l'instant, ai-je décrété avant de sortir. Laisse-moi un peu de temps.

Sur ce, j'ai attrapé mon sac et ouvert la porte.

— Izzy, attends. Qu'est-ce que tu comptes faire ?

— Je ne sais pas. Je sais seulement que je ne vais pas rester assise ici à regarder nos vies s'en aller à vau-l'eau.

Une fois dehors, je me suis tout de suite sentie mieux. J'ai fait signe à un taxi dans le flot de voitures qui roulaient le long de Lafayette

Street. Drapée dans une exubérante étole rose et un manteau long, une dame âgée qui promenait ses trois caniches blancs m'a dévisagée. Je me suis alors souvenue du bandage enroulé autour de ma tête et j'ai levé la main pour le toucher tandis que je prenais place à bord du taxi.

— Je vous conduis à l'hôpital ? m'a demandé le chauffeur, voulant peut-être plaisanter.

— Non, déposez-moi au coin de Broadway et d'Amsterdam.

Je voulais rentrer chez moi, inspecter l'endroit où j'avais partagé ma vie avec Marcus, le mettre en pièces s'il le fallait pour découvrir ce qui était arrivé à mon mari. Il n'y avait plus de place pour la peur ou le chagrin dans mon esprit. Je n'étais plus habitée que par mon irrépressible besoin de comprendre ce qui m'arrivait. Dans les jours qui allaient suivre, ce désir obsessionnel serait la cause de beaucoup de très mauvaises décisions et aurait de tragiques conséquences. Mais, dans le taxi qui filait à travers les rues, j'ignorais encore ce que me préparait l'avenir. Je me contentais d'obéir à mon instinct.

7

Trois étages plus haut, Linda Book vit sa sœur grimper dans un taxi. Elle cogna contre la vitre et tenta d'ouvrir la fenêtre mais sans succès. De toute façon il était trop tard. Elle n'eut que le temps d'entrevoir les cheveux noirs d'Isabel et le bandage autour de sa tête avant qu'elle s'engouffre dans la voiture et claque la portière. Comme le taxi démarrait, Linda pensa : « Elle rentre chez elle. Elle en a besoin pour comprendre, pour réparer ce qui est cassé et tout remettre en place. » Linda soupira. L'obstination de sa sœur était d'autant plus exaspérante que c'était un trait de caractère qu'elles avaient en commun.

Elle resta un moment le front appuyé contre la vitre à réfléchir à ce qu'elle devait faire. Appeler Izzy ? La poursuivre ? Ou bien la laisser tranquille ? Elle opta pour la troisième solution. Rien n'arrêterait Isabel. Et puis elle-même avait deux enfants dont elle devait s'occuper avant de les envoyer à l'école. Mais plus encore, elle savait que sa sœur n'aurait pas pu agir autrement. C'était la malédiction des écrivains, cette soif inextinguible de comprendre les choses pour mieux les maîtriser.

Quand elle avait commencé sa carrière de photographe, Linda avait réalisé une série de portraits qu'elle avait intitulée *Visages de la ville*. Pendant des semaines, elle avait arpenté les rues de New York en photographiant les gens au hasard de ses rencontres, parfois avec leur autorisation, parfois à leur insu. Elle avait ainsi réuni une collection d'instantanés qui lui avait attiré les bonnes grâces d'un agent et permis de faire sa première exposition dans une galerie de SoHo. Elle avait demandé à sa sœur de rédiger le texte du catalogue et, ensemble, elles avaient passé en revue les photos.

Izzy avait immédiatement été conquise.

— Linda, regarde cette femme. N'est-elle pas magnifique ?

Le cliché en noir et blanc montrait une vieille femme que Linda avait croisée à un arrêt d'autobus. Son visage était sillonné de profondes rides, ses cheveux blancs ressemblaient à de la filasse, mais elle avait gardé le regard curieux et espiègle d'une enfant.

— Qui est-ce ? Quelle est son histoire ?

Linda avait été déconcertée par cette question.

— Qu'est-ce que j'en sais ? avait-elle répondu. Je ne lui ai pas parlé. Je n'ai fait que la prendre en photo.

Pour elle, l'histoire de cette femme importait peu. Ce qui comptait, c'était la beauté de l'instant qu'elle avait voulu capter pour se l'approprier. Ce qui comptait, c'était l'univers qui pouvait être condensé à l'intérieur d'un cliché. Mais Izzy ne pouvait pas se contenter de ça. Il lui fallait connaître les événements qui avaient concouru à ce que cette femme se retrouve à ce moment précis à cet arrêt de bus. Il lui fallait connaître les pensées qui avaient peint cette expression sur ses traits. Et quand elle ne savait rien, il fallait qu'elle invente une histoire pour être satisfaite.

Elles en avaient ri. Elles étaient si différentes dans leur façon de travailler et d'aborder leur art. Au final, Izzy avait écrit : « Mon visage est ce que j'offre au monde. Regardez-le attentivement et vous verrez ce que le monde m'a donné en retour. » La formule était parfaite, évidemment. Izzy tombait toujours juste quand il s'agissait des mots.

Dans le souvenir qu'avait gardé Linda de

cette journée, elles étaient toutes deux si jeunes et pleines d'enthousiasme à l'approche de sa première exposition et de la sortie du premier roman d'Izzy. Elles pensaient, comme elles l'avaient au fond toujours fait, que l'avenir leur appartenait. Rien ne les avait jamais amenées à imaginer les choses autrement. Pas même l'affreuse tragédie qui avait marqué la fin de leur enfance.

Linda s'éloigna de la fenêtre et observa son reflet dans le miroir placé au-dessus de la commode. Elle vit une poitrine trop petite et des hanches trop larges. Elle n'avait jamais été satisfaite de son corps, mais elle aimait bien son visage, sa beauté sans prétention, son joli teint, ses traits harmonieux et l'éclat de son regard bleu. Toutefois, récemment, quelques rides s'étaient formées autour de ses yeux et de sa bouche. Le manque de sommeil et le stress lui donnaient une expression hagarde et fatiguée. Ses cheveux blonds naguère si soyeux étaient devenus ternes. Elle plaqua ses deux mains de part et d'autre de son visage et se tira la peau. Le résultat la fit rire.

Elle ne s'était jamais considérée comme une femme coquette, mais s'était sans doute imaginé que certaines choses dans son extérieur ne changeraient jamais. Maintenant que ces choses l'abandonnaient peu à peu, elle comprenait qu'elle avait en réalité accordé beaucoup d'importance à son apparence. Izzy gardait sa taille fine, la rondeur juvénile de ses joues, sa peau lisse, et Linda prit conscience du fossé qui s'était creusé entre elles au plan physique. Les deux sœurs avaient toujours été très différentes. Linda avait beaucoup pris de leur mère, Isabel ressemblait davantage à leur père, mais leurs beautés étaient équivalentes en intensité. « Les filles Connelly sont aussi jolies qu'intelligentes », aimait à répéter fièrement leur père. Aucune des deux n'était plus jolie ou plus intelligente que l'autre. Linda et Isabel n'avaient jamais éprouvé le besoin de rivaliser entre elles sur ce plan.

Linda n'arrivait pas à croire que deux enfants et seulement cinq petites années aient pu créer entre Izzy et elle une telle disparité physique. Jusque-là, elle ne s'était jamais préoccupée de son âge, mais depuis peu elle avait compris que sa ceinture abdominale ne serait pas raffermie en faisant plus d'exercice ou en se soumettant à la torture d'un régime pauvre en hydrates de carbone. L'ovale de son visage ne serait pas remodelé sans recourir au scalpel ou aux injections. Mais elle s'était toujours considérée comme une femme de caractère, assez forte pour résister aux sirènes de la chirurgie esthétique. Elle ne pouvait se résoudre à rejoindre le camp de ces horribles créatures imbues d'elles-mêmes qui se souciaient davantage des rides de leur front que de leurs enfants et pensaient qu'avoir l'air jeune les soulagerait du désappointement qui les rongeait petit à petit. Il fallait tant d'énergie pour mener ce combat perdu d'avance. Elle était une artiste. Elle vieillirait donc avec grâce et personnalité.

Mais tout ça n'avait pas de réelle importance. Ce n'était qu'une petite pensée sombre parmi une légion de monstres aux dents acérées capables de saper son équilibre mental si elle les laissait faire.

Elle avait évidemment bien d'autres problèmes que sa beauté déclinante. Quelle égoïste elle était de perdre ainsi son temps en réflexions idiotes quand toute la vie de sa sœur s'effondrait. Coupant court à ses pensées, Linda alla se recoucher et s'enroula étroitement dans ses couvertures et son édredon. Elle s'accordait encore quelques minutes de répit avant d'affronter une journée hantée par la disparition de son beau-frère et par sa sœur blessée à la tête qui venait de prendre le large. Normalement elle aurait dû être bouleversée par ce qui s'était passé, et pourtant elle se sentait tout engourdie, comme si elle s'était réveillée sous une couche de neige. Elle était émotionnellement ankylosée, vidée de toute son énergie.

La veille, quand elle avait reçu l'appel de la police et foncé à l'hôpital, quand elle avait vu sa sœur blême et inerte sur son brancard, elle avait cru revivre une affreuse scène de son passé. Dans l'état de terreur et d'incrédulité qui était le sien avant qu'Izzy rouvre les yeux et se mette à parler, elle avait eu le sentiment de s'être attendue depuis le premier jour à un malheur provoqué par le mari de sa sœur.

Quelque chose clochait chez Marcus. Elle l'avait su dès qu'elle avait posé les yeux sur lui pour la première fois. À travers l'objectif, c'était encore pire. Marcus avait les traits durs et une ombre curieuse dans le regard. En tant que photographe, elle savait guetter cette fraction de seconde pendant laquelle un visage révèle sa vérité par une expression fugace, le tressautement d'un muscle dans la mâchoire ou le plissement d'un front. En cet instant magique un joli visage pouvait devenir beau, la beauté se transformer en laideur et la jovialité disparaître derrière un voile de noirceur. Un visage était une entité organique. Il ne pouvait garder en permanence une posture de protection. Il fallait de temps en temps remonter à la surface pour reprendre de l'air.

Elle avait essayé d'en parler à Isabel, mais sa sœur n'avait rien voulu entendre. Pour ne pas la perdre, elle s'était donc résignée à accepter Marcus en espérant s'être trompée sur son compte. Elle redoutait plus que tout la rupture qui se produisait parfois dans les familles quand une pièce rapportée était rejetée. Si le mariage tenait, peu à peu les incompatibilités éloignaient les éléments contraires l'un de l'autre telle la dérive des continents. Les visites s'espaçaient et les contacts finissaient par ne plus se résumer qu'à un appel occasionnel, à l'incontournable déjeuner dominical ou à un repas à l'ambiance plombée par les non-dits. Pour l'avoir vécu avec des amies, Linda savait comment cela se passait. Mais sa sœur était follement éprise, alors elle avait pris sur elle et ravalé ses objections. L'ironie de l'histoire, c'est qu'après cinq ans elle commençait enfin à baisser sa garde. Erik, qui pour sa part avait toujours éprouvé de la sympathie pour le mari d'Isabel, avait presque fini par la convaincre. Avec le temps, elle commençait à accepter Marcus et même à l'apprécier un tout petit peu. Elle aurait dû faire confiance à son instinct. L'objectif ne ment jamais.

Elle entendit la voix flûtée de son fils et celle plus grave de son mari, puis la télévision qui se mettait en marche. Un instant plus tard, elle sentit une odeur de gaufres chaudes. La journée était en train de commencer sans elle. Elle se sentit réconfortée à l'idée qu'elle avait déjà fait tous ses achats de Noël. Elle avait même emballé les cadeaux et les avait déposés la semaine précédente chez sa mère, à Riverdale, où ils avaient prévu de passer les fêtes. Brown se mit à aboyer. À travers la cloison, Linda entendit Emily lui crier de se taire.

Pendant la nuit, quand elle était allée dans la chambre d'amis pour vérifier qu'Isabel allait bien, elle avait trouvé sa sœur entourée d'Emily et de Brown. Une fois de plus, elle s'était émerveillée de la ressemblance entre sa fille et sa sœur. Son amour pour l'une et l'autre était immense et le besoin de les protéger un brasier qui la dévorait de l'intérieur. Les prises de bec, les provocations, les opinions péremptoires, les bouderies, tout cela n'était qu'une armure protégeant l'extrême fragilité des cœurs.

Elle entendit son téléphone vibrer dans le tiroir de la table de chevet et s'en empara aussitôt. Elle avait reçu un SMS. Elle ouvrit le clapet.

« On se voit aujourd'hui ? J'en peux plus. »

Émoustillée et craintive à la fois, elle répondit :

« Problèmes familiaux. Je sais pas. Je vais voir. »

En entendant quelques coups légers frappés à la porte, elle cacha en hâte le téléphone sous les draps et ferma les yeux.

Emily passa son minois à l'intérieur de la chambre.

— Maman, je trouve pas mes leggings noirs !

Linda prit une voix ensommeillée pour répondre.

— Bouge pas, j'arrive.

— Izzy est partie, annonça Emily, les traits impassibles, mais le regard anxieux.

Linda s'assit dans son lit et lui ouvrit ses bras.

— Izzy va bien. Nous allons nous occuper d'elle et il ne lui arrivera rien.

Emily vint se blottir contre sa mère.

— Mais Marcus ?

Linda soupira et songea à éluder la question par une platitude. Mais Emily était trop grande et beaucoup trop futée pour avaler un mensonge. Lui cacher la vérité ne ferait qu'ajouter à son angoisse. Linda prit le visage de sa fille entre ses deux mains.

— À dire vrai, nous ignorons ce qui lui est arrivé. La police nous aide et nous allons finir par savoir ce qui s'est réellement passé. Quoi qu'il arrive, nous traverserons cette épreuve ensemble, comme le fait une famille.

Emily s'allongea près d'elle et passa son bras autour de sa taille.

— Il faut vous préparer pour aller à l'école, ton frère et toi, poursuivit Linda.

Elle se leva et toutes deux marchèrent jusqu'à la porte.

— S'il se passe quelque chose, nous viendrons vous chercher.

Emily hocha la tête sans conviction, mais elle semblait résignée. Il était nécessaire de revenir à une certaine normalité, et les envoyer à l'école en faisait partie. Trevor allait piquer une crise, lui qui comptait déjà échapper à ses cours pour la journée. D'ordinaire, Trevor passait pour le plus docile de leurs deux enfants. Pourtant, il l'était bien moins que sa sœur.

Linda envoya à sa fille une petite tape sur les fesses.

— Tes leggings sont pliés au-dessus du sèche-linge. Maintenant, file t'habiller.

Linda entendit son téléphone se remettre à vibrer sous les draps. Emily, qui sortait à ce moment-là de la chambre, sembla ne rien remarquer et s'écria :

— Je veux de la gelée sur ma gaufre, papa !

Sur ce, elle sortit et referma la porte derrière elle. Dans l'autre pièce, Brown recommença à aboyer.

La culpabilité, ce fleuve qui traverse les plaines de la maternité, menaçait d'entrer en crue. Le jour qui commençait avançait vers elle tel un nuage noir et menaçant. Une odeur de café lui effleura les narines et Linda se dit qu'elle n'avait pas d'autre issue que d'affronter le monde.

Le jour où mon père mit fin à ses jours s'était levé sur une aube claire et glacée. En m'éveillant, j'avais entendu trembler les fenêtres sous les assauts d'un vent violent et vu de mon lit les hauts cirrus flottant sur un fond bleu et dégagé. Dans le lit voisin, les bras croisés sous la tête, ma sœur fixait le plafond de la chambre.

— J'ai fait un mauvais rêve, m'avait-elle dit, sentant instinctivement que je venais de me réveiller.

Je l'avais regardée. Elle m'avait semblé pâle et toute petite sous ses draps.

— De quoi tu as rêvé ?

— Je sais pas, mais c'était horrible.

— Les rêves ne peuvent pas te faire de mal, lui aurais-je dit, car c'était ce qu'elle me répétait sans cesse.

Et si elle le disait, c'était parce que maman le disait. Elle avait quinze ans et moi dix. Mais elle n'avait pas rêvé, comme je le compris plus tard.

C'est Linda qui l'avait trouvé étendu sur le sol de la remise à outils. Du sang avait giclé sur les murs et l'arme gisait par terre. Bizarrement, Linda était seule à avoir entendu la détonation.

Le bruit l'avait tirée d'un profond sommeil. Elle était sortie dans le jardin par la porte de derrière et l'avait découvert dans cette cabane où il passait sa vie. Il construisait là toutes sortes d'objets en bois : des abris pour les oiseaux, des maisons de poupée et leur mobilier miniature, des cadres pour photos et des armoires vitrées. Tout le monde adorait son travail. Il était sans cesse occupé à fabriquer de menus cadeaux qu'il offrait à nos voisins et à nos amis. Ma mère lui reprochait de perdre son temps à confectionner des choses inutiles quand la pelouse avait besoin d'être tondue, la clôture réparée, et se plaignait qu'à force il avait les mains calleuses et rêches au toucher.

Linda avait poussé la porte de la cabane et l'avait trouvé là. Une cigarette finissait de se consumer dans le cendrier. Ce détail l'avait étonnée, car elle n'avait jamais vu notre père fumer. Le reste de la scène ne s'était pas imprimé dans son cerveau, m'avait-elle expliqué. Elle n'avait vu que cette cigarette et ne pouvait imaginer notre père la porter à ses lèvres et aspirer la fumée. Elle avait été incapable de dire ensuite combien de temps elle était restée là.

Je me la représente souvent à l'entrée du cabanon, une main retenant la porte, l'autre posée sur la poignée.

— Papa, ça va pas ?

Je sais qu'il n'a jamais voulu que Linda ou moi le découvrions dans cet état. Il devait s'attendre à ce que notre mère sorte en rage au petit matin et lui reproche d'avoir une fois de plus passé la nuit dehors en oubliant que sa femme l'attendait à la maison.

À compter de ce jour, le brouillard a recouvert nos vies et ne s'est plus jamais dissipé. Après ce matin-là, rien n'a plus jamais été pareil. Le suicide marque les gens comme nulle autre tragédie de l'existence. Surtout le suicide de l'un de vos parents. Dans la souffrance qu'il suscite, le pire est peut-être le silence qui l'entoure. Quand les gens pensent au suicide, ils éprouvent de la colère, car pour eux le suicide est un acte lâche, ce qui revient à dire que la vie est un champ de bataille qu'il convient d'affronter avec le courage de braves petits soldats. Ils condamnent celui qui a choisi de renoncer à cette vie à laquelle le reste du monde se raccroche désespérément et englobent dans leur rejet la famille que le défunt a laissée derrière lui. « Est-il possible que personne n'ait remarqué combien cet homme était malheureux ? » Toutes ces pensées se bousculent dans votre tête, même quand vous êtes un enfant et peut-être plus encore parce que vous êtes un enfant. « Les sœurs Connelly sont aussi jolies qu'intelligentes », disait-il. Mais pas encore assez jolies ni intelligentes, n'est-ce pas, papa ?

Les gens évitent le sujet, comme ils évitent votre regard. Je n'ai pas le souvenir d'avoir été en butte à des remarques blessantes à l'école. Les autres enfants gardaient leurs distances avec moi, comme si j'étais pestiférée. C'est ainsi que la honte est venue s'ajouter à la douleur, à la colère et au chagrin. Il n'existe pas de platitudes à adresser à ceux qui pleurent un suicidé. Personne ne peut vous dire : « Il est mieux là où il est maintenant » ou : « Les voies du Seigneur sont impénétrables. » Parce que le défunt ne nous a pas été arraché par un accident ou par la maladie. Il a choisi volontairement d'échapper aux desseins de Dieu. Il a commis un acte ultime de rébellion, de capitulation ou peut-être d'irrévérence.

Dans les années qui ont suivi la mort de mon père, je me rappelle avoir souvent éprouvé la sensation très étrange d'échapper à la pesanteur. J'avais compris que tout ce qui nous semblait solide et immuable pouvait disparaître du jour au lendemain. C'était une réalité de la vie et non une illusion surgie de l'esprit d'une enfant en deuil. Tout ce qui est solide et pesant dans notre vie est fait de millions de particules en mouvement qui nous donnent l'illusion de la permanence. Mais toute matière possède une tendance naturelle à se désintégrer. Certaines choses partent simplement plus vite que d'autres et de façon plus inattendue.

Je venais d'éprouver cette sensation dans l'appartement que j'avais partagé avec mon mari. Le concierge a essayé de me prévenir qu'il y avait un problème. Un policier en uniforme m'a retenue pendant plusieurs minutes à la sortie de l'ascenseur. Puis en arrivant à la porte de mon appartement, j'ai été accueillie par l'inspecteur Crowe. J'ai trouvé curieux et extrêmement irritant de le voir à l'intérieur de mon domicile, pendant que j'attendais dans le couloir de pouvoir entrer chez moi. J'ai voulu passer en force, mais il m'a lancé un regard qui m'a stoppée net dans mon élan. Son expression était un mélange de mise en garde et de sympathie.

Tandis que je m'approchais, suivie à la trace par le policier en uniforme, l'inspecteur m'a dit :

— Vous ne devriez pas, madame Raine. Pas maintenant.

— Mais il le faut, inspecteur.

Sans qu'un seul mot de plus ait été prononcé, nous nous sommes compris. Il s'est écarté de la porte et d'un geste du bras m'a invitée à entrer dans ce qui contenait les décombres de ma vie.

8

Il s'éveilla en sursaut, le souffle court. La chambre était plongée dans le noir, mais aux rais de lumière filtrant à travers les interstices des stores il sut qu'il faisait jour dehors. Combien de temps avait-il dormi ? Trop longtemps.

Elle remua près de lui.

— Du calme, tout est fini, dit-elle. Ce soir, tu seras parti.

Il s'abstint de répondre. Rien n'était fini. L'argent avait été transféré et les preuves, détruites. Tout avait été organisé pour son départ, mais il était loin d'en avoir fini. Dans la vie douillette qu'il s'était bâtie, à la longue il avait oublié la peur.

Il contempla par-dessus son épaule les formes sveltes de Sara et sentit monter le puissant désir que la vue de ce corps suscitait toujours en lui. Mais, au lieu de s'approcher d'elle, il sortit son téléphone de la poche de son pantalon jeté en tas par terre et gagna discrètement la salle de bains.

Son appartement était un taudis crasseux. Elle vivait comme un homme sans le moindre souci de décoration ou d'ordre. Ce n'était rien de plus qu'un endroit où elle venait dormir, rien qu'un studio dont tous les recoins montraient les mêmes signes de laisser-aller.

Il ouvrit son téléphone et se mit à taper à l'aide de ses deux pouces :

« Ne pense pas que je ne t'ai pas aimée, parce que c'est faux. Souviens-toi que je t'ai rendue heureuse le temps que ça a duré, que nous avons été de bons amis et d'excellents amants. Maintenant oublie-moi et surtout ne te retourne pas. Pleure-moi comme si j'étais mort. N'essaie pas de me retrouver ni de chercher des réponses aux questions que tu te poseras. Sinon, je ne garantis pas ta protection ni celle de ta famille. »

C'était un geste insensé et presque suicidaire. Il fut lui-même surpris d'y avoir songé. Tout serait beaucoup plus simple pour elle si elle le croyait mort. Mais il la connaissait et savait jusqu'où elle était prête à aller pour prouver qu'elle avait raison. Elle n'avait pas hésité à s'aventurer dans les quartiers les plus dangereux de la ville dans l'unique but de donner plus d'authenticité à ce qu'elle écrivait. Seule, afin de ressentir la peur et de trouver les mots justes pour la décrire. Il savait qu'elle serait incapable de vivre sans élucider le mystère de sa disparition. Mais, quoi qu'elle fasse, il ne pourrait pas l'aider ni rien entreprendre pour la sauver d'elle-même.

— Est-ce qu'il t'arrive parfois de ne plus te contrôler, Marcus ? Est-ce qu'il t'est jamais arrivé de sortir de tes gonds ? lui avait-elle demandé un jour où ils se disputaient. Tu ne veux pas savoir ce que ça fait de lâcher prise ?

— Pas du tout, lui avait-il répondu en souriant. Un moteur tourne bien mieux quand il est chaud, mais pas brûlant. C'est une question d'efficacité.

— Oui, mais s'il est trop froid, il se grippe.

Pourtant il n'était pas aussi froid qu'elle le pensait. Seulement, son moteur à elle dégageait une telle chaleur qu'en comparaison tout ce qui l'entourait semblait glacial. Son tempérament, ses désirs, ses emportements, ses passions, ses opinions tranchées, c'était tout cela qui lui avait plu en elle. Elle l'avait réchauffé. Le temps passé à ses côtés l'avait changé bien plus qu'il ne l'aurait imaginé. Il était resté avec cette femme beaucoup plus longtemps qu'il n'aurait dû.

S'il avait fait ce qui avait été initialement prévu et avait poursuivi sa route, il ne se retrouverait pas aujourd'hui dans cette situation. Il ne se retrouverait pas encore une fois avec les mains tachées de sang, il ne serait pas obligé d'improviser et de solliciter l'aide de gens avec lesquels il avait espéré n'avoir plus jamais à frayer. Dans son cœur, les regrets le disputaient à la colère. Il refoula ces sentiments. Il devait retrouver sa froideur, redevenir pareil à un lac pris dans les glaces et laisser derrière lui le souvenir chaud comme un jour d'été du temps passé avec Isabel.

Après un instant d'hésitation, son doigt finit par appuyer sur le bouton d'envoi. Il fut aussitôt submergé par une grande tristesse teintée de crainte. Le texto parti, il ôta la pile du téléphone et la carte SIM, jeta le tout dans les toilettes et se débarrassa du boîtier dans la poubelle.

— Qu'est-ce que tu fabriques ? lui cria Sara. Reviens te coucher.

Il observa son reflet dans le miroir accroché au-dessus du lavabo. Deux jours sans se raser et sa barbe était aussi drue sur ses joues que son bouc. Il avait le teint gris et d'affreuses valises sous les yeux. Il ne s'était écoulé que quarante-huit heures depuis qu'il avait fait l'amour à sa femme dans leur bel appartement. Il était alors à la tête d'une entreprise florissante. Tout cela n'existait plus, par sa propre faute, à cause de ses erreurs et de ses trahisons. Il allait redevenir celui qu'il avait été avant de rencontrer Isabel. Un rien du tout. Il lui restait l'argent accumulé pendant ces années passées avec elle, mais cette idée ne lui était que d'un piètre réconfort. Jamais il ne s'était senti si vide.

Sara l'appela. Il la détesta et pourtant il n'avait rien à lui reprocher. Sans elle, il serait un homme mort. Sans son aide, il n'aurait jamais pu accomplir ce qu'il avait accompli au cours des dernières quarante-huit heures. Il aurait perdu tout ce pour quoi il s'était battu. Mais il détestait ce qu'elle représentait.

Ils se connaissaient depuis l'enfance. Dans sa jeunesse déprimante, le corps de Sara avait été son premier refuge. Mais le destin les avait envoyés sur des chemins différents. Pendant qu'il faisait tout pour fuir le pays et obtenir de la vie plus que ce qu'elle leur avait offert, Sara, comme Ivan, avait baissé les bras.

Qui était-elle maintenant ? Il l'ignorait. Elle restait vague sur son parcours depuis qu'il l'avait quittée en République tchèque pour venir étudier aux États-Unis. Il savait seulement qu'elle était métamorphosée. Son ancienne fragilité avait disparu au profit d'une force brute qui n'était pas que sexuelle. Il avait eu besoin de ses diverses compétences et elle les lui avait offertes sans jamais rien demander en retour. Elle n'attendait de lui que de l'affection, or c'était la seule chose qu'il ne pouvait pas lui donner.

Elle poussa la porte de la salle de bains, s'approcha de lui par-derrière et l'enlaça.

— Tu n'as pas besoin de faire ça, dit-elle. Je peux me charger de Camilla.

— Non, c'est à moi de finir le boulot.

Il ne la regarda pas et ne répondit pas à ses caresses. Au bout d'un moment, elle se raidit et quitta la pièce.

— Tu es trop faible avec les femmes, lui assena-t-elle en refermant la porte.

Elle n'avait pas tort. Penser à Camilla, à ce qu'elle avait fait, à ses sanglots quand elle lui avait tout avoué, n'alimentait pas suffisamment sa colère. Il savait ce qu'il lui restait à faire, mais il répugnait à l'exécuter.

Elle l'attendait à présent et devait penser qu'il allait faire amende honorable pour toutes ces années de promesses jamais tenues. Elle se trompait lourdement.

En sortant de la salle de bains, il vit que

Sara était retournée se coucher. Elle l'observait dans la pénombre de la chambre. Le drap était remonté juste sous sa poitrine sculpturale. Une flambée de désir s'empara de lui. Une force magnétique l'attira vers son corps comme chaque fois qu'il se trouvait en sa présence. Elle ne souriait pas. Elle souriait rarement. Mais elle l'attira à elle, l'emprisonna dans ses longues jambes et l'embrassa avec fougue. Il n'y avait pas trace en elle de la douceur et de l'abandon qu'il avait connus avec Isabel. Il se glissa en elle et lui fit l'amour à grands mouvements rapides et violents. Penché au-dessus d'elle, il scruta son visage en quête de cette fragilité qui referait surface quand elle succomberait au plaisir et baisserait la garde. Mais il attendit en vain.

Linda appela Isabel. D'abord sur son fixe, puis sur son portable. Chaque fois elle tomba sur sa boîte vocale. Elle ne prit pas la peine de laisser un message, car elle savait que sa sœur l'évitait. Izzy décrocherait quand elle se sentirait prête. Linda resta assise, le combiné dans la main, à se demander si elle devait alerter leur mère, bien qu'Izzy ait insisté pour qu'elle n'en fasse rien. « Tant que nous ne saurons pas exactement ce qui se passe, il est inutile de l'inquiéter, avait-elle dit. Ça ne ferait que compliquer les choses. »

Linda n'avait pas vraiment envie de parler à Margie, mais la tentation était irrésistible, comme si sa mère exerçait sur elle quelque sombre force maternelle. Margie était partie faire une cure de remise en forme en compagnie d'une copine, mais restait joignable sur son portable. Si elle avait été plus jeune, Linda aurait appelé, s'en serait voulu et en aurait voulu à sa mère de se voir obligée de rejouer leur éternel numéro. À un certain point de sa vie, quand elle était devenue mère à son tour, elle avait compris que pour y mettre un terme il suffisait de ne rien faire. Elle reposa donc son téléphone et passa à la cuisine, où elle se versa un autre café. Brown la suivit des yeux du canapé où il n'aurait jamais dû être vautré.

— Descends de là.

Il s'exécuta à contrecœur et s'étendit par terre avec un soupir de résignation.

Linda et sa mère ne s'étaient jamais très bien entendues, ce qui ne les empêchait pas de s'aimer. Margie avait été une mère présente et attentive, bien que peu affectueuse. Elle levait rarement la voix et ne battait jamais ses filles. Elle avait toujours été là quand celles-ci avaient eu besoin d'elle, toujours volontaire pour confectionner des gâteaux aux fêtes de l'école, pour encadrer les sorties scolaires, comme pour les aider dans leurs devoirs. Mais, entre elle et son aînée, l'alchimie n'avait jamais fonctionné. Si elles s'étaient rencontrées par hasard dans la rue, la mère et la fille ne se seraient pas choisies comme amies. Cela remontait à avant sa naissance, affirmait Margie. Linda avait été un bébé facile, pourtant elle n'avait jamais paru très attachée à sa mère. Une telle affirmation était difficile à accepter. Elle semblait gratuite, l'expression de la vanité et du narcissisme de Margie. Au bout du compte, qu'elles s'apprécient ou pas ne changeait rien à l'affaire, puisqu'elles étaient mère et fille et que cette relation, pour fonctionner, n'impliquait pas nécessairement qu'elles soient amies.

Erik avait conduit les enfants à l'école et Linda était restée seule à l'appartement en compagnie de Brown. Quand la porte s'était refermée et que leurs voix — d'ordinaire tapageuses, joyeuses mais ce jour-là calmes et sombres — s'étaient éloignées en même temps que l'ascenseur entamait sa descente, elle avait enfin pu souffler. Elle éprouvait la même sensation chaque matin. Son énergie pouvait enfin se déployer, elle pouvait enfin réfléchir sans contraintes. Elle n'était plus une épouse et une mère, tout occupée à satisfaire les besoins des uns et des autres : répondre aux questions, préparer les boîtes de déjeuner, gronder, distribuer les ordres, répéter cent fois les mêmes choses, dispenser câlins et baisers. Elle redevenait enfin elle-même, une femme libre de se remplir une tasse de café, d'utiliser la salle de bains sans être harcelée par l'un ou par l'autre. Cet instant d'après le tumulte était le plus créatif de sa journée. Quand elle savait que les enfants étaient pris en charge, elle pouvait enfin contempler le monde avec la vision claire dont elle avait besoin pour accomplir son travail.

Non que la maternité la rendît moins créative, mais elle créait un labyrinthe dans lequel il fallait retrouver son chemin pour réussir à se recentrer, à se reconstituer un espace de paix intérieure. Seulement, chaque détour de ce dédale était gardé par les redoutables monstres de la culpabilité, de l'anxiété ou tout simplement de la fatigue. Ces monstres étaient capables de s'emparer d'elle et de l'étouffer. Mais il arrivait parfois que les difficultés à parvenir à la source de son énergie ne rendent que plus intense le temps qu'elle y passait. Elles l'obligeaient à rester concentrée et à profiter au maximum de chaque instant. La richesse émotionnelle de sa vie faisait d'elle une meilleure artiste, elle le savait, comme elle savait que la profondeur de son amour pour ses enfants l'enrichissait. Mais ce savoir ne lui rendait pas la vie plus facile.

De toute façon, elle ne travaillerait pas aujourd'hui, parce qu'elle devait veiller sur Izzy. Elle devait l'aider à traverser cette épreuve. Et si Marcus était parti pour toujours ? Elle ne voulait même pas y penser.

Alors qu'elle songeait à son beau-frère, elle se rappela l'inquiétant appel qu'Izzy avait reçu et fut aussitôt gagnée par un sombre pressentiment. Ce n'était peut-être pas une très bonne idée de laisser sa sœur seule en ce moment. Qui sait si sa vie n'était pas en danger ? Linda décida de prendre une douche et d'aller chez elle. Et tant pis si Izzy ne voulait pas d'elle. Elle jeta un coup d'œil à son portable qui traînait sur le comptoir de la cuisine. Elle n'avait aucun message. Elle en fut à la fois soulagée et contrariée. De toute façon, avec toute cette histoire, elle n'aurait pas eu le temps de s'occuper d'autre chose.

Elle prit sa tasse et entra dans la salle de bains, elle la posa sur la tablette en marbre en prenant soin d'éviter son reflet dans la glace. Elle fit couler l'eau chaude et la pièce s'emplit peu à peu de vapeur. Elle allait ôter son pyjama quand elle entendit la sonnerie de l'interphone et les aboiements de Brown.

Elle se dirigea vers la porte d'entrée. C'était sûrement Erik et les enfants. Ils avaient oublié un devoir, un déjeuner ou un portable et avaient la flemme de remonter. Mais ce n'est pas leur image qu'elle découvrit sur l'écran de l'interphone. Elle s'arma de courage et décrocha le combiné d'un geste sec.

— Qu'est-ce que tu viens faire ici ?

— Excuse-moi, dit l'homme en fixant l'objectif de la caméra. Je viens de les voir entrer dans le métro.

Elle se livra à un rapide calcul. Vingt minutes pour se rendre à l'école, quinze minutes pour les accompagner à la grille et leur dire au revoir, un arrêt à la banque et un autre à l'épicerie. Erik ne serait pas de retour avant une bonne heure et demie. Il lui avait demandé de ne pas bouger jusqu'à ce qu'il revienne, car il y avait quelque chose dont il voulait discuter avec elle. Elle lui avait répondu que ça devrait attendre parce que, pour le moment, sa priorité était de s'occuper d'Izzy. Mais il avait insisté.

— Il faut que tu partes. Tout de suite, dit-elle dans le combiné de l'interphone.

Malgré sa colère et sa peur, elle ressentait un désir coupable. Elle décocha à Brown un regard menaçant. Il cessa aussitôt d'aboyer et retourna s'allonger sur le canapé. Elle renonça à le gronder.

— S'il te plaît, Linda, j'ai besoin de te voir.

Elle songea à le laisser monter, à le laisser la prendre à la va-vite sous la douche. Elle songea à évacuer toute la tension accumulée dans un violent orgasme. Mais elle n'était pas si bête.

— Il y a un café au coin de la rue, dit-elle. Attends-moi là-bas, je te rejoins dans dix minutes.

— Laisse-moi monter, l'implora-t-il.

Elle sentit son corps s'embraser.

— Non, il n'en est pas question.

— S'il te plaît, je n'en peux plus.

Elle laissa aller sa tête contre le mur, luttant contre les vagues déferlantes de la tentation. Elle le voyait déjà franchir la porte, imaginait ses mains qui parcouraient son corps, sentait son désir impérieux la transpercer, et elle eut honte de sa faiblesse. Comment pouvait-elle tromper son mari, elle qui était si irréprochable avec son couple parfait, sa vie parfaite ? Elle se méprisait, mais elle ne pouvait pas renoncer à cet homme.

— Je te rejoins dans dix minutes, répéta-t-elle.

— Linda.

— Va, attends-moi.

Il râla un peu, mais finit par disparaître de l'écran.

— Zut, zut et zut, pesta-t-elle en courant à la salle de bains.

Elle se doucha et s'habilla à toute vitesse, attrapa son manteau, son sac, et sortit. Elle allait le retrouver au café, lui accorder quelques minutes, puis elle se rendrait directement chez Izzy. Erik n'aurait qu'à l'attendre.

— Sois sage, lança-t-elle à Brown profondément endormi sur le canapé.

9

Bizarrement, le fait de trouver notre appartement ravagé m'a paru s'inscrire dans la logique des événements. Un tableau que nous avions acheté à Paris avait été lacéré à coups de couteau et jeté à terre, un vase en cristal offert à notre mariage brisé en mille morceaux, notre parure de lit découpée aux ciseaux. Tandis que je m'ouvrais un chemin parmi les restes épars de ma vie avec Marcus, je me suis sentie moins révoltée que j'aurais pu m'y attendre. J'admirais au contraire la poésie de cette scène. Nous nous étions bâtis une vie ensemble, nous avions collectionné les souvenirs et possédions des objets témoignant du chemin parcouru. En déambulant dans les pièces peuplées de mes souvenirs, il m'a semblé dans l'ordre des choses que tout cela ait été réduit en morceaux et qu'on ait pris un malin plaisir à piétiner ces vestiges. L'atmosphère des lieux était chargée de malveillance. Cet endroit ne ressemblait en rien à l'appartement où j'avais vécu ces cinq dernières années.

L'inspecteur Crowe me suivait comme une ombre. Il a eu la délicatesse de respecter mon silence, mais je sentais derrière moi son agitation, l'énergie de son esprit occupé par les millions de questions qui se pressaient sous son crâne. Des bouts de verre crissaient sous mes pieds. Dans la salle de bains, j'ai soulevé une photo prise par ma sœur et effleuré du bout des doigts une tache de vernis à ongles sur le plan de travail. En séchant, elle avait pris la forme d'un cœur.

Dans le bureau attenant à notre chambre où j'avais l'habitude de m'installer pour écrire, je me suis laissée tomber dans un fauteuil, face à ma table de travail, et j'ai contemplé d'un air morne l'écran noir de l'ordinateur. Il était de dimensions gigantesques et quand je tapais mon texte mes mots ressemblaient à des géants flottant sur une mer de lumière blanche. J'aimais les voir s'afficher en grand. Il me semblait alors qu'ils avaient plus de poids, qu'ils retenaient mieux mon attention quand mon esprit voulait vagabonder. Aujourd'hui, l'écran noir était comme un gouffre menaçant de m'engloutir.

Mes fichiers étaient sauvegardés et conservés au bureau de Jack. Je ne me suis pas inquiétée d'avoir perdu mon travail. C'était même le cadet de mes soucis. Il se passerait un certain temps avant que je m'intéresse de nouveau à ma boîte à lettres électronique, à mon carnet d'adresses, à mes messages, à mon agenda et à mes comptes bancaires. Deux jours plus tôt, j'étais assise à cette même place, je tapais mon nom dans Google, je répondais aux courriers de mes lecteurs, je visitais les sites Web d'autres écrivains. Bref je faisais tout et n'importe quoi, plutôt que de travailler à mon livre. Je me reprochais mon manque de concentration et de productivité. Aujourd'hui, en y repensant, ce moment me paraissait le comble de la félicité et j'aurais donné n'importe quoi pour y revenir.

— Madame Raine, sauriez-vous me dire si votre mari était sujet à des accès de violence ou s'il souffrait de troubles mentaux ?

J'ai pivoté dans mon fauteuil et aperçu une femme toute menue qui nous avait suivis jusque dans cette pièce et se tenait à la gauche de l'inspecteur Crowe, légèrement en retrait.

— Laissez-moi vous présenter ma coéquipière, l'inspecteur Jesamyn Breslow.

Surprise par la question, j'ai répondu :

— Absolument pas. Vous pensez que mon mari aurait pu faire ça ?

J'ai observé la nouvelle venue. Son visage était étroit et ses traits, parfaits. Elle avait un petit nez en trompette, une bouche en cœur, des yeux en amande. Elle dégageait une telle impression d'énergie que je l'imaginais capable de se mettre à briller dans le noir si on éteignait les lumières. Ses ongles courts étaient nets, ses cheveux coupés au carré. Ses vêtements avaient l'air de bonne qualité, mais sa veste noire était lustrée par trop de passages chez le teinturier. Le bout de ses chaussures en fibre synthétique à semelles compensées était légèrement usé. Jesamyn Breslow formait avec l'inspecteur Crowe un couple mal assorti. Elle était visiblement économe et lui dépensier. Il était nonchalant, sûr de lui et réfléchi. Elle était une boule d'énergie, toujours prête à passer à l'action, quitte à le regretter ensuite. Pourtant elle paraissait plus équilibrée et plus mûre que Crowe.

— Les dégâts causés ici témoignent d'une grande colère, a-t-elle fait observer. Voyez comme les objets personnels ont été détruits, les portraits défigurés.

— Le genre de colère que seul un mari peut avoir pour sa femme ? ai-je suggéré.

Elle a haussé les épaules. À l'expression de son regard, j'ai compris qu'elle était replongée dans un souvenir de sa propre vie. L'espace d'un instant, elle s'est repliée sur elle-même.

— Ou inversement, a dit Crowe.

Je me suis souvenue alors de ses confidences de la veille à propos de sa femme qui l'avait quitté et de son amertume.

— Personne ne sait mieux garder son sang-froid que Marcus, ai-je répondu sèchement.

Mon hostilité ne leur a pas échappé. Je les ai vus échanger un regard.

— Il ne hausse jamais le ton. Quand il lui arrive d'être en colère, il n'exprime rien et devient encore plus glacial. Jamais il ne ferait une chose pareille. Ça ne lui ressemble pas du tout. Il considérerait ça comme de l'énergie dépensée en pure perte.

J'en avais trop dit, mais je l'ai compris trop tard. Ils me faisaient face et, à leur regard, j'ai mesuré l'erreur que j'avais commise en les autorisant à fouiller mon appartement. Je ne voyais en Marcus qu'une victime qui avait besoin d'aide. Je n'avais rien à cacher, mais il ne m'avait jamais effleuré l'esprit que Marcus pouvait avoir des secrets inavouables.

« Voyons, Isabel, me gronderait-il. Quelle inconséquence ! Ces gens ne sont pas là pour t'aider. Ils ne se soucient que de leur enquête. »

— Si vous savez quoi que ce soit, il serait peut-être temps de parler, madame Raine.

Le ton de l'inspecteur Breslow était respectueux bien qu'un tantinet condescendant.

— Mon beau-frère a donné de l'argent à Marcus, ai-je déclaré. Une très grosse somme que le couple ne possédait pas.

L'inspecteur Crowe a hoché la tête.

— Vous le saviez ? Je veux dire avant qu'il disparaisse ?

Disparaître : s'en aller sans avertir ni donner d'explication, devenir invisible, cesser d'exister. Un verbe courant que chacun de nous utilise tous les jours. « Mes lunettes de soleil ont disparu. » L'espoir d'une réapparition soudaine est contenu dans le mot. Mais la manière qu'avait l'inspecteur Crowe de le prononcer lui donnait une connotation définitive, comme un verdict sans appel.

— Non, Erik vient tout juste de me l'apprendre. Ma sœur n'est même pas au courant.

Je ne m'adressais plus vraiment à eux. Je réfléchissais à voix haute, plongée dans des eaux troubles à la limite de mon moi intérieur et du monde extérieur.

— Avez-vous vérifié vos comptes en banque, madame Raine ?

Sa question m'a transpercée comme une lame effilée. D'abord, je n'ai rien ressenti, puis lentement la douleur lancinante de l'angoisse est montée. Je me suis approchée de l'ordinateur, mais, au moment de poser les doigts sur le clavier, je me suis figée. L'unité centrale avait disparu et l'écran n'était plus relié à rien. Je me suis retournée vers l'inspecteur.

— Je connais Marcus depuis six ans et nous sommes mariés depuis cinq ans. Ce que vous insinuez avec vos questions est tout simplement inconcevable.

— Qu'est-ce que j'insinue, selon vous ?

Il a repris sa posture de policier, campé sur ses jambes, les bras croisés sur la poitrine. Breslow a baissé les yeux et quitté la pièce. Ils jouaient un numéro bien rodé. Un jeu de rôle dont je n'étais pas dupe.

Comme je ne répondais pas, il a enchaîné :

— Je ne fais que vous poser les questions d'usage, madame Raine.

J'ai détourné les yeux et mon regard a rencontré mon reflet dans l'écran de l'ordinateur. J'ai vu une femme au visage meurtri par les coups. Derrière elle se dressait la haute silhouette de l'inspecteur, le front barré d'une ride de perplexité. Cet homme avait du mal à me cerner. Je n'avais pas le comportement habituel de la victime. S'il s'attendait à me voir fondre en larmes et terrorisée, il ne me connaissait pas.

— J'ignore ce que vous voulez de moi. Mon mari a disparu. Mon appartement est dévasté.

J'ai entendu dehors le hurlement lointain d'une sirène de police et le grondement d'une benne à ordures.

— Si vous croyez que j'ai quelque chose à voir avec la disparition de mon mari, arrêtez-moi et laissez-moi appeler mon avocat. Sinon, je vous demande de m'accorder un peu de temps pour réfléchir.

— D'accord, a-t-il dit, plus détendu. Mais comprenez-moi. Les gens en savent souvent beaucoup plus qu'ils ne le pensent. Quand des événements de cette nature se produisent, ils semblent surgir de nulle part, mais ce n'est jamais le cas. Nous savons tous ce qui cloche dans nos vies, même si nous choisissons de ne pas le voir.

L'écho d'un morceau joué au piano m'est parvenu de l'étage du dessus. Cette musique avait quelque chose de lugubre. Du Chopin. Marcus détestait Chopin. « Souffreteux, déprimant à mourir », disait-il.

— Un policier philosophe, ai-je répondu.

Le coin de ses lèvres s'est soulevé, esquissant le petit sourire de celui qui secrètement s'amuse de tout. Il n'était pourtant pas cynique, mais faisait partie de ces gens qui voient l'expression de l'humour divin en toute chose et prennent le parti d'en rire plutôt que d'en pleurer. Je ne pouvais pas lui donner tort.

Ma mère se remaria beaucoup plus vite que ne l'exigeaient les convenances. « Il est à peine froid dans sa tombe », entendis-je sa sœur chuchoter pendant la modeste cérémonie de mariage organisée dans notre jardin. Moins d'une année s'était écoulée depuis le décès de mon père quand Margie, dans un élégant ensemble de mousseline champagne, épousa un homme que ma sœur et moi n'avions rencontré que deux fois. On servit une pièce montée ornée de fleurs, de petits sandwichs et du punch. À l'approche des nouveaux mariés, de larges sourires apparurent sur les visages jusque-là réprobateurs. Ma sœur s'était réfugiée dans le même mutisme que lors de l'enterrement de notre père. Avec ses cheveux blond vénitien et son teint de porcelaine, ma mère était ravissante, comme toujours. Elle affichait l'humeur de circonstance, ni trop frivole ni rayonnante de bonheur. Elle semblait plutôt soulagée. Et moi je me tenais dans la coulisse, observant les visages, captant des bribes de conversations, analysant les nuances dans le ton des voix.

Margie nous avait appris la nouvelle quelques mois auparavant autour d'un poulet rôti.

— Je vais épouser Fred. C'est un brave homme. Il subviendra à nos besoins et nous offrira une vie stable.

Pour elle, c'était une évidence ; or nous n'avions rencontré Fred qu'en deux occasions : un soir où il était passé chercher notre mère pour sortir et une autre fois où il était venu dîner à la maison. « Margie est une femme pleine de bon sens, disait notre père. Elle ne se laisse jamais prendre au dépourvu. »

La nouvelle fut pour moi comme un poing s'abattant sur la table et l'onde de choc m'ébranla profondément. Pendant les premières minutes, Linda et moi restâmes sans mot dire, dévisageant notre mère en silence, et je me rappelle le regard presque frondeur qu'elle promenait de l'une à l'autre. Mes yeux glissèrent jusqu'à ses mains maigres et parcourues de veines. Alors je notai qu'elle avait retiré son alliance. On ne voyait plus de marque à son doigt et je me demandai depuis combien de temps elle ne la portait plus. Dans le silence, elle toussota, porta à ses lèvres une bouchée de purée et but une gorgée d'eau. Ma sœur avait une expression impénétrable. Depuis le matin où elle avait découvert le corps sans vie de notre père, je ne l'avais encore pas vue verser une seule larme.

— Je n'ai pas le choix, les filles, croyez-moi, enchaîna ma mère, voyant que nous ne disions rien.

Elle lissa sa serviette déployée sur ses genoux.

— Votre père nous a laissées sans ressources et je n'ai aucune compétence ni expérience professionnelles. Avec le salaire que je peux espérer, nous ne pourrions pas garder cette maison. Et je crois que nous avons déjà assez perdu.

Ma sœur promenait des morceaux de poulet dans son assiette et je me souviens que la fourchette dans ma main pesait une tonne. Le silence n'était meublé que par le cliquetis de nos couverts et le tic-tac de la pendule. Je tournai mon regard vers la chaise sur laquelle notre père avait l'habitude de s'asseoir. Dans la famille il était l'auguste et ma mère le clown blanc. Il racontait tout le temps des histoires drôles et ma mère le réprimandait d'un sourire indulgent, avec parfois une légère rougeur au visage. Il aimait nous interroger sur notre journée et prenait le temps d'écouter nos réponses. Ma mère insistait pour que nous nous changions avant le dîner. Il n'était pas question de se présenter en jean ou de manger devant la télévision. Nous prenions nos repas tous ensemble autour de la table « comme une gentille famille ». Dire que mon père me manquait reviendrait à dire que j'avais soif alors que toute l'eau du monde s'était tarie. Quand ma mère me regarda, une expression fugitive passa sur ses traits, et je ne sus si c'était de la colère ou du chagrin.

— J'ignorais beaucoup de choses à propos de votre père, poursuivit-elle. Un jour, quand vous serez plus grandes, vous comprendrez.

— Quelles choses ? demandai-je, recouvrant soudain ma voix.

Mon ton brusque produisit l'effet d'un coup frappé à la porte par une main autoritaire. Comment aurais-je pu savoir que je n'étais pas censée poser de questions embarrassantes ? Personne ne me l'avait jamais dit.

Ma mère baissa ses paupières ombrées de bleu lavande puis rouvrit lentement les yeux. C'était son expression pour nous montrer que sa patience était mise à l'épreuve. Mon père résumait ça en une formule : « Elle m'a fait son œillade. »

— Cela n'a plus d'importance désormais, me répondit-elle.

— Je veux savoir de quoi tu parles, insistai-je. Qu'est-ce que tu ignorais ?

Elle secoua la tête, poussa un soupir, sans doute pour nous signifier qu'elle regrettait d'avoir entamé cette conversation et n'avait pas le courage de la poursuivre. Avec le recul, je me dis qu'elle était très jeune pour rester veuve avec deux enfants sur les bras. Elle était à peine plus âgée que moi au moment de la disparition de Marcus. Mariée à dix-neuf ans, enceinte à vingt. Elle avait trente-cinq ans quand mon père avait mis fin à ses jours.

— Je suis désolée, les filles, je n'aurais jamais dû vous dire ce que j'ai dit, fit-elle d'une voix lasse. La seule chose que vous devez savoir, c'est qu'il vous aimait de tout son cœur. Vous étiez tout pour lui.

Elle nous prit les mains. Je lui abandonnai les miennes, mais Linda lui arracha les siennes.

— Est-ce que tu l'as aimé un jour ? explosa ma sœur, les joues livides.

Ma mère baissa la tête puis tapota sur la table avant de répondre.

— Le mariage n'est pas qu'une question d'amour. Il n'y a que les petites filles pour croire ça, dit-elle d'un air grave qui ne lui ressemblait pas.

— Il s'est tué parce qu'il savait que tu ne l'aimais plus ! lui assena ma sœur qui en tremblait d'indignation.

L'angoisse qui m'oppressait menaçait à tout instant de m'étouffer.

— C'est faux, Linda, murmura ma mère, au bord des larmes. Tu te trompes.

— Si, c'est vrai ! fulmina ma sœur, un étrange éclat dans ses yeux agrandis par la colère. Tout le monde le sait.

Ma mère laissa retomber sa tête sur son bras et éclata en sanglots. Elle qui était un modèle de maîtrise de soi, qui n'élevait jamais la voix et ne riait jamais aux éclats, elle dont le maquillage était toujours soigné et la tenue vestimentaire irréprochable. La voir ainsi s'affaisser comme une poupée de chiffon et fondre en larmes fut un choc pour moi. Je posai ma main sur son dos et caressai la soie de ses cheveux. Je me souviens de leur éclat doré qui tranchait sur le coton vert de son corsage. Elle était si réelle à ce moment-là, si vivante dans l'expression du chagrin qui la terrassait. La scène était terrifiante et exaltante à la fois. Ma mère était solidement arrimée au monde par l'intensité de sa douleur. Elle ne s'envolerait pas pour rejoindre notre père.

— Sale égoïste ! vociféra Linda.

Elle se leva subitement de table et regarda de haut ma mère, qui laissa échapper un long sanglot à ces mots. Un rictus de dégoût et de mépris aux lèvres, ma sœur semblait savourer une sombre victoire. C'était un tout petit bout de fille, mince comme un haricot, mais ce jour-là sa rage et son chagrin avaient fait d'elle un titan. Quelques mois plus tôt, elle écoutait Duran Duran et avant de partir en cours programmait le magnétoscope pour enregistrer *Les Feux de l'amour*. Elle dormait encore avec son doudou et riait de mes blagues idiotes. Cette fille-là n'existait plus, il n'en restait plus que la coquille.

Linda nous planta là. Elle monta l'escalier d'un pas mesuré, puis claqua de toutes ses forces la porte de notre chambre.

Je continuai à frotter doucement le dos de ma mère.

— T'en fais pas, maman. Ça va aller.

Ce fut tout ce que je trouvai à dire.

— Je l'aimais, Isabel, murmura ma mère d'une voix brisée. Je l'aimais vraiment, mais mon amour ne lui a pas suffi.

Du haut de mes dix ans, alors que je n'avais pas encore la moindre idée du pouvoir de l'argent, de l'amour et des secrets entre maris et femmes, je sus qu'elle disait la vérité. Mon père de son vivant avait déambulé parmi nous comme un fantôme. Certes cet homme bon, doux et souriant avait toujours une gentillesse à la bouche, nous faisait des cadeaux extravagants et n'était jamais avare de ses câlins, mais toute gosse que j'étais, je sentais confusément qu'il gardait cachée une grande part de lui-même. Tel un ballon gonflé à l'hélium, il était inaccessible et toujours prêt à s'envoler, jusqu'au jour où, finalement, il avait pris le large.

Mais moi, j'étais différente de ma mère, qui s'était refusée à interpréter les signes révélateurs et obstinée à fermer les yeux. Moi, j'étais d'une autre trempe. Depuis toujours j'étais celle qui observait. La vie, à la manière d'un liquide, s'imprégnait en moi. Je posais des questions, j'écoutais les réponses, je cherchais des sens cachés dans le rythme, le ton ou les nuances du langage. Quand nous nous disputions, cette aptitude me servait d'arme. Marcus, dont l'anglais n'était pas la langue maternelle, finissait par abandonner la partie, agacé que j'accorde tant de signification aux connotations des mots qu'il employait sans tenir compte de leur sens premier ni du motif de notre différend.

— Tu te sers des mots comme d'un poignard, m'avait-il lancé un jour. Suis-je un ennemi pour toi ? Vas-tu me pourfendre parce que je ne les manie pas aussi bien que toi ?

— Et toi, tu t'en sers comme d'une massue. Tu les assènes pour imposer ton point de vue.

— Vous pouvez m'en dire un peu plus sur cette liaison ?

L'inspecteur Crowe, coupant court à mes réflexions, m'a ramenée dans le présent. Je n'aurais pas pu dire depuis combien de temps je vagabondais dans le passé.

— Quelle liaison ?

Il a soupiré. Il devait penser que je jouais les idiotes dans le but de l'exaspérer.

— Comment l'avez-vous découverte ? Avez-vous su le nom de cette femme ? Son adresse ?

— Ça s'est imposé à moi comme une évidence. Je l'ai senti, voilà tout. Puis un jour je suis tombée par hasard sur un texto. J'ai demandé à Marcus de mettre fin à cette histoire et il a promis de s'exécuter. Je n'ai jamais rien su de cette autre femme.

Crowe a froncé les sourcils et tiré sur les poignets de sa chemise qui dépassaient de sa veste.

— Vous ne me semblez pourtant pas être le genre de personne à ne pas poser de questions.

En fin de compte, j'étais peut-être plus proche de ma mère que je ne voulais l'admettre, à certains égards du moins. Mais j'avais mes raisons pour en rester là. Je ne voulais pas lâcher la bride à mon imagination. Sans ces détails, je pouvais laisser à ma rivale le rôle d'une simple figurante qui traversait la scène sans qu'on la remarque. La moindre information sur elle aurait donné à son personnage une importance que je ne voulais pas lui accorder.

— Il l'avait rencontrée à Philadelphie. C'est tout ce que je sais.

— Mais là encore il pourrait s'agir d'un mensonge, a objecté Crowe.

J'ai haussé les épaules et acquiescé.

— C'est justement ça que je n'ai pas pu pardonner à ma femme, a-t-il ajouté. J'aurais pu passer l'éponge sur ses infidélités, mais les mensonges, toute cette sournoiserie, je ne les ai pas supportés. L'adultère, ça peut se comprendre. On peut succomber à l'appel de la chair. Mais ce qui rend la chose laide et impardonnable, c'est la logistique qui l'entoure. Vous pensez qu'elle est chez sa mère, alors qu'à ce moment-là elle est dans les bras de son amant. C'est écœurant.

Je me suis abstenue de répondre, parce que je lisais clair dans son petit jeu. Il cherchait à exciter ma colère, à établir entre nous une connivence pour m'amener à parler. J'avais vu assez de films policiers pour connaître la technique. J'allais vider mon sac et laisser malencontreusement échapper un indice. Peut-être même lui avouerais-je que j'avais trucidé mon mari, balancé son corps dans l'East River, zigouillé ses collègues de travail et, pour finir, saccagé ses locaux et l'appartement où nous vivions.

— Mais vous êtes restée, n'est-ce pas ? Vous lui avez pardonné.

— Oui.

Était-ce la vérité ? Lui avais-je réellement pardonné ?

— Pourquoi ? a insisté Crowe.

En réalité, ce qu'il voulait savoir c'était comment j'étais parvenue à lui pardonner.

Toute l'intelligence de cet homme, tout son professionnalisme n'étaient qu'une mince couche de vernis cachant une profonde immaturité. Il avait beau approcher de la quarantaine, il n'était qu'un petit garçon qui croyait encore aux contes de fées.

— Parce que je l'aime, inspecteur.

— Et l'amour pardonne tout, a-t-il lâché d'un ton amer.

— L'amour permet d'accepter et de tourner la page. Le pardon vient peut-être ensuite.

Ma réponse a eu pour effet d'effacer son petit sourire narquois. L'espace d'un instant, j'ai même lu de la tristesse dans son regard. Mais il s'est vite ressaisi.

— Que pensez-vous qu'on soit venu chercher ici, madame Raine ? À première vue, que peut-il manquer en dehors de l'ordinateur et des dossiers de cette armoire ?

Il m'épuisait avec toutes ses questions, avec son attitude et sa façon de répéter mon nom à tout bout de champ. L'énergie qui m'animait à bord du taxi m'avait abandonnée. J'avais l'impression d'être remplie de sable.

— Je ne saurais vous le dire.

J'ai regardé ma main. L'inspecteur l'a aussitôt remarqué.

— Où est votre alliance ?

— Elle a disparu. Mon beau-frère m'a dit qu'elle n'était déjà plus à mon doigt quand on m'a conduite à l'hôpital.

Ce détail n'était pas anodin et nous le comprenions tous les deux, même si son sens nous échappait pour l'instant. Crowe m'a interrogée à propos de la bague et pris des notes dans son calepin. Je n'avais que peu de chose à en dire. Elle était le seul bien matériel qui ait une quelconque valeur pour moi.

Mon téléphone s'est mis à vibrer. J'ai lu le texto et refermé le clapet.

— Qui était-ce ? m'a demandé l'inspecteur.

J'ai trouvé sa question très indiscrète.

— Ma sœur, elle s'inquiète.

Il a opiné, faisant mine d'en connaître un rayon sur les sœurs inquiètes. Un flot d'émotions m'a soudain submergée.

— Vous êtes très pâle, a fait observer Crowe.

Je me suis levée et j'ai gagné la porte.

— Vous savez quoi ? Vous aviez raison. Je ne devrais pas être là. Je m'en vais.

Il m'a fait barrage de son corps. Contrariée, j'ai reculé d'un pas.

— Nous n'en avons pas fini, a-t-il lâché d'une voix calme mais ferme. Vous avez insisté pour entrer ici, et le mieux serait d'en finir maintenant.

— Je suis d'accord avec vous, mais je préférerais discuter de tout ça ailleurs. De toute façon vous devez avoir assez d'éléments pour vous occuper un moment. Des empreintes, des échantillons d'ADN, et je ne sais quoi encore.

— Ces indices matériels ne concernent que les techniciens de la police scientifique. Pendant qu'ils analysent leurs prélèvements, je vais devoir continuer à vous interroger et j'espère qu'en posant les bonnes questions j'arriverai à comprendre pourquoi trois personnes sont mortes, pourquoi votre domicile et les locaux professionnels de votre mari ont été mis à sac et enfin pourquoi Marcus Raine, le pivot de toute cette affaire, a disparu.

J'ai remarqué qu'il avait prononcé le nom de Marcus avec une curieuse insistance.

— Pourquoi prononcez-vous son nom de cette façon ? ai-je demandé.

Il a pointé un index en l'air.

— Bonne question.

Son double fantomatique était réapparu. Dans mon cerveau embrouillé, la colère se mêlait à la panique et à la profonde antipathie que m'inspirait cet homme dont le corps massif envahissait tout l'espace de mon bureau exigu. J'ai reculé encore et je me suis retrouvée dos au mur.

— Marcus Raine, né en 1968 en Tchécoslovaquie, émigre aux États-Unis en 1990, décroche une bourse pour poursuivre ses études à l'université de Columbia, obtient une maîtrise d'informatique, séjourne dans notre pays avec un visa d'étudiant pour commencer, puis avec un permis de travail, et finit par acquérir la nationalité américaine en 1997.

— C'est juste, ai-je dit.

Tout était exact. Hormis la dernière information, j'avais déjà dit tout ça à l'inspecteur quand il m'avait interrogée la veille. S'il cherchait à m'impressionner, c'était raté.

— Ensuite il travaille pour Red Gravity, une start-up, et amasse une véritable fortune quand la société entre en Bourse en 1998.

J'ai acquiescé. Même si le magot n'était pas assez gros pour lui permettre de prendre sa retraite. Du moins c'est ainsi que Marcus voyait les choses à l'époque.

— Il a fondé sa propre société après notre mariage, ai-je expliqué. Et il a plutôt bien réussi.

L'inspecteur a retrouvé son petit sourire en coin.

— Eh bien, voyez-vous, c'est là que vous vous trompez.

Je n'appréciais pas beaucoup son ton supérieur. À ses yeux, je passais pour une menteuse ou une idiote. Il faisait soudain trop chaud dans cette pièce. J'ai senti mes joues s'empourprer et j'ai voulu l'écarter de ma route. L'inspecteur a fini par me céder le passage. Je n'ai pas pu aller très loin. Je me suis laissée tomber lourdement sur mon lit, dont les draps et les couvertures avaient été arrachés et le matelas lacéré à coups de couteau dans ce qui ressemblait à une explosion de rage.

L'inspecteur m'a emboîté le pas.

— Marcus Raine a disparu de la circulation en 1999, a-t-il déclaré en tirant de la poche de sa veste une feuille pliée en quatre.

Il me l'a tendue. C'était la sortie papier d'une page du site Internet du *Times*. J'ai noté qu'à la jointure de ses doigts la peau était écorchée et que sa main était tuméfiée. J'ai failli l'interroger pour en savoir plus, puis je me suis ravisée. J'avais déjà suffisamment de problèmes.

Le cœur battant, j'ai lu le court article dans lequel il était question de la disparition inexpliquée d'un jeune homme, brillant ingénieur en informatique. Orphelin, il avait grandi en Tchécoslovaquie, élevé par une tante dans une petite ville des environs de Prague. Après la chute du communisme, il s'était installé aux États-Unis et avait accompli le rêve de tout émigrant débarquant sur le sol américain. Puis il avait rencontré une jeune femme dont il était tombé amoureux et, au moment où le conte de fées allait se conclure par un *happy end*, Marcus Raine avait disparu. Un beau matin, il ne s'était pas présenté à son travail. Sa petite amie avait signalé sa disparition. La police avait fouillé le domicile de Raine mais n'avait trouvé aucun signe de lutte. Quelques objets manquaient : un portefeuille, des clés et une montre que Marcus Raine portait tous les jours.

L'article confirmait ce que j'avais toujours su à propos des disparitions d'adultes. Nul ne levait le petit doigt pour les rechercher.

Plus personne n'avait entendu parler de Marcus Raine et à ce jour son cas n'était toujours pas élucidé.

J'ai levé les yeux et regardé l'inspecteur. J'ignorais ce qu'il espérait lire sur mon visage, mais à voir ses traits se radoucir j'ai deviné qu'il éprouvait une soudaine pitié pour moi.

— Un homonyme, ai-je articulé d'une voix faible.

— Un homonyme qui aurait la même biographie. C'est possible, mais très improbable.

J'ai laissé errer mon regard jusqu'à la pointe de ses chaussures. À la qualité du cuir et des finitions, j'ai estimé qu'elles lui avaient coûté cher. J'aurais parié qu'elles étaient de fabrication italienne. Elles n'étaient évidemment pas dans ses moyens et j'en ai conclu que ce type vivait à crédit. Il était probablement criblé de dettes. Mon esprit avait tendance à faire ce genre d'échappée quand il ne voulait pas affronter une réalité dérangeante.

— Madame Raine ?

J'ai redressé la tête. Il me tendait une photographie. Je l'ai prise.

— Connaissez-vous cet homme ?

L'espace d'un bref instant, j'ai cru voir un portrait de mon mari. Mais, à y regarder de plus près, l'homme de la photo avait les épaules moins larges, les traits moins marqués, et ses yeux n'étaient pas bleus mais noisette. Si on l'observait attentivement, il ne ressemblait pas du tout à Marcus, excepté par le teint, les cheveux coupés presque à ras et la blondeur de son bouc.

— Je vous présente Marcus Raine, né le 9 juin 1968, porté disparu le 2 janvier 1999.

Même nom, même histoire, même date de naissance que mon mari. Pourtant cet homme n'était pas mon époux.

La photographie semblait avoir été prise du belvédère de l'Empire State Building. On reconnaissait Manhattan en miniature à l'arrière-plan. L'inconnu qui portait le nom de mon mari enlaçait de son bras une jolie blonde. Le couple avait le sourire figé qu'ont tous les touristes devant l'objectif.

— Le connaissez-vous, madame Raine ?

Quelque chose en lui me semblait vaguement familier. Je l'avais peut-être déjà croisé quelque part, mais je n'aurais pas su dire où ni quand. Du reste, je n'avais jamais rencontré personne ayant connu Marcus avant notre rencontre. Aucun parent, aucun ami, aucun collègue de travail.

— Il y a une ressemblance, vous ne trouvez pas ? a fait observer l'inspecteur.

— Je ne sais pas, ai-je menti. C'est possible.

— Et la fille ? Camilla Novak ?

La femme de la photo avait la finesse et la sévérité des traits qui caractérisent les beautés tchèques. Lors de mon séjour à Prague, j'en avais vu beaucoup qui possédaient cette beauté froide. Elles étaient comme des pierres précieuses, superbes mais glaciales. Cette fille dégageait le même genre d'aura et semblait dire : regardez si vous voulez, mais pas touche. Je ne l'ai pas reconnue, mais son nom m'a semblé familier. L'avais-je déjà lu ou entendu quelque part ? Impossible de m'en souvenir.

— Non, je ne reconnais personne sur cette photo.

Une pensée m'a traversé l'esprit à ce moment-là et je me suis levée d'un bond. J'avais bougé trop vite et j'ai vacillé sur mes jambes. Je serais tombée à genoux si l'inspecteur ne m'avait pas retenue par le coude.

— Doucement, m'a-t-il dit en m'aidant à me rasseoir sur le lit. Qu'est-ce qui vous a pris ?

— Marcus gardait un petit album relié en toile. Il contenait de vieilles photos, des lettres et des recettes de cuisine qu'il avait conservées de sa mère. Il le rangeait au fond de sa penderie.

— Je m'en charge. Dans quelle penderie ?

Luttant contre le vertige et une terrible nausée, je la lui ai désignée. Quand il a ouvert la porte, j'ai vu que la garde-robe de Marcus était intacte. Ses vêtements de marque étaient tous là, impeccablement rangés par couleurs. Les costumes et les chemises accrochés sur des cintres, les pulls et les tee-shirts pliés. On aurait cru voir une oasis d'harmonie et d'ordre au milieu du chaos. C'était comme une insulte. Évidemment, l'album et tous les objets personnels de Marcus avaient disparu.

L'inspecteur Crowe s'est retourné vers moi en me montrant ses mains vides.

— Il n'y a rien ici.

Le chagrin et la peur sont revenus en force. Cet album aux pages cornées et jaunies qui se détachaient de leur reliure était tout ce que

Marcus avait gardé de son passé. Il renfermait des photos en noir et blanc de lui quand il était enfant, un portrait au grain épais de ses parents que je n'avais jamais rencontrés, quelques recettes calligraphiées dans une belle écriture de femme, des lettres en tchèque de sa tante. Parfois, je regardais toutes ces choses quand il n'était pas à la maison, quand nous nous étions disputés. Cela me réconfortait de savoir qu'il avait été un jour un petit garçon fragile et qu'il y avait des raisons qui expliquaient pourquoi il était devenu tellement taciturne. À présent je m'interrogeais. Toute cette histoire n'était peut-être qu'une invention. Ces photos appartenaient peut-être à quelqu'un d'autre.

— Il semble que notre Marcus Raine ait été un grand solitaire. Pas de famille, pas d'amis en dehors de cette fille, a enchaîné Crowe. Même ses anciens collègues à Red Gravity disent qu'il ne se mêlait pas aux autres. Il ne déjeunait pas avec eux le midi, ne sortait jamais boire un verre après le travail. Il était bosseur et peu sociable, si j'en crois les notes conservées dans son dossier.

— Où voulez-vous en venir, inspecteur ?

— Laissez-moi d'abord vous poser une question. Hier soir vous m'avez dit que vous ne saviez rien de l'entreprise de votre mari et que vous n'y étiez pas impliquée.

— C'est exact.

— Dans ce cas, expliquez-moi pourquoi tout est à votre nom. Pourquoi est-ce votre numéro de Sécurité sociale qui figure dans le dossier d'immatriculation ?

Cette nouvelle bombe venait de pulvériser un autre pan de ma vie.

— C'est faux.

— C'est malheureusement vrai.

Nous nous sommes regardés, incrédules, chacun guettant la réaction de l'autre. L'inspecteur Breslow est apparue dans l'encadrement de la porte — elle avait dû se tenir là pendant tout ce temps. J'ai détourné les yeux de Crowe et reporté mon attention sur la jeune femme.

— Je crois qu'il a utilisé votre identité pour ne pas être obligé de révéler la sienne, m'a-t-elle expliqué.

Un film sombre a soudain terni tous mes souvenirs : notre rencontre, la passion des premiers jours, notre mariage précipité, les trois semaines de notre lune de miel en Italie. Dès notre retour, il s'était jeté à corps perdu dans la création de sa société, Razor Technologies. Nous entamions une nouvelle vie et c'était exaltant. Quand il m'avait annoncé qu'il souhaitait m'associer à son affaire, j'avais été touchée qu'il veuille partager ce projet avec moi.

Il avait insisté pour que nous changions de comptable et que nous en engagions un de sa connaissance. J'avais congédié celui qui m'accompagnait depuis le début de ma carrière et laissé Marcus confier nos affaires à un cabinet dont j'ignorais tout. Chaque trimestre et en fin d'année, je signais des documents concernant la société et mes propres revenus.

J'ai toujours été fâchée avec les chiffres et j'étais ravie que quelqu'un se charge de toutes ces questions à ma place. Par la suite, mon ancien comptable m'avait laissé plusieurs messages, me demandant avec insistance de le rappeler, il voulait me parler du nouveau cabinet que nous avions engagé. J'ai honte de le reconnaître, mais je n'avais jamais donné suite.

Une affreuse appréhension m'a envahie et j'ai pensé à Linda. Elle avait commis la même erreur. Elle aussi avait signé là où on lui demandait de signer. Nous étions pourtant deux femmes intelligentes à qui la vie avait appris dès le plus jeune âge qu'il ne faut jamais faire aveuglément confiance à un homme, surtout quand il s'agit d'argent.

L'inspecteur Crowe continuait de parler :

— Il n'est pas très difficile d'usurper l'identité de quelqu'un, surtout quand on dispose de tous les documents officiels, de son permis de conduire et de sa carte verte. Les deux hommes se ressemblaient. Il lui était aisé de se glisser dans la peau de Marcus Raine, surtout s'il n'existait pas de lien entre eux.

Breslow a pris le relais :

— Dans l'après-midi du 2 janvier 1999, Marcus Raine ou quelqu'un se faisant passer pour lui et disposant de tous les documents nécessaires a vidé tous ses comptes.

Elle m'a tendu une autre photo qui montrait un homme en jean et en sweat-shirt devant le guichet d'une banque. Son visage était en partie caché par la visière d'une casquette de base-ball. Ce pouvait être Marcus, ou n'importe quel individu de même carrure et de même couleur de peau.

J'ai enfin recouvré ma voix et un peu de force. Je me suis levée pour affronter les deux inspecteurs.

— C'est délirant, ai-je dit. Il est impossible d'usurper l'identité d'un homme sans que quelqu'un finisse par s'en apercevoir.

— Mais c'est peut-être ce qui s'est passé, a rétorqué Crowe. Et cela expliquerait qu'il ait été soudainement obligé de repasser dans la clandestinité.

Sur ce, Crowe a désigné tout ce qui nous entourait d'un ample geste du bras.

— Vous pouvez constater que tout ce qui aurait permis de l'identifier a disparu.

— Ses empreintes digitales sont partout, ici et à son bureau, ai-je objecté. Il a laissé son ADN dans tous les coins.

— Ça ne nous aidera à l'identifier que s'il est déjà dans nos fichiers, m'a expliqué Breslow. Nous ne serons pas fixés avant que les éléments que nous avons recueillis aient été entrés dans les deux bases de données nationales des empreintes et des profils génétiques. Entre le moment où les données sont communiquées au FBI et celui où nous recevons leur réponse, il peut s'écouler une semaine, dans le cas d'une affaire prioritaire. Mais s'il n'a jamais été arrêté et fiché aux États-Unis ou bien si son ADN n'apparaît dans aucun dossier d'affaire non résolue, nous aurons fait chou blanc.

Je me suis de nouveau laissée choir sur le lit. Je sentais peu à peu m'échapper l'homme que j'avais aimé et avec qui j'avais partagé ma vie pendant cinq longues années. J'ai repensé à ce matin-là quand les portes de l'ascenseur s'étaient refermées et qu'il m'avait crié : « Je t'aime, Izzy. » C'était du moins ce que je croyais avoir entendu. Mais peut-être m'avait-il dit tout autre chose. Puis je me suis rappelé l'affreux hurlement et j'ai senti un frisson glacé me parcourir la nuque.

— Non, ai-je protesté. Vous vous trompez.

Il était impossible, inconcevable, que l'homme que j'avais épousé ne soit pas celui que je croyais.

Adossé au mur de la chambre, Crowe m'observait avec insistance.

— Il avait besoin de votre numéro de Sécurité sociale pour démarrer son entreprise. Le nom de Marcus Raine n'apparaît sur aucun document officiel de la société, pas même en tant que simple employé. Tout est à votre nom et à celui de Rick Marino.

Je suis restée sans voix, totalement accablée par cette révélation.

— Savez-vous quel numéro de Sécurité sociale il a utilisé pour établir votre certificat de mariage ? m'a demandé Breslow d'un ton plein de sympathie.

J'ai tourné la tête vers elle et lu de la compassion sur ses traits. Cette femme savait ce que je ressentais, parce qu'on lui avait menti à elle aussi. Pourtant, à la différence de son coéquipier, cela ne l'avait pas rendue amère, mais plus perspicace.

Tous nos papiers avaient disparu. Ils le savaient.

— Je n'en ai aucune idée.

Elle m'a tendu trois autres documents. La copie de la carte verte de Marcus avec sa photo, celle de sa carte d'assuré social et enfin celle de notre certificat de mariage.

— Cet homme-là est Marcus Raine, m'a-t-elle dit.

Elle est venue se placer à côté de moi et a pointé du doigt la photo de l'inconnu. Puis elle m'a mis sous le nez la copie de la carte d'assuré social et celle du certificat de mariage. Les numéros étaient identiques.

Crowe a pris une photo de Marcus qui se trouvait sur mon bureau.

— Ce n'est pas le même homme.

Nous nous sommes tus, tandis que mon esprit passait en revue toutes les options et cherchait à trouver une explication logique à ce qui ne pouvait être qu'une méprise.

— Vous êtes donc en train de m'expliquer que mon mari a usurpé l'identité d'un autre homme, qu'il s'est servi de cette identité pour m'épouser, puis qu'il a utilisé mon nom et mon numéro de Sécurité sociale pour créer sa société.

J'étais encore capable de parler. J'arrivais à peine à le croire, alors même que j'étais lacérée, en lambeaux, comme le matelas sur lequel j'étais assise. Je me désintégrais par petits bouts.

Breslow a opiné.

— Oui, en l'état actuel des choses, c'est ce que nous pensons.

— Dans ce cas, qu'est-il arrivé à ce Marcus Raine ? ai-je demandé en leur montrant la copie de la carte verte.

— C'est une autre bonne question, a répondu Crowe.

Normalement j'aurais dû prendre la défense de mon mari, soutenir qu'ils étaient en train de commettre une terrible erreur et les menacer de poursuites. J'aurais dû faire autre chose que rester assise sur ce matelas déchiré à fixer le mur devant moi, mais j'en étais incapable.

— Eh bien, madame Raine, avez-vous une quelconque idée de l'identité de l'homme que vous avez épousé ?

Dans ma chambre dévastée, face à deux policiers qui semblaient en savoir plus sur mon mari que moi-même, j'ai eu l'étrange impression que mon train venait d'arriver au terminus, sauf qu'en descendant sur le quai je ne me trouvais pas à ma destination, dont j'avais oublié le nom, mais dans un autre lieu qui lui ressemblait vaguement.

Mon téléphone s'est remis à vibrer. Quand

j'ai lu le message affiché à l'écran, mon cœur s'est mis à battre la chamade. J'ai fait le maximum pour ne rien laisser paraître, mais j'ai senti mes joues s'embraser.

— Encore votre sœur ? m'a demandé Crowe d'un ton clairement soupçonneux.

J'ai hoché la tête, incapable de parler. J'ai remis mon téléphone dans ma poche, je me suis levée et j'ai marché jusqu'à la fenêtre.

— Madame Raine, m'a dit l'inspecteur Breslow. Je vous conseille vivement de vérifier vos comptes en banque.

Elle le laissa la prendre contre la lourde vasque et enfonça ses ongles dans ses larges épaules dans un réflexe qu'il confondrait avec de la passion. En réalité, elle avait juste peur que le lavabo ne cède sous leur poids. À chaque poussée impérieuse, elle sentait contre la peau nue de ses reins le contact froid et désagréable de la porcelaine. Il était avide d'elle et si elle ne partageait pas sa fougue, elle éprouvait du plaisir à se savoir désirée avec tant d'ardeur par un homme qui ne l'avait pas vue mettre au monde leurs enfants, qui ne se rasait pas pendant qu'elle faisait pipi dans la même pièce, qui ne l'avait pas connue recroquevillée au fond de son lit avec la grippe. Avec lui, elle était une maîtresse pleine de mystères, un objet pas encore pleinement possédé.

Les yeux clos, il murmura d'une voix pressante :

— Je t'aime. Je suis désolé, mais c'est comme ça.

Elle lui avait expressément demandé de ne pas prononcer ces mots et ne se sentit nullement obligée de lui répondre. Elle scruta son visage en pensant : « Non, je ne t'aime pas. » Et quand elle fut emportée par une puissante vague de jouissance, elle pressa son visage contre son torse pour se retenir de crier : « Je ne t'aime pas, c'est mon mari que j'aime. » Une curieuse pensée alors même qu'il était là à gémir et à trembler sous l'effet du plaisir. Il laissa retomber son poids sur elle dans un long soupir et elle se cramponna à lui.

En présence de Ben, elle était une autre femme. Pas une mère, pas une épouse. Elle ne se définissait plus par sa relation aux autres. Elle était une artiste, l'héroïne libre de toute attache d'une histoire qui se déroulait dans son imagination.

— Ça va ? lui demanda-t-il.

Il remonta son pantalon et jeta un coup d'œil en direction de la porte qu'ils avaient verrouillée. Elle détestait ce moment où, l'excitation retombée, ils se rhabillaient à la sauvette. Alors qu'un instant plus tôt ils étaient tout émoustillés de s'arracher leurs vêtements, l'après était toujours glauque. Une décoration portant l'inscription « Joyeuses fêtes », accrochée à la porte, ajoutait encore au sordide de la scène.

Elle se détourna de lui, remonta sa culotte sur ses hanches et laissa retomber sa jupe sur ses cuisses. Elle se regarda dans la glace. Après tout, elle n'avait pas si mauvaise mine. C'était peut-être une question d'éclairage.

— Tu ne peux pas débarquer comme ça chez moi, dit-elle sans conviction. Tu as une famille toi aussi, tu devrais le comprendre.

— Je sais bien, répondit-il avec un air de chien battu.

Elle ne se sentait pas coupable. Pas encore. La culpabilité viendrait plus tard, lorsque les enfants rentreraient de l'école ou quand elle partagerait un fou rire avec son mari. Pour le moment, elle était juste comblée ou plutôt comme soulagée d'un mal qui la rongeait.

Elle s'approcha de Ben et appuya son front contre son épaule.

— Je dois y aller, dit-elle.

Il posa doucement sa main sur son bras et l'enveloppa d'un regard soucieux.

— Qu'est-ce qui ne va pas ? Tu as parlé d'un problème familial.

Elle le détestait quand il agissait comme si leur aventure était une affaire sérieuse et non une énorme bêtise pour l'un et pour l'autre. Il insistait toujours pour parler, échanger des câlins, partager leurs sentiments à la façon des ados. Il ne comprenait rien. Tout ce qu'elle voulait, c'était s'oublier pendant cinq minutes. Quand ils avaient commencé à se voir, ce qu'elle appréciait par-dessus tout pendant leurs brèves rencontres, c'était de pouvoir chasser de son esprit tous ses soucis à propos des enfants, des crédits, de sa carrière d'artiste. Si leur relation évoluait, ses soucis la suivraient dans ce nouveau rapport. L'euphorie née de cette évasion éphémère s'estomperait et leur liaison ne serait plus qu'un problème supplémentaire.

Elle lui raconta en deux mots ce qui était arrivé à sa sœur, avec toute la patience dont elle était capable. Quelqu'un frappa à la porte. Ces toilettes situées dans l'arrière-salle étaient les seules que possédait le café. Derrière la porte, Linda entendit le cliquetis des tasses et le brouhaha des conversations. Une bonne odeur de bacon frit et de sirop d'érable lui rappela qu'elle n'avait pas pris de petit déjeuner.

— Je n'en ai que pour une minute, dit-elle.

Personne ne répondit.

— Tu crois qu'il lui est arrivé quoi, à son mari ?

— J'en sais rien.

Elle sortit son téléphone de sa poche pour vérifier ses messages.

— Je vais voir ce que je peux trouver, lui dit-il. Je suis très copain avec le gars de la rubrique des faits divers.

Linda avait rencontré Ben au vernissage d'une de ses expositions. Il était critique d'art et n'avait pas été tendre avec elle dans le dernier article qu'il lui avait consacré. « Un travail sans originalité, une sentimentalité de midinette », avait-il écrit. Elle lui en tenait rigueur et pourtant elle s'était senti irrésistiblement attirée par lui. Il était grand, solidement bâti, avec des cheveux noirs coupés très court, un bouc taillé et un anneau d'or à chaque oreille. À en juger par la virulence de son papier et son physique impressionnant, elle s'était attendue à rencontrer un être pédant et plein d'arrogance. Mais, au contraire, elle avait découvert un homme discret et presque fragile. Elle avait épié son visage, attendant le moment où il laisserait tomber le masque et révélerait quel genre de personne il était vraiment. Ce moment n'était jamais venu. Il ne baissait jamais la garde.

— Ce sont les gens dont la vie est la plus inintéressante qui disent les pires méchancetés sur ceux qui font quelque chose de leur temps.

Elle était un peu éméchée ce soir-là et c'était par cette phrase qu'elle l'avait abordé. Le silence s'était fait autour d'eux, mais elle avait senti Erik sourire. Il l'adorait quand elle devenait teigneuse.

Ben avait lentement hoché la tête et trempé ses lèvres dans son verre de vin.

— Je comprends votre point de vue, mais que pensez-vous des critiques qui vous encensent ? Avez-vous le même dédain pour eux ?

Elle n'avait pas pu garder son sérieux et avait vu s'allumer une lueur dans le regard de l'homme quand il avait entendu son rire de gorge, chaud et profond.

— Bien sûr que non, avait-elle rétorqué. Ces critiques sont brillants.

Tout le monde s'était esclaffé. Les gens semblaient soulagés de sentir l'atmosphère se détendre.

— J'adore votre travail, Linda, avait-il ajouté.

L'espace d'un instant, l'arrogance avait transparu. La façon qu'il avait de lui parler au milieu de ces invités et de l'appeler par son prénom comme s'ils étaient de vieux amis lui avait fait une drôle d'impression.

— Je vous tiens en grande estime. C'est pourquoi je suis déçu quand votre travail n'est pas à la hauteur de votre talent. Fort heureusement, cela n'arrive pas souvent.

Sur ce, il avait levé son verre et tout le monde autour de lui s'était joint à son toast. Elle aurait dû mettre fin aux hostilités à ce moment-là, mais n'avait pu s'empêcher d'en rajouter.

— Je parie que vous êtes un photographe raté, comme tous les critiques. Est-ce que vous gardez chez vous des piles de tirages dont aucun magazine n'a voulu et qu'aucun agent n'a souhaité défendre ?

Erik lui avait alors pincé le bas du dos. Il savait que l'alcool la rendait agressive et la poussait à dire des choses qu'elle n'aurait jamais dites à jeun. Elle avait soutenu le regard de Ben tandis qu'un sourire se dessinait lentement sur les lèvres de son adversaire.

— Non, avait-il avoué. Enfant déjà, ma seule ambition dans la vie était de juger les œuvres des autres.

Cette saillie avait provoqué un éclat de

rire général et dans la galerie toutes les têtes s'étaient tournées vers eux.

Une semaine plus tard, Linda et Ben couchaient ensemble.

Elle se blottit tout contre lui et lui enlaça la taille. Il était beaucoup plus costaud qu'Erik, plus large d'épaules, plus massif. C'était ce qui lui plaisait chez Ben. Dans ses bras, elle se sentait protégée, bien qu'il n'y eût rien de rassurant chez lui ni dans ce qu'ils faisaient ensemble.

— Ce serait génial, dit-elle.

— Je t'envoie un SMS, murmura-t-il contre ses cheveux.

Elle s'écarta de lui, déverrouilla la porte et jeta un coup d'œil dehors. La voie était libre. Elle hasarda un dernier regard en direction de Ben et lut sur ses traits une tristesse qui la chavira.

— Je suis désolée, dit-elle, sans trop savoir pourquoi.

— Moi aussi.

La différence entre eux était que Ben n'était pas heureux en ménage. Entre sa femme et lui, l'amour avait disparu depuis longtemps. Il ne restait avec elle, disait-il, qu'à cause de leurs deux petites filles, âgées de six et huit ans.

Linda les avait vues en photo. Deux adorables fillettes, l'une blonde, l'autre brune, exactement comme Isabel et elle autrefois. Elle en avait éprouvé un tel remords qu'elle avait dû se faire violence pour ne pas détourner le regard quand Ben lui avait montré les autres clichés. Elle-même n'avait jamais songé un seul instant à lui apporter des photos de ses enfants et ne comprenait pas pourquoi il faisait ça.

Lequel des deux était le plus coupable dans cette affaire ? Elle n'aurait su le dire, mais incontestablement c'était elle qui provoquait les plus gros dégâts. Elle avait la chance de posséder à la fois l'amour et le succès, et pourtant elle n'était pas encore satisfaite.

Elle traversa le café et personne ne la remarqua, ni les clients, ni les serveuses, ni le cuisinier devant son gril. Elle adorait l'anonymat de New York. On y était toujours seul et personne ne s'intéressait à vos faits et gestes. Tout le monde se fichait de savoir ce que vous portiez et avec qui vous couchiez. Chacun était tellement occupé à bâtir sa vie de rêve qu'il ne vous voyait pas. Dans le taxi qui la conduisait vers le nord de la ville, elle appela encore une fois sa sœur, sans obtenir de réponse.

10

J'ai suivi les conseils de l'inspecteur Breslow. J'ai commencé à vérifier mes comptes. Au cabinet de notre comptable, personne n'a décroché. Il n'y avait pas non plus de boîte vocale, alors qu'on était en plein dans les heures de bureau. C'était de mauvais augure. Je ne pouvais plus suivre mes comptes et le relevé de mes cartes de crédit en ligne, comme je le faisais d'habitude, puisque nos ordinateurs avaient disparu. Je me suis donc rendue en compagnie de Crowe au distributeur le plus proche sur Broadway. Il ne m'a pas fallu longtemps pour confirmer leurs soupçons. Les yeux fixés sur les chiffres affichés à l'écran, j'ai cru que j'allais vomir. Nous possédions en tout quatre comptes. Un compte courant et trois comptes d'épargne. Ils avaient tous été vidés. Ils ne contenaient plus que cent dollars chacun, la somme minimale imposée pour les maintenir ouverts.

— Je ne peux pas le croire, ai-je bredouillé.

— Je suis navré pour vous, m'a dit l'inspecteur tout en prenant des notes dans son calepin.

Un type s'impatientait derrière nous. Son téléphone à la main, il dansait d'un pied sur l'autre.

— Dites, vous avez fini ? Vous retardez tout le monde.

Nous nous sommes écartés du distributeur pour nous réfugier dans le renfoncement d'une porte, à l'écart du flot des passants qui se pressaient sur le trottoir et du concert de klaxons qui montait de Broadway.

— Quelle somme possédiez-vous à la banque ? m'a demandé l'inspecteur.

— Ceux-là sont seulement les comptes à retrait libre, ai-je précisé.

Le béton sous mes pieds était aussi mouvant que du sable.

— Je ne sais pas au juste. Autour de soixante-dix mille dollars au total.

Il a hoché la tête et inscrit ce montant, sans porter de jugement. Il était toujours là à tout noter dans son stupide calepin. J'aurais voulu parler, mais j'avais l'impression de tomber dans un puits sans fond. Combien de temps m'avait-il fallu pour gagner cet argent ? Et puis soudain je me suis souvenue de nos comptes de titres, de nos plans d'épargne retraite. Il y avait fort à parier qu'eux aussi avaient été vidés. J'étais accablée. Tout, absolument tout, avait disparu. Alors qu'une béance s'ouvrait à l'intérieur de moi, j'ai pensé à ma mère.

Margie possède de longs doigts parfaits, honteusement ornés de bagues aux pierres énormes.

« Une femme mûre se doit de porter des bijoux. Plus ils sont gros et mieux c'est, aime-t-elle à dire. Elle a gagné le droit de les porter et ses bijoux sont une distraction quand sa beauté s'en va. Je ne suis peut-être plus jeune, mais au moins je suis riche. C'est déjà ça. »

Voilà Margie dans toute sa splendeur.

À l'exception du jour où elle nous a annoncé son intention d'épouser Fred, je ne l'ai jamais vue perdre le contrôle d'elle-même, ni dans le bonheur, ni dans le chagrin. Elle sourit, mais ne rit jamais aux éclats. Elle fronce les sourcils, mais ne crie jamais. Quand j'étais plus jeune, j'avais beaucoup de mal à l'imaginer en femme habitée par les passions, les désirs et les ambitions qui me motivaient à l'époque. Je n'arrivais pas à me la représenter exaltée ni abattue. Elle me semblait aussi inébranlable qu'un roc, et cette pensée me réconfortait, parce que Margie était un havre où s'abriter par gros temps.

Des années après que j'eus quitté la maison, obtenu mon diplôme et gagné mon premier salaire, ma mère me raconta les mois qui avaient suivi la mort de mon père, les dettes accumulées dont elle n'avait jamais rien su, l'addiction au jeu dont il souffrait et qui lui avait tout pris, jusqu'à sa volonté de vivre. Il ne lui avait pas fallu plus d'une semaine pour découvrir que notre maison était lourdement hypothéquée, que nos voitures étaient à deux doigts d'être saisies et que tout ce qu'elle croyait posséder, y compris sa nouvelle gazinière, appartenait en réalité à une banque qui n'avait pas été payée depuis des mois.

Alors qu'elle pleurait la mort de son mari, elle avait été contrainte et forcée d'admettre qu'il lui avait menti sur tout, qu'il avait dépensé jusqu'à leur dernier sou, contracté des dettes et nous avait abandonnées en nous laissant vivre avec les conséquences de ses trahisons et de ses erreurs. Dans quelques semaines, nous risquions d'être expulsées de chez nous.

— J'avais la sensation d'avoir avalé de la

soude caustique, me confia-t-elle ce jour-là. J'avais les entrailles en feu. Je n'oublierai jamais ces nuits d'angoisse. J'étais en rage contre votre père et je m'en voulais d'avoir été si bête et si faible. Je n'avais personne vers qui me tourner. Ma famille n'avait pas assez d'argent pour nous remettre à flot. Heureusement, Fred était là.

Il était épris d'elle depuis des années. Un amoureux transi et respectueux. Ils se voyaient à l'église où ma mère allait toujours seule le dimanche matin. Il était très à l'aise financièrement. Héritier d'une chaîne de magasins d'alimentation, il s'était enrichi en revendant son affaire à un plus gros concurrent et avait ensuite réalisé de très bons placements. Fred régla toutes les dettes qu'avait laissées mon père ainsi que l'hypothèque qui grevait notre maison.

— Je ne sais pas ce que nous serions devenues s'il n'avait pas été là.

— Mais est-ce que tu l'aimais ?

Elle marqua une pause, but une gorgée de café, et je vis briller la grosse émeraude qu'elle avait à son doigt. À travers la fenêtre nous regardions Fred, dans leur luxueux jardin, qui déposait des graines dans un abri pour les oiseaux. Ils avaient fait de leur maison de Riverdale un vrai château et je ne les avais jamais entendus se disputer.

— J'ai appris à l'aimer. Fred est un brave homme, finit-elle par me dire. De toute façon, on accorde trop d'importance à l'amour romantique. Je ne suis même pas sûre qu'il existe.

Je me souviens qu'ils se tenaient par la main quand nous allions en ville dans la Mercedes de Fred. Il nous emmenait au restaurant, au musée ou au théâtre. Il a toujours été gentil avec ma sœur et moi, mais il n'était pas notre père. Pendant toutes ces années, je n'ai éprouvé pour lui ni amour ni antipathie. Mais au fil du temps une amitié s'est nouée entre nous, une tendresse et un respect mutuels se sont installés, cimentés par notre amour commun pour Margie.

— Pourquoi me racontes-tu ça maintenant ?

Je retrouvai en sa compagnie ce jour-là le souvenir vivace de cette soirée où elle nous avait annoncé son intention d'épouser Fred. Ce qu'elle n'avait pas pu partager avec nous à l'époque, elle venait de me le confier.

— Parce que tu es devenue une femme. Tu fais tes premiers pas dans la vie et je veux que tu saches ce qu'on ne m'a jamais appris.

Sur ces mots, elle se leva, alla prendre la cafetière, revint à la table et remplit ma tasse. Elle était toujours belle. Quoi qu'elle en dise, le temps ne lui avait pas volé ça. Elle se plaignait de voir son cou se flétrir et des rides se former autour de ses yeux. Mais elle avait trop peur de passer sous le scalpel du chirurgien par pure coquetterie. « Ce serait comme demander à Dieu de te punir pour ta vanité et de grimper toute seule sur la table d'opération pour Lui faciliter le travail », disait-elle. Ce jour-là, je lui trouvai une noblesse et une force de caractère qui m'avaient échappé lorsque j'étais plus jeune.

— L'argent, c'est le pouvoir, Isabel, me dit-elle, le regard perdu dans le lointain. L'argent, c'est la liberté de choisir. Il ne t'achètera pas le bonheur, mais il t'achètera tout le reste. Il est plus facile de se protéger du malheur quand on a de l'argent.

Je voulus intervenir, mais elle m'arrêta d'un geste de la main.

— J'aimais ton père et je m'en suis entièrement remise à lui pendant des années. Je n'ai jamais rempli un chèque. Je ne savais même pas combien il gagnait. De nos jours, ça peut sembler ridicule, mais j'étais une oie blanche passée directement de la maison de son père au foyer de son mari. Je n'avais jamais appris à m'occuper de moi.

— Mais tu as su prendre soin de nous, ce n'est pas donné à tout le monde.

— Oh oui, préparer des gâteaux, soigner les bobos, consoler les chagrins et recoudre les poupées. Je sais faire tout ça, mais il y a des choses plus importantes. Des choses qu'il me faut te transmettre par la parole, faute d'avoir pu le faire par mon exemple.

— Ne t'inquiète pas, maman, j'ai mon propre argent, la rassurai-je.

Elle me prit la main et la serra de toutes ses forces.

— C'est parfait, mais écoute-moi bien. Quand tu rencontreras l'homme de tes rêves, offre-toi à lui corps et âme si tu le désires, mais ne lui confie jamais ton argent.

Elle me regarda avec la même expression d'angoisse qu'autrefois lorsqu'elle me disait de ne jamais monter dans la voiture d'un inconnu ou de ne jamais prendre le volant si j'avais bu. Car elle s'était déjà joué en imagination les conséquences funestes de tels actes. À tel point que son insistance finit par m'agacer. J'étais une femme d'une autre trempe qu'elle et je n'avais pas besoin d'un homme pour me prendre en charge.

— C'est bon, maman, je crois que j'ai capté le message, lui répondis-je en retirant ma main.

Plantée dans la rue en compagnie de l'inspecteur Crowe, j'ai pour la première fois senti monter en moi une terrible colère. Autour de nous, les lampadaires étaient ornés de guirlandes, les gens portaient des sacs pleins à craquer de cadeaux, et des enceintes placées à l'extérieur d'un magasin d'électronique jouaient « Vive le vent » à plein volume. Pourtant, je ne voyais rien de tout ça. L'ampleur inimaginable de la trahison dont s'était rendu coupable mon mari s'ouvrait devant moi tel un sombre abîme menaçant de m'engloutir. Je me suis repassé le film de nos années de vie commune et me sont apparus tous les signes que j'avais refusé de voir, tous les moments où j'aurais dû me montrer plus curieuse. Mais j'avais préféré garder la tête dans le sable et maintenant une question s'imposait à moi : mon histoire d'amour avec Marcus n'était-elle qu'une fiction sortie de mon imagination d'écrivain ? Avais-je refusé de voir la véritable nature de l'homme à qui j'avais confié le rôle de mon mari ? À la manière d'un oiseau apeuré battant des ailes dans la cage qui le retient prisonnier, la panique cognait contre ma poitrine et je me suis élancée dans la rue.

— Où allez-vous, madame Raine ? m'a demandé l'inspecteur Crowe d'un air méfiant.

— Il faut que je parte d'ici.

J'ai fait signe à un taxi. Crowe n'a pas cherché à me retenir. J'ai vu sa main droite se lever, puis retomber le long de sa cuisse. Il s'est figé, retenant son souffle, comme pour ne pas effrayer le papillon qu'il voulait prendre dans son filet.

— Restez en contact, m'a-t-il lancé. Ne m'obligez pas à croire que vous avez un rôle dans toute cette histoire.

J'ai ouvert la portière et je me suis engouffrée à l'intérieur de la voiture. En me retournant, j'ai vu l'inspecteur secouer la tête. Perplexité ? Désapprobation ? Je n'ai pas eu le temps de trancher, car le taxi s'était déjà engagé dans la circulation. Le policier s'est frotté la mâchoire tout en suivant des yeux notre voiture qui s'éloignait.

— Où on va ?

Le chauffeur me montrait sa nuque chauve. Sur sa photo d'identité fixée au tableau de bord, je lui ai trouvé une vague ressemblance avec un célèbre champion de catch.

— Je ne sais pas encore. Pour l'instant,

roulez en direction du nord.

Sur la banquette arrière du taxi, enfin seule et à l'abri des regards, je me suis autorisée à relire le texto que j'avais reçu.

« Ne pense pas que je ne t'ai pas aimée, parce que c'est faux. Souviens-toi que je t'ai rendue heureuse le temps que ça a duré, que nous avons été de bons amis et d'excellents amants. Maintenant oublie-moi et surtout ne te retourne pas. Pleure-moi comme si j'étais mort. N'essaie pas de me retrouver ni de chercher des réponses aux questions que tu te poseras. Sinon, je ne garantis pas ta protection ni celle de ta famille. »

Ma main s'est mise à trembler. Il était inutile d'essayer de lui répondre ou de le rappeler. Je le savais comme je savais que ce message était le dernier que j'aurais de lui. J'ai fixé les mots affichés sur l'écran, sans y croire, attendant le moment où je me réveillerais de ce cauchemar.

Des souvenirs me revenaient par bribes. Il y avait eu cette femme croisée dans une boîte de nuit à Paris. Elle avait appelé Marcus par un autre prénom et lui avait passé la main sur la nuque dans un geste amical. Mais il l'avait repoussée en disant qu'il y avait erreur sur la personne. Ensuite, ce message vocal deux semaines avant la disparition de mon mari : « Marcus, mon ami, c'est Ivan. Je débarque tout juste de Tchéquie. J'ai plein de trucs à te raconter. » Sous le ton enjoué perçait une menace. L'homme avait laissé un numéro où le joindre. J'avais senti Marcus se raidir quand je lui avais parlé du message, mais il avait prétendu qu'il ne savait pas qui pouvait être cet Ivan. « Efface-le, m'avait-il dit. Il s'est trompé de numéro. » Puis, quand je l'avais interrogé, il s'était contenté de répondre : « C'est sans doute un type débarqué de Tchéquie qui cherche un boulot et doit s'imaginer que je suis redevable envers un compatriote. Merci bien. » Je n'avais pas insisté, bien que persuadée qu'il me cachait quelque chose. S'il ne voulait pas en parler, il devait avoir de bonnes raisons, avais-je pensé.

Plus récemment, j'avais fermé les yeux sur un autre incident plus étrange encore. Depuis quelque temps, je recevais des mails curieux sur la messagerie de mon site Web. D'ordinaire, les messages émanaient d'admirateurs, de détracteurs ou encore de libraires qui me conviaient à des manifestations diverses. Régulièrement, il m'arrivait un courrier d'une personne qui me proposait d'écrire l'histoire de sa vie ou me suggérait une « idée brillante » pour mon prochain roman. Il y avait aussi les fous furieux qui proféraient des menaces, me reprochaient des erreurs qu'ils auraient trouvées dans mes livres ou me demandaient des photos d'un genre un peu particulier quand ils ne me faisaient pas de propositions plus explicites.

Mais, depuis plusieurs semaines, une personne qui prétendait détenir des informations sur Marcus m'envoyait deux ou trois messages quotidiens. « Vous êtes en danger, me disait l'un de ces mails. Votre mari n'est pas celui qu'il prétend être. » J'avais été la cible d'une correspondance si abondante de tordus au fil du temps que j'avais tout simplement cliqué sur le bouton « supprimer » sans me poser de questions. Mais, à présent, je me creusais la tête à essayer de me rappeler le nom de l'expéditeur, indiqué dans l'en-tête des messages.

Soudain, une idée lumineuse m'est venue. Je savais où aller. Dans un endroit sûr où j'aurais accès à un ordinateur, où je pourrais me connecter et essayer de remettre la main sur ces mails qui se trouvaient peut-être encore dans ma corbeille. Ce nouveau projet m'a instantanément revigorée. S'il y avait une chose que j'étais bien déterminée à ne pas faire, c'était tourner la page. Si Marcus s'imaginait que j'allais me rouler en boule sous ma couette et verser toutes les larmes de mon corps en pensant à lui, c'est qu'il me connaissait aussi mal que je le connaissais.

Crowe suivit des yeux la voiture qui se fondait dans une marée d'autres taxis circulant sur Broadway. Pendant un instant, il avait songé à retenir de force Isabel Raine, mais en utilisant la contrainte, il se serait exposé à toutes sortes de désagréments qu'il préférait éviter. Alors il avait laissé l'oiseau s'envoler avec l'espoir qu'il reviendrait quand il le sifflerait. Ou même mieux, qu'il reviendrait de son propre chef quand il comprendrait qu'il était dans le pétrin et qu'il avait salement besoin de l'aide de la police.

C'était une belle femme, dans un genre typiquement new-yorkais. Élégance branchée et peau impeccable. Mais elle n'était pas son type. Certes, on ne lui demandait pas son avis, mais les femmes du genre d'Isabel Raine ne l'attiraient pas. Elles étaient trop intellectuelles et trop préoccupées par leurs angoisses existentielles, à l'image de son ex. Lui rêvait d'une compagne qui ne serait pas obsédée par l'idée du bonheur. Il voulait une femme qui serait heureuse, tout simplement, qui se laisserait porter par la vie et par l'amour et ne lutterait pas contre le courant.

— Où elle est partie ? lui demanda Breslow, qui venait de le rejoindre.

— Elle a pété un câble en voyant que tous ses comptes étaient vides.

Breslow ne parut pas surprise.

— Qu'est-ce qu'elle va faire, maintenant ?

Tout en continuant de regarder dans la direction prise par le taxi, Crowe répondit :

— Si tu veux mon avis, un truc stupide.

Du coin de l'œil, il vit Breslow exprimer son approbation d'un hochement de tête.

— Retrouvons cette Camilla Novak, dit-elle. Je crois que ça s'impose si nous voulons comprendre le fin mot de cette histoire.

Crowe haussa les épaules. Il n'avait pas de meilleure idée à proposer. Pourtant, il restait figé sur place. Quelque chose le taraudait mais il était incapable de mettre le doigt dessus.

— C'est pour aujourd'hui ou pour demain ? le secoua Breslow. Je dois récupérer Benjy à 15 heures à Riverdale.

— Le concierge ! s'exclama Crowe.

— Qui ça ? Shane ?

— Oui, Shane.

— On ne l'a pas vu à son domicile de toute la journée.

— Allons demander une commission rogatoire pour perquisitionner à son appartement.

— Tu penses sérieusement convaincre un juge de délivrer un mandat parce qu'un bonhomme n'est pas rentré chez lui après son travail ?

— Ce type avait la possibilité de laisser les malfaiteurs pénétrer dans les lieux. Il a quitté son poste avant qu'un collègue vienne prendre sa relève et nous a caché des informations. On peut toujours tenter le coup.

La mine sceptique, Breslow prit son téléphone dans la poche de son manteau. C'était toujours elle qui se chargeait de ce genre d'appel. Elle avait plus de doigté, un meilleur sens du contact et surtout un caractère plus conciliant. Quand Jez prenait les choses en main, tout se passait beaucoup mieux. Crowe, lui, hérissait les gens sans qu'il comprenne ce qui pouvait les agacer chez lui.

Deux jours auparavant, son ex avait cherché à le joindre. Elle ne l'avait pas appelé depuis des mois, pourtant il avait su que c'était elle dès qu'avait retenti la sonnerie de son téléphone. Il venait de finir sa séance d'entraînement sur l'appareil de musculation installé dans le sous-sol de la maison de Bay Ridge où ils avaient vécu ensemble. « Garde-la, Grady, lui avait dit son ex au moment de partager leurs biens. Je déteste Brooklyn et j'ai toujours eu cette bicoque en horreur. »

La demeure en question se trouvait dans une rangée de maisons mitoyennes. Crowe l'avait héritée de ses grands-parents, mais n'avait jamais eu assez d'argent pour la rénover. Le lino au sol était donc celui que foulait déjà son père quand il était gosse, la salle de bains restait carrelée en rose et l'escalier aux marches grinçantes était le même qu'autrefois. Mais il adorait cette vieille baraque. En plus elle ne leur coûtait rien. L'emprunt avait été remboursé depuis des lustres et les impôts locaux y étaient ridiculement bas. Son ex avait suggéré de la vendre et d'acheter un endroit qui soit vraiment à eux, mais il s'y était refusé. Il n'était pas question qu'il se sépare de la maison où avait grandi son père, où lui-même avait passé une grande partie de son enfance. Cette maison avait été le sujet de leurs premières et de leurs plus violentes querelles.

Il était en nage et son tee-shirt lui collait à la peau quand le téléphone s'était mis à sonner. Le son strident semblait transpercer le parquet, et il avait aussitôt senti son cœur battre à grands coups. Grimpant les marches quatre à quatre, il avait décroché à la troisième sonnerie.

— Crowe, s'était-il annoncé.

Personne n'avait parlé, mais il connaissait ce silence.

— Clara, ne raccroche pas.

Il avait entendu un soupir, pareil à un halo de buée qu'elle aurait laissé sur une vitre. Enfin, elle avait parlé d'une voix nerveuse.

— Comment as-tu su que c'était moi ?

— Chaque fois que mon téléphone sonne, je pense que c'est toi. Ce soir je suis tombé juste, c'est tout.

— Arrête ça, tu veux ?

— Tu me manques, Clara, avait-il dit d'une voix implorante. Je n'arrête pas de penser à notre dernière fois. J'en mourrais tellement tu me manques.

Au souffle qu'il avait entendu à l'autre bout du fil, il avait su qu'elle était sur le point de pleurer. Lui-même avait la gorge nouée.

— Reviens, l'avait-il suppliée pour la énième fois.

— Je dois te laisser. Je n'aurais jamais dû t'appeler.

— Non, attends.

Mais elle avait déjà raccroché. Il avait appuyé sa tête contre le mur. Attends, avait-il encore dit à la maison vide. Il avait fermé son poing et frappé la cloison de toutes ses forces. Un trou presque parfait s'était creusé dans le plâtre. Aussitôt, il avait ramené son poing contre son torse. D'abord sourde, la douleur avait gagné peu à peu tout son corps. Aux jointures de ses doigts, la peau écorchée s'était mise à saigner. Il aurait voulu hurler, mais s'était contenté de lâcher un juron. La souffrance physique était presque un soulagement. Il la préférait de loin au mal qui le rongeait depuis que Clara l'avait quitté. Mais maintenant, il avait droit à l'une et à l'autre.

— Qu'est-ce que tu t'es fait à la main ? l'interrogea Jez.

Ils filaient à toute allure sur la voie rapide Henry Hudson. Les eaux sales du fleuve miroitaient à leur gauche et la ville se dressait vers le ciel à leur droite. Une fois encore, les pouvoirs magiques de Breslow avaient fait des merveilles. Munis d'un mandat en bonne et due forme, ils fonçaient vers le domicile de Charlie Shane dans Inwood.

— Une bagarre dans un bar.

— C'est ça, oui.

— Tu ne me crois pas ?

— Disons que je te vois plus comme un amoureux éploré que comme un teigneux qui se castagne dans les troquets.

— Merci du compliment, lâcha-t-il, vexé.

Après tout, ils étaient coéquipiers et censés veiller l'un sur l'autre. Breslow pensait-elle vraiment qu'il n'aurait pas le dessus dans une bagarre ? Il préféra s'abstenir de poser la question.

— Allons, réponds-moi franchement.

— Je me suis fait mal à l'entraînement en cognant dans un punching-ball.

Elle hocha la tête d'un air sceptique, mais se garda de tout commentaire. Elle avait en elle un côté maternel. Un paquet de mouchoirs en papier dans une poche, des barres de céréales dans l'autre, et un nez infaillible pour flairer les bobards.

— Je sais que c'est pas facile, finit-elle par dire en regardant à travers sa vitre d'un air pensif.

Il ne chercha même pas à feindre de ne pas comprendre. Le reste du trajet se passa en silence.

11

Fred m'attendait sur le perron quand le taxi m'a déposée devant sa porte. Il m'a observée d'un air soucieux. Dans son cardigan et son pantalon de toile fraîchement repassé, il campait un personnage solide, réconfortant et encore vert, en dépit de ses soixante-quinze ans.

— Isabel Blue, a-t-il dit.

C'était le surnom qu'il m'avait donné quand nous étions devenus amis, plusieurs années après son mariage avec ma mère. Linda, qui venait de terminer le lycée, était partie s'installer en ville pour poursuivre ses études à l'université de Columbia en emportant beaucoup de ressentiment dans ses bagages. J'avais toujours voué une admiration sans bornes à ma sœur aînée et son absence m'attrista, mais je dois aussi reconnaître que, Linda partie, l'ambiance à la maison avait beaucoup changé, et en mieux.

Fred et moi nous étions rapprochés en avançant sur un terrain moins glissant. Ma mère et moi avions enfin pu accrocher aux murs d'anciennes photos de mon père et parler de lui ouvertement pour évoquer le souvenir des bons moments passés ensemble. Jusque-là, ma sœur avait interdit qu'on évoque sa mémoire et sombrait dans un profond désespoir le jour de la fête des Pères, qui lui rappelait cruellement que le nôtre nous avait abandonnées. Linda n'avait jamais su exprimer son chagrin que par la colère. Grâce à une thérapie et à sa rencontre avec Erik, elle avait heureusement changé avec l'âge. Mais, par loyauté envers elle — et aussi par crainte de son caractère —, j'avais gardé mes distances avec Fred pendant les premières années de son mariage avec notre mère.

Fred avait toujours essuyé les tempêtes déchaînées par le mal-être de Linda avec un flegme à toute épreuve. Peut-être était-il convaincu au fond de mériter cette colère. Mais quand le brouillard créé par ma sœur s'était dissipé, Fred et moi nous étions vus pour la première fois. Ce jour-là, j'étais habillée pour aller en cours. Ma sœur me manquait et je me sentais très abattue.

— Isabel Blue, m'avait-il dit.

Redressant la tête, j'avais rencontré son sourire affectueux.

— Ce n'est pas si terrible, Isabel. Elle n'est qu'à quelques minutes d'ici par le train.

À l'époque, je n'arrivais pas à mettre des mots sur ce que je ressentais, à décrire le vide qui m'habitait, la tristesse face au constat que rien n'est immuable, que les gens meurent et que vous êtes censé poursuivre votre vie comme si de rien n'était. À treize ans, tout cela me paraissait relever d'une cruelle injustice et je me demandais pourquoi les gens s'obstinaient à agir quand tout devait disparaître et vous être arraché.

— Maintenant que ma grange a brûlé, je peux voir la lune se lever, avait récité Fred, qui était passionné de haïkus.

« Avec ses petites phrases débiles et ses interminables promenades au ralenti, comment a-t-elle pu épouser un taré pareil ? » Les remarques fielleuses de ma sœur continuaient de me trotter dans la tête. Pourtant ce matin-là j'avais découvert une autre personne, un homme bon, qui ressemblait beaucoup à mon père, tout en étant plus présent et plus attentionné que lui. Même quand il riait, je voyais souvent l'angoisse et la tristesse scintiller dans le regard de mon père comme une luciole dans un bocal.

— Qu'est-ce que ça veut dire ? avais-je demandé à Fred.

J'étais séduite par le rythme des mots et par la façon dont chacun d'eux tombait au sol, entraîné par son propre poids, tandis que son sens semblait planer quelque part au-dessus de ma tête.

— Je te laisse y réfléchir.

J'avais suivi son conseil. Et réfléchi.

— Ta mère n'est pas là, ma chérie.

Fred a fait un pas sur le côté et m'a prise par les épaules pour m'entraîner à l'intérieur. Il a regardé le bandage que j'avais autour de la tête, sans faire la moindre remarque, par politesse.

— Elle est partie avec ses copines se faire dorloter à Canyon Ranch.

— Je suis au courant, ai-je dit, le regard fuyant.

Fred m'a débarrassée de mon manteau et l'a déposé sur le canapé du vestibule aux dimensions gigantesques. Tombant du toit en verrière, les rayons du soleil se reflétaient sur le grand lustre et formaient autour de nous une pluie de lumière irisée.

Si ma mère avait été là, on aurait entendu une télévision allumée, de la musique ou ses bavardages au téléphone. Les sons se seraient répercutés sur les hauts plafonds, sur les dalles de marbre de l'entrée, semblant venir de partout et de nulle part à la fois. Ma mère ne supportait pas le silence ni l'obscurité. Il fallait toujours qu'elle soit entourée de bruit et de lumière. Mais aujourd'hui la maison était pleine de l'écho de son absence et de l'énergie méditative de Fred.

Ses deux mains sur mes épaules, Fred m'a fait pivoter vers lui.

— Que t'est-il arrivé, Isabel ? Qui t'a fait ça ?

— Je…

J'ai essayé d'imaginer un mensonge, mais je n'en ai pas eu la force.

— Je n'en sais rien.

— Pour commencer, tu vas t'asseoir.

Fred m'a guidée. Je me suis laissée aller contre lui, accablée par le poids de tout ce qui m'arrivait. Il m'a conduite jusqu'à un vaste et profond canapé placé devant la cheminée. Un feu y avait été allumé, mais il n'en restait plus que des braises. Je me suis assise, entourée par le barrage protecteur des coussins et d'un plaid douillet. J'ai tout raconté à Fred, sans omettre le moindre détail. De la disparition de Marcus à ce que j'avais découvert en consultant mes comptes bancaires.

— J'ai besoin d'un ordinateur. Je dois savoir combien il m'a pris. Je dois aussi faire des recherches sur l'autre Marcus Raine.

Pendant que je déroulais le récit des événements avec un calme et une distance surprenants, Fred n'avait cessé d'arpenter la pièce d'un air soucieux. Enfin, il s'est assis face à moi sur un pouf et a posé sa main sur mon bras.

— Ce qu'il te faut, c'est du repos, m'a-t-il dit d'une voix affectueuse mais ferme. Je vais appeler notre avocat et quelques contacts que j'ai dans la police. Ils se chargeront de démêler toute cette histoire. Mais toi, tu vas prendre un bon bain et aller te coucher.

J'ai voulu protester, mais le canapé était si moelleux et la chaleur si agréable dans la pièce que je n'en ai rien fait. Fred a soulevé mes deux jambes du sol et les a installées sur le pouf où il était assis un instant plus tôt. Je me suis enfoncée un peu plus profondément dans les coussins. Ma vision s'est troublée et j'ai repensé au médecin des urgences qui m'avait ordonné du repos. Cette soudaine baisse de volonté et de vigilance faisait-elle partie des symptômes de ce qui m'attendait si je désobéissais à ses conseils ? J'ai senti qu'on déposait sur moi une couverture.

— Ne t'inquiète pas, Isabel. Je me charge de tout.

— J'ai juste besoin d'un ordinateur, ai-je articulé d'une voix ensommeillée.

— Je t'apporte le mien, m'a-t-il répondu. Trevor et Emily ont tellement râlé à leur dernière visite que nous avons opté pour un modèle portable.

J'ai pensé qu'il me disait ça pour me faire plaisir, mais je n'avais déjà plus la force de parler. L'obscurité s'est refermée autour de moi et m'a engloutie.

Quand un craquement sonore, pareil à celui d'une branche cassée, m'a ramenée à moi, j'ai dû franchir plusieurs paliers pour remonter à la surface et m'éveiller dans la pièce baignée de soleil. Le craquement continuait de résonner dans ma tête, mais autour de moi tout n'était que silence. Sur le qui-vive, j'ai tendu l'oreille aux bruits familiers de la maison. Le tic-tac de la pendule, le ronronnement du chauffage à travers les conduits.

Telles les alvéoles d'une ruche, toutes les pièces du rez-de-chaussée étaient disposées en cercle autour du grand vestibule et reliées entre elles par de petits couloirs ou par des portes coulissantes. C'est ainsi que le salon débouchait sur la salle à manger, qui elle-même communiquait avec la cuisine. De la cuisine, une porte donnait sur un étroit corridor ouvrant sur une bibliothèque et un bureau en mezzanine. Cette pièce ramenait à son tour au vestibule central.

Les portes coulissantes entre le salon où je me trouvais et le hall d'entrée étaient fermées, mais celles qui donnaient sur la grande salle à manger étaient restées ouvertes. J'ai entendu un petit cliquetis.

J'ai failli appeler Fred, mais quelque chose m'en a empêchée. Lentement je me suis relevée du canapé où j'étais couchée, laissant glisser au sol la couverture dont j'étais enveloppée. À pas de loup, j'ai foulé l'épaisse moquette pour gagner la salle à manger. C'est alors que j'ai vu l'ombre de trois hommes passer sur le mur en face de moi. J'en ai eu le souffle coupé. L'air, le temps lui-même, semblaient être épaissis par les émanations toxiques de ma peur.

J'ai rapidement balayé la pièce du regard à la recherche d'un objet qui pourrait me servir d'arme et mes yeux se sont posés sur un tisonnier. Je m'en suis emparée d'un geste vif en renversant son support métallique et les autres ustensiles sur les briques du foyer. Après le fracas, la maison elle-même a semblé retenir son souffle. Dans un silence assourdissant, j'ai envisagé toutes les options et aucune n'était très encourageante.

Je n'avais pas grandi dans cette maison. Fred et ma mère y avaient emménagé peu de temps après mon installation à New York. Jusque-là, nous avions vécu dans une vieille et grande demeure délabrée, parce que ma mère considérait que ce serait pour nous un trop grand déchirement de quitter le seul foyer que nous avions jamais connu. La cabane à outils où mon père s'était donné la mort avait été rasée et remplacée par un jardin dont ma mère prenait grand soin. « Elle y passe plus de temps qu'elle n'en a jamais passé avec lui », avait fait observer ma sœur d'un ton acerbe. C'était hélas vrai et le spectacle de ma mère agenouillée dans la terre, tout occupée à désherber ses massifs et à planter ses bulbes pour le printemps, ne nous apportait pas le réconfort que le jardinage semblait lui procurer.

Linda et moi aurions pu sans difficulté quitter cette vieille bicoque et chacune de ses lattes de parquet qui grinçaient sous nos pieds, chacune de ses taches d'humidité qui restaient là tel un souvenir persistant de notre père. Au fond, c'était peut-être notre mère qui n'était pas prête à l'abandonner. Fred s'épuisait à réparer ce qui pouvait l'être et à effectuer des travaux de rénovation qu'il aurait très bien pu confier à un entrepreneur. Petit à petit, il avait remis aux normes la plomberie et l'électricité, remplacé la toiture ainsi que les vieux planchers. Il avait aussi refait les peintures, les papiers peints et la moquette. Au final, quand ma mère et lui l'avaient quittée, la maison avait été rénovée de la cave au grenier. Elle avait été cédée à un jeune couple qui voulait quitter la ville pour fonder une famille. Plus tard, Fred m'avait confié que la restauration de cette maison avait été pour lui une forme de thérapie. Mon père avait laissé derrière lui beaucoup de douleur que Fred ne parvenait pas à soulager et beaucoup d'endroits où il ne se sentait pas le bienvenu. Mais cette maison le laissait s'occuper d'elle, recoller les morceaux et réparer ce qui était cassé. Elle ne le repoussait pas quand il allait vers elle, ne se rebellait pas et ne se retranchait pas dans le silence.

Leur demeure actuelle, bâtie sur les instructions de ma mère, m'était familière, mais pas comme peut l'être une maison d'enfance. J'ignorais les endroits où le parquet craquait. Je n'en connaissais pas les moindres recoins. Je ne pourrais pas m'y cacher. J'allais donc devoir me battre.

Dopée par l'adrénaline qui courait dans mes veines, j'ai continué d'avancer lentement vers la salle à manger. Mais quand j'ai tourné le coin du mur en brandissant le tisonnier telle une batte de base-ball, j'ai vu que la pièce était vide. Immobile sur le seuil, j'ai retenu mon souffle et tendu l'oreille. J'étais peut-être parano. Le bruit que j'avais cru entendre n'était peut-être que l'effet de mon imagination.

À toute allure, j'ai parcouru les pièces en enfilade. J'étais sûre de tomber sur Fred tranquillement installé dans son bureau. Il serait très surpris de me voir débouler avec ce tisonnier à la main. Mais j'ai trouvé tout le rez-de-chaussée vide.

Quand je suis arrivée dans le vestibule, il a fallu quelques secondes avant que mon cerveau imprime la scène. Fred, cet homme profondément bon qui avait veillé sur nous avec patience et respect, gisait, livide et inerte, sur le dallage de marbre, dans une mare de sang qui s'était formée sous sa tête, les membres écartés du corps pareils à ceux d'un pantin. Je suis tombée à genoux près de lui en lâchant le tisonnier qui a heurté le sol avec un bruit sec.

Je n'avais pas le temps pour les cris et les larmes, car les ombres massives que j'avais déjà entrevues venaient de réapparaître sur le mur qui me faisait face. Je n'étais pas seule dans la maison. J'ai vivement tourné la tête et vu trois hommes sortir du bureau. Ils avaient dû me suivre pendant que j'allais de pièce en pièce. J'ai voulu reprendre le tisonnier, mais, d'un coup de pied, l'un des hommes l'a éloigné de moi.

En dépit de sa stature de colosse, il y avait chez lui quelque chose de maladif et de presque fragile. Son visage était gris, surtout autour des yeux. Il tenait dans la main un énorme pistolet qu'il a levé vers moi lentement et comme à contrecœur. Je suis restée parfaitement immobile, analysant la scène dans ses moindres détails.

Les deux autres hommes, armés eux aussi, étaient un peu moins costauds mais tout aussi menaçants et affichaient la même pâleur maladive que leur copain. Ils se ressemblaient comme des frères. Tous les deux avaient les mêmes cheveux blonds et le même menton fuyant. J'ai voulu parler, mais j'avais la bouche sèche et la langue en coton. D'un mouvement instinctif, j'ai reculé en rampant. Chaque parcelle de mon être me poussait à vouloir m'éloigner de ces intrus.

— Ne bougez pas, m'a dit le plus costaud avec un sourire. S'il vous plaît.

J'ai aussitôt reconnu sa voix. C'était celle du message laissé à Marcus par un certain Ivan. Mais j'ai eu la présence d'esprit de ne rien dire. J'ai observé chacun des trois hommes et je n'ai pas vu la moindre trace de peur ou de remords. Aucun d'eux n'a même jeté un regard au corps de Fred, comme s'ils étaient habitués à la vue du sang.

— Dites-nous où il est et nous partons, a ajouté Ivan en me montrant la porte d'entrée.

La terreur m'avait rendue muette. Cette scène était si éloignée de mon quotidien. Elle semblait sortir de mon imagination ou des pages d'un de mes romans. Rien ne m'avait préparée à vivre un moment pareil. J'ai regardé Fred puis Ivan. Dans le sourire presque amical que ce dernier m'adressait, il y avait quelque chose de sombre et de terrifiant.

— Il n'est pas mort, a-t-il lâché avec désinvolture.

Il m'a désigné Fred puis m'a montré son propre crâne.

— Les blessures à la tête saignent toujours beaucoup.

Pour me convaincre, il s'est avancé jusqu'à Fred et lui a décoché un coup de pied dans les côtes. Mon beau-père a poussé un gémissement de douleur et remué les paupières. Folle de joie de le savoir en vie, je me suis précipitée à son secours. J'ai posé une main sur son front inondé d'une sueur glacée. Son sang a transpercé l'étoffe de ma jupe. J'ai levé les yeux vers les trois hommes.

Retrouvant enfin ma voix, je leur ai dit :

— Si c'est Marcus que vous cherchez, je n'ai aucune idée de l'endroit où il est.

Ivan m'a sondée du regard. J'ai alors pris conscience que le temps défilait très vite et jouait contre nous. Mon téléphone était dans la poche de ma jupe. Avais-je la moindre chance de contacter la police sans qu'ils le remarquent ? Fred avait besoin de secours, et très vite.

— Il m'a trahi, il m'a volé, a lâché Ivan d'une voix rageuse. Il a même tenté de me tuer.

De sa main libre, il a soulevé sa chemise pour me montrer un bandage enveloppant son torse. La blessure avait continué de saigner et le pansement était tout taché. Des gouttes de transpiration coulaient le long de ses tempes couleur de cendre. C'était peut-être lui que j'avais entendu crier au téléphone ? Un de ses acolytes a allumé une cigarette et s'est adossé au mur. La fumée m'a empli les narines. J'ai glissé ma main dans ma poche, mais je l'ai lentement retirée quand j'ai vu Ivan me fixer en secouant la tête.

— Moi aussi, il m'a trahie, ai-je dit.

Soudain j'en ai eu marre de ces bavardages et j'ai laissé exploser ma colère.

— Regardez-moi !

En m'entendant crier, les hommes ont sursauté. Les deux autres ont pointé leurs armes vers moi. Celui qui fumait a écrasé sa cigarette par terre. Je leur ai montré ma blessure à la tête.

— Quelqu'un m'a fait ça, ai-je poursuivi. Une femme, grande, blonde, tchèque comme vous. Elle a saccagé le bureau de Marcus et mon appartement aussi, probablement. Ces gens m'ont pris tout ce que je possédais. Si je savais où est Marcus, vous pensez sérieusement que je perdrais mon temps ici ?

Ivan m'a considérée d'un air pensif. J'ai remarqué les cals dans la paume de ses mains et une profonde cicatrice sur son visage. J'ai continué de hurler pour qu'il comprenne.

— Chut, m'a-t-il dit. Arrêtez de crier.

C'est à ce moment-là que j'ai senti les grosses larmes qui dégoulinaient le long de mes joues. Je les ai essuyées du revers de ma manche.

J'ai compris que mes sanglots le mettaient mal à l'aise. Il avait l'esprit un peu lent. Sans être vraiment attardé, il n'était pas très vif. Il avait quelque chose d'un gros bébé, mais un bébé devenu craintif à force d'être brutalisé. Soudain, j'ai reconnu une expression étrangement familière dans ses yeux rougis, dans le pli de ses lèvres. J'ai repensé à l'album photo de Marcus. Y avais-je vu ce visage ?

— Elle était grande, presque aussi grande que vous, blonde avec des yeux verts, ai-je continué, baissant la voix.

Comme il ne répondait rien, j'ai ajouté :

— Elle connaissait Marcus.

Il a lentement hoché la tête. Son front était barré d'une ride profonde et son visage s'était rembruni.

— Vous savez qui est cette femme ?

Il a de nouveau hoché la tête, mais cette fois vers ses deux comparses, et a prononcé une phrase en tchèque. Les deux autres m'ont observée et pendant un instant je me suis demandé si je n'avais pas commis une effroyable erreur. Ils avaient obtenu de moi tout ce que j'avais à leur offrir. Fred et moi ne leur étions plus d'aucune utilité. J'avais abattu mes cartes et j'avais perdu. J'ai fermé les yeux.

Quand je les ai rouverts, les deux gringalets avaient gagné la porte et s'apprêtaient à sortir. J'ai entendu leurs pas sur le perron. Ils ne manquaient pas d'aplomb d'aller et venir ainsi en plein jour sans chercher à se cacher ni à dissimuler leur voiture. Ils avaient sans doute remarqué que la maison n'était pas visible des habitations voisines. Ils devaient surveiller mon domicile et m'avaient filée depuis Manhattan. Et moi, perdue dans mes pensées, je n'avais rien vu.

Mon cœur battait à tout rompre quand, une seconde plus tard, j'ai entendu un moteur démarrer. Ivan a pointé son arme vers moi, mais je n'ai pas détourné les yeux. Je voulais qu'il voie mon regard quand il appuierait sur la détente. Je n'allais pas lui faciliter le travail.

— Qui est-il ? lui ai-je demandé. Dites-moi son nom.

Près de moi, Fred a bougé et gémi. Ivan a continué d'afficher le même sourire énigmatique en ricanant.

— Dites-le-moi, ai-je insisté. J'ai besoin de savoir. Si vous me tuez, je veux connaître le véritable nom de mon mari avant de mourir.

Il s'est alors passé quelque chose d'étrange entre nous. Deux personnes n'auraient pu être plus différentes l'une de l'autre. Tout nous séparait : nos vies, nos idées, notre intellect. Mais à ce moment précis nous avons été unis par le même ressentiment, la même colère d'avoir été trahis. Ivan a baissé son arme et son sourire s'est effacé.

— Il s'appelle Kristof Ragan et c'est mon frère.

Un doigt sur les lèvres, il m'a fait signe de me taire. Puis de ce même doigt il a tracé une ligne en travers de sa gorge et prononcé une phrase en tchèque. Je n'ai pas eu besoin d'un interprète pour comprendre le sens de ses paroles.

Enfin, il a tourné les talons et déguerpi avec une agilité surprenante pour un homme de sa stature. J'étais déjà en train d'appeler la police quand j'ai entendu leur voiture démarrer.

Lorsqu'elle rentra chez elle, Linda était vidée. Elle avait fait un long trajet pour aller voir Izzy, mais un flic en faction dans le couloir lui avait appris qu'elle venait de manquer sa sœur de quelques minutes à peine. En jetant un coup d'œil par-dessus l'épaule du policier, elle avait entraperçu l'appartement dévasté.

On ne l'avait pas autorisée à y pénétrer. L'inspecteur chargé de l'enquête n'était pas là non plus. Il était parti sur une piste. Alors elle avait rebroussé chemin, frustrée et malade d'inquiétude. Malgré ses efforts, elle n'était jamais parvenue à se débarrasser de son anxiété, qu'elle avait héritée de sa mère.

Elle sentait déjà un gros mal de tête poindre quand elle referma la porte du loft et vit Erik assis sur le canapé. Quelque chose dans l'expression de son mari fit monter sa migraine d'un cran. La gorge nouée par un mélange d'appréhension et de culpabilité, elle s'approcha de lui.

— Qu'est-ce qu'il y a ? lâcha-t-elle en guise de bonjour.

— Il faut qu'on parle.

La panique s'empara d'elle tandis que lui revenaient des images de sa rencontre furtive avec Ben dans les toilettes du café. Sordide et irresponsable. Un habitant de l'immeuble aurait très bien pu entendre Ben la supplier dans l'interphone et tout raconter à Erik. Lui-même aurait facilement pu surprendre ses allées et venues. Avait-elle l'intention de détruire sa vie et son mariage ?

— Bien sûr, dit-elle.

Elle posa son sac à ses pieds et s'installa

sur le canapé, les genoux repliés contre la poitrine. Dans son état de tension extrême, elle ne put s'empêcher de noter une fois de plus la pagaille qui l'entourait. Le désordre régnait partout, mais au moins l'endroit était propre, grâce à la femme de ménage qui passait une fois par semaine. Depuis combien de temps le maillot de foot de Trevor pendait-il au dossier de cette chaise ? Était-elle la seule dans cette maison à qui incombait la responsabilité de mettre de l'ordre dans le fouillis que les enfants laissaient derrière eux ? N'étaient-ils pas assez grands pour ranger eux-mêmes leurs affaires ?

— Ne t'en fais pas pour tout ce souk. Je m'en occupe dans une minute.

— Mais je n'ai rien dit.

Erik soupira. Linda était incapable de soutenir son regard confiant et plein d'amour. Elle ne le méritait pas. Elle contempla ses ongles. Ils étaient dans un état lamentable. Il était temps de prendre rendez-vous chez la manucure.

— J'ai fait quelque chose de stupide et d'impardonnable, Linda, commença Erik. Une énorme connerie.

À la fois soulagée et surprise, elle leva les yeux et observa son mari. Elle le vit alors pour la première fois depuis des jours. Entre le travail, les repas, les enfants qu'il fallait aller chercher et déposer à leurs diverses activités — les leçons de kung-fu d'Emily, les cours de violon de Trevor —, leur vie était une perpétuelle course contre la montre. Une fois les enfants couchés, ils s'affalaient devant la télé ou bien lisaient au lit jusqu'à ce que l'un d'eux tombe de sommeil et que l'autre éteigne la lumière. Linda se disait parfois qu'Erik remarquait la vaisselle empilée dans l'évier avant de voir la tenue qu'elle portait ou de noter qu'elle avait changé de parfum. Il lui arrivait de penser qu'ils se verraient plus souvent si chacun partait le matin à son bureau et rentrait le soir.

Elle détailla la légère ombre de barbe claire sur ses joues, ses yeux bleus comme la mer, ses pommettes hautes, son nez aquilin. Ce visage l'avait autrefois conquise. Il était lumineux, ensoleillé comme une belle journée à la plage.

— Qu'est-ce qui te met dans une telle rage ? lui avait-il demandé dans les premiers temps de leur liaison.

Ils assistaient à un vernissage dans une galerie branchée de SoHo et Erik était arrivé avec un quart d'heure de retard. Linda n'exposait même pas son travail, pourtant quand ils étaient ressortis, elle avait piqué une crise en pleine rue, sous une pluie battante.

— Je sais que mon retard n'est pas la cause de ta colère, avait ajouté Erik.

C'était comme s'il lui avait jeté un seau d'eau glacée en pleine figure. Soudain dégrisée, elle avait aperçu son reflet dans la vitrine de la galerie et ne s'était pas reconnue dans la femme qu'elle voyait. Des gens les observaient. Une créature décharnée qui tenait un gobelet en plastique rempli de vin les dévisageait avec un sourire méprisant. Pourquoi n'était-il pas parti ce soir-là ? Linda ne l'avait jamais compris.

— Tu es beaucoup trop jeune, trop belle et trop géniale pour te laisser aller de cette façon, lui avait-il murmuré en lui prenant les mains.

Elle avait su alors qu'il était peut-être la seule personne au monde à la voir telle qu'elle était vraiment, en dehors de sa sœur. Le visage qu'elle montrait aux autres, celui d'une jeune femme souriante et polie, d'une douceur à toute épreuve, de la petite fille sage qui s'appliquait toujours à bien faire, il ne le remarquait même pas. Quand il la regardait, il ne voyait que ce qu'elle était au plus profond d'elle-même.

Un mois plus tard, elle entamait une thérapie pour tenter de comprendre les raisons de sa colère. À la force des bras, elle avait dû s'extirper des sables mouvants de sa vie intérieure avant de toucher le rivage. Dans un cabinet coquet de l'Upper West Side, une psy aux cheveux grisonnants et aux rondeurs maternelles lui avait posé, au fil de leurs séances, toutes les questions que son esprit refusait d'entendre.

« Reprochez-vous à votre mère d'avoir continué sa vie et d'avoir fait ce qu'elle croyait juste afin de se tirer d'embarras avec ses filles ? Tenez-vous rigueur à Fred d'aimer votre mère ? N'êtes-vous pas tout simplement en colère contre votre père parce qu'il vous a abandonnée et avant ça parce qu'il était absent au plan affectif ? N'est-il pas plus rassurant d'être en colère contre des gens qui sont encore en vie, faute de pouvoir décharger votre rage sur votre père ? Pensez-vous réellement qu'il préférait votre sœur ? »

À toutes ces questions difficiles, elle avait dû apporter une réponse, mais elle ne serait jamais allée jusqu'au bout sans Erik. Où serait-elle maintenant si elle ne l'avait pas fait ? Elle caressa le visage de son mari et laissa sa main redescendre jusqu'à son épaule.

— Comment as-tu pu faire une chose impardonnable ? dit-elle.

Erik baissa la tête d'un air contrit.

— Linda…

— Je te pardonne. Quoi que tu aies fait, je te pardonne.

Elle s'approcha et le serra étroitement dans ses bras. De toutes ses forces elle se cramponna à lui, submergée par la honte et par la culpabilité. « Je suis désolée, je ne le reverrai plus jamais », promit-elle silencieusement au cœur d'Erik qu'elle sentait battre contre le sien.

Mais il s'écarta d'elle. Elle leva son regard vers lui et lut sur ses traits une épouvantable expression de désespoir. Une sombre fleur de panique s'épanouit aussitôt en elle.

— Erik, dit-elle dans un mince filet de voix. Qu'est-ce qui se passe ?

Il m'a semblé que quelques secondes seulement s'étaient écoulées quand la police et l'ambulance sont arrivées sur les lieux. Pendant ce temps, je suis restée au côté de Fred, à l'implorer d'ouvrir les yeux. Les secouristes l'ont hissé à l'arrière de l'ambulance. Je suis montée avec lui et nous avons foncé, sirène hurlante, vers l'hôpital. À notre arrivée, d'autres policiers nous attendaient.

Fred a été emporté loin de moi. Je l'ai regardé partir en me reprochant mon imprudence qui lui avait peut-être coûté la vie. Je ne sentais plus rien, j'avais les jambes en coton. Dans ma tête, une voix ne cessait de me dire : « Tout cela est un cauchemar. Réveille-toi. »

Un flic s'est approché. Il voulait savoir ce qui s'était passé, pourquoi j'avais un bandage autour de la tête et si je pouvais décrire les hommes qui avaient agressé Fred. J'ai demandé à parler à l'inspecteur Crowe. Pendant qu'ils essayaient de le contacter, on m'a fait patienter dans la salle d'attente.

J'ai tourné comme un lion en cage. La tension nerveuse avait eu raison de ma fatigue. Je ne pouvais plus m'arrêter de bouger ni empêcher mon esprit de se repasser l'histoire de mon mariage avec Marcus, à la recherche de la moindre faille dans la machination qu'il avait orchestrée. Elles se trouvaient là, les preuves que le héros de la pièce était en réalité un traître tapi dans l'ombre, la main sur son poignard, attendant le moment propice pour frapper.

Mais la vie n'est pas si simple. Les gens possèdent plusieurs visages et tous sont authentiques. Marcus avait été mon mari et il disait vrai quand il affirmait que nous avions été de bons amis et d'excellents amants. Certes ça n'avait plus guère d'importance désormais, mais ça n'en restait pas moins vrai.

J'ai été ramenée dans le présent par un médecin qui a poussé la porte et m'a informée que la balle qui avait touché Fred à la tête avait laissé une entaille au-dessus de l'oreille mais heureusement sans toucher le cerveau. Le blessé avait perdu beaucoup de sang, mais sa vie n'était pas en danger. Il avait eu de la chance.

Sur ces entrefaites, j'ai vu débarquer l'inspecteur Crowe armé de son éternel petit calepin noir et de son stylo de marque. Il a pris ma déposition, dont je n'ai gardé qu'un souvenir vague. J'avais l'esprit ailleurs. Je me demandais comment il avait fait pour arriver si vite. Il m'a expliqué qu'il se trouvait à Inwood où il perquisitionnait avec son équipière au domicile de Charlie Shane, le concierge de mon immeuble. Encore quelqu'un de mon entourage qui n'était pas ce qu'il semblait être. La perquisition n'avait rien donné et Charlie s'était volatilisé.

Était-ce du scepticisme que j'avais vu sur le visage de Crowe tandis que je lui racontais ce qui s'était passé chez Fred ?

— Madame Raine, vous êtes certaine de m'avoir tout dit ?

— Bien sûr que oui, ai-je répondu indignée.

J'ai senti sur moi son regard inquisiteur.

— Ne jouez pas à ce petit jeu avec moi, a-t-il ajouté en se rapprochant lentement.

— Quel jeu ? Je ne vois pas.

Il a laissé passer une minute, pendant laquelle j'ai fait mine d'étudier mes ongles, sous la lumière blafarde d'un néon, tout en prêtant l'oreille aux allées et venues feutrées des infirmières et à la mélodie incessante d'un téléphone que personne ne décrochait.

— Vous savez ce qui commence à me perturber ? a fini par me demander l'inspecteur.

— Quoi donc ?

— Votre chemin ne cesse de croiser celui de personnages pas très recommandables. De faux agents du FBI, et maintenant des malfrats d'Europe de l'Est. Pourtant vous vous en sortez toujours indemne, pendant qu'on ramasse les cadavres et les blessés autour de vous.

Je me suis tout d'abord attachée au choix de ses mots et à sa syntaxe, comme je le fais toujours spontanément. J'ai apprécié son style précis et très imagé.

— On ne peut pas vraiment dire que je m'en suis sortie sans une égratignure, lui ai-je fait remarquer.

Je lui ai désigné ma blessure à la tête, mais je pensais en réalité à des blessures plus profondes. À ma vie dévastée, à mon mariage en miettes.

— J'en conviens, m'a-t-il répondu. Ce que je voulais dire, c'est que je ne comprends pas la raison pour laquelle ces gens vous ont laissé la vie sauve. Nous ne parlons pas d'individus dotés d'un grand sens moral, mais de criminels endurcis. Alors j'en viens à me poser cette question : pourquoi vous ont-ils épargnée ?

C'était une bonne question.

— Vous avez une théorie ? ai-je demandé d'un ton légèrement sarcastique.

— La première explication qui me vient à l'esprit est que vous êtes probablement plus impliquée dans cette affaire que nous ne l'avons d'abord pensé. Moins victime que complice, votre rôle d'épouse blessée n'est peut-être qu'une couverture.

J'ai secoué la tête en signe de dénégation.

— Parce qu'à mes yeux vous n'êtes pas comme ces femmes qu'on voit sur les plateaux des talk-shows, a poursuivi l'inspecteur. Celles qui apprennent un beau matin que leur mari menait une double vie à Honolulu ou que leur fiancé s'est taillé avec leurs économies. Vous me donnez plutôt l'impression d'être une personne intelligente et maîtresse de sa destinée.

— Pas assez intelligente pour être immunisée contre le mensonge, mais beaucoup trop pour m'embarquer dans une histoire pareille. Des gens sont morts autour de moi. Mon beau-père a failli y laisser sa peau. Mon argent a disparu et celui de ma sœur aussi, peut-être.

Le simple fait d'énumérer tout ça m'emplissait d'un mélange de colère et de terreur. J'ai senti que mes poings s'étaient serrés et que mes ongles s'enfonçaient dans la paume de mes mains. Je ne les ai desserrés qu'avec peine.

— Alors, dites-moi ce que vous me cachez.

— Je ne vous cache rien, ai-je rétorqué avec toute la sincérité dont j'étais capable. Je vous le jure.

Le mensonge est contagieux. C'est un virus qui se propage aisément. Depuis la trahison de Marcus, je cherchais fiévreusement à comprendre comment et pourquoi il m'avait trompée, alors je mentais à mon tour. Crowe avait vu juste. Je lui cachais des informations. Le texto de Marcus, le nom soufflé par Ivan, qui prétendait être son frère. Tous ces éléments, je les gardais pour moi. Ils étaient tout ce qui me restait.

— Je ne vous crois pas, a-t-il dit.

— Je veux un avocat.

Il a levé la main en guise d'avertissement.

— Je vous préviens, si vous vous engagez sur ce terrain, nous deviendrons des adversaires.

Foutaises, ai-je pensé. Croyait-il réellement

pouvoir me manipuler et me priver de mes droits ?

— Notre entretien vient de se terminer, ai-je déclaré.

Crowe a pincé les lèvres, puis ses narines ont frémi et son visage s'est empourpré. Quand il était énervé, Marcus, lui, virait au gris, ce qui lui donnait très mauvaise mine. Le rouge est la couleur de l'émotion qui déborde. Tandis que le gris est celle de la rancœur qui vous ronge et vous vide de l'intérieur.

Crowe a ouvert la bouche pour parler puis l'a refermée. Nous nous sommes défiés du regard et j'ai gagné, car il a fini par baisser les yeux. Puis il a tourné les talons et quitté la pièce, laissant dans son sillage la tension palpable des paroles qu'il n'avait pas prononcées. Je m'attendais à entendre la porte claquer, mais elle se referma dans un chuintement agaçant.

Je continuais de fixer la porte quand Linda et Erik sont entrés en trombe. Par réflexe, j'avais appelé ma sœur à mon arrivée à l'hôpital. Je me rappelais à peine notre conversation. Son apparition m'a causé autant d'anxiété que de soulagement. Trevor et Emily marchaient derrière leurs parents, main dans la main, l'air nerveux et les yeux écarquillés comme deux lémuriens. Les voir ainsi m'a emplie de tristesse. Ces enfants étaient terrifiés et j'en étais la seule responsable, car j'avais laissé Marcus entrer dans nos vies et causer tous ces dégâts.

Linda s'est précipitée vers moi et m'a étroitement enlacée.

— Tu as vu Fred depuis son admission ? Que s'est-il passé ? Tu as disparu dans la nature sans explication. Qu'est-ce qui t'est passé par la tête ? J'étais morte d'inquiétude.

Je me suis abandonnée à son étreinte chaleureuse, la joue contre le doux cachemire de son manteau, et je n'ai même pas tenté de répondre à ses questions. Par-dessus son épaule, j'ai regardé Erik qui hochait la tête d'un air consterné. J'ai soudain senti une forte tension entre eux et j'ai compris qu'il avait tout avoué à Linda.

— Fred va bien, ai-je répondu, le visage toujours enfoui dans son épaule. Il va s'en sortir.

Je leur ai raconté ce qui était arrivé, mais en laissant de côté les détails que j'avais tus à l'inspecteur Crowe. Je ne tenais pas à ce qu'ils sachent des choses qui pourraient leur causer des ennuis par la suite.

— Il te faut un avocat, a déclaré Erik en dégainant son téléphone.

— Appelle celui de Fred et Margie, lui a suggéré Linda d'un ton poli mais sec. J'ai laissé plusieurs messages à maman, un sur son portable et un autre à la réception de son hôtel. Ils m'ont promis de la prévenir.

Elle m'a regardée d'un air contrit.

— Avec ce qui est arrivé à Fred, j'étais bien obligée de l'appeler.

— Je sais, j'ai appelé aussi.

Emily et Trevor n'avaient pas dit un mot. Un exploit que je n'aurais pas cru possible deux jours plus tôt.

— Tout va bien, leur ai-je murmuré.

Je mentais encore, incapable de résister à cette maladie.

— Maman est très en colère contre papa, m'a glissé Emily.

Du coin de l'œil, j'ai vu Linda fixer le sol. Erik était devant la fenêtre qui donnait sur le parking de l'hôpital. Il semblait occupé à chercher un numéro dans le répertoire de son portable. J'entendais un léger bip chaque fois que s'affichait un nouveau nom de sa liste.

— Je vais prendre des nouvelles de Fred, ai-je dit à Linda.

— Je t'accompagne.

Je n'avais pas envie qu'elle vienne, mais je ne pouvais pas décemment l'en empêcher. J'ai attrapé mon sac sur une chaise. Au moment où nous sortions, j'ai entendu la voix d'Erik.

— Bonjour, je m'appelle Erik Book. Je suis le gendre de Fred et Margie Thompson. Pourrais-je parler à John Brace ?

Dans le couloir, Linda m'a pris le bras et ne l'a plus lâché.

— Tu étais au courant, n'est-ce pas ?

— Oui. Mais ne t'en fais pas, tout va s'arranger.

Cette phrase était en train de devenir ma réponse à tout, alors que le monde s'écroulait autour de nous. Je n'arrivais pourtant pas à soutenir le regard de Linda. Ses cernes bleuâtres et le pli de tristesse à la commissure de ses lèvres me faisaient trop mal. Elle n'avait pas besoin d'en dire plus, car je ressentais intensément toutes ses émotions. Nous discuterions plus tard. Nous analyserions la situation et nous trouverions une solution.

Pour l'heure, nous marchions en silence dans le couloir menant à la chambre de Fred. Quand nous sommes arrivées devant sa porte, j'ai marqué une pause et pris les deux mains de Linda dans les miennes.

— Tu dois lui pardonner. C'est affreux, je sais, mais Erik a fait ça pour toi.

Linda a évité mon regard.

— Je lui ai déjà pardonné, mais je ne sais pas si je vais pouvoir vivre avec ça. J'ai l'impression de rejouer l'histoire de maman. Erik a mis en péril notre avenir et tout ce que nous possédions, sans me le dire. Mais il n'y a pas que ça. J'ai aussi des torts et j'ignore si nous serons assez forts pour surmonter cette crise.

J'étais rongée par le remords à la pensée que son mariage pouvait être détruit par ma faute.

— Ne dis pas ça. S'il te plaît, laisse-moi régler le problème.

— Ce n'est pas à toi de régler nos problèmes, Izzy, m'a-t-elle répondu en me caressant tendrement la joue. Tu n'as rien à te reprocher. Tu l'aimais, c'est tout.

— Tu m'avais mise en garde. Tout est ma faute.

— Même moi, je n'aurais pas pu imaginer ce qui nous arrive. Je n'avais pas ça en tête quand je t'ai conseillé d'être prudente. Je pensais seulement que cet homme ne pouvait pas t'offrir tout l'amour que tu méritais.

— Et tu avais raison.

Je l'ai laissée me prendre dans ses bras et j'ai posé ma tête sur son épaule.

— Ne l'abandonne pas, Linda. Ne renonce pas à ton mariage et à ta famille. Ils sont réels, solides, ils peuvent résister à tout. Ce n'est qu'une histoire d'argent.

Elle m'a serrée très fort, mais n'a rien répondu. Au bout d'un moment, elle s'est détachée de moi et m'a pris la main.

— Viens, allons voir Fred.

En ce qui la concernait, le débat était clos et je l'ai suivie dans la chambre.

Dans le silence ponctué par le son rassurant du moniteur cardiaque, nous avons contemplé le lit où reposait Fred. J'éprouvais un immense sentiment de culpabilité. Dès qu'il nous a vues dans l'encadrement de la porte, il nous a souri. C'était Fred tout craché. Quelles que soient les circonstances, il arrivait à sourire. À moins que cet air serein n'ait été l'effet des analgésiques.

— J'ai l'impression de vous revoir quand vous étiez petites, a-t-il dit.

Il avait une expression rêveuse qui m'a aussitôt donné envie de recevoir une petite dose de ce qu'on lui avait administré. Linda a marché jusqu'à son lit. La naissance d'Emily et de Trevor les avait rapprochés. Fred était un formidable grand-père et aimait ces enfants sans restriction. Depuis quelques années, Linda semblait enfin capable de le voir tel que nous le voyions tous. En bonne fille, elle veillerait sur lui jusqu'à l'arrivée de notre mère. Cela ne faisait aucun doute à mes yeux.

— Je suis désolée, Fred, ai-je dit du seuil de

la chambre. Je ne serais jamais venue chez toi si j'avais su…

— Je suis content que tu sois venue. Je me reproche seulement de n'avoir pas su te protéger. J'oublie trop souvent que je suis un vieil homme.

Je me suis rapprochée et j'ai déposé un tendre baiser sur son front. Il m'a montré son bandage à la tête.

— On pourrait peut-être obliger tout le monde à en porter un. Comme ça nous aurions l'air moins bêtes.

J'ai souri. Linda se penchait vers lui pour l'embrasser quand son téléphone s'est mis à sonner. Elle a immédiatement répondu.

— Bonjour, maman. Oui, tout va bien, rassure-toi.

Pendant que Fred avait les yeux fixés sur Linda, absorbée dans sa conversation, j'ai pu m'éclipser en catimini. Je suis ressortie dans le couloir et me suis dirigée vers l'ascenseur. Je l'ai raté de justesse. Ne voulant pas attendre, j'ai décidé d'emprunter l'escalier.

— Où tu vas, Izzy ?

En me retournant, j'ai vu Trevor. Il portait ce jour-là un jean délavé, un tee-shirt vintage à l'effigie des Ramones et des Vans aux pieds. Sous sa chevelure en bataille, j'ai vu son sourire inquiet et ses sourcils froncés.

— Je sors prendre l'air, ai-je menti.

Il a secoué la tête. À ce moment précis, sa ressemblance avec sa mère m'a frappée. Il avait la même perspicacité, le même air sceptique dans le plissement des yeux. J'ai vu qu'il m'observait et qu'aucun détail ne lui échappait, surtout pas mon sac que je portais à l'épaule.

— Tu pars à sa recherche, c'est ça ?

J'ai envisagé un instant de lui mentir une nouvelle fois, mais j'ai fini par acquiescer. Un doigt sur les lèvres, je lui ai fait signe de garder le silence et j'ai reculé vers la porte de l'escalier.

— Tu as une arme ?

— Non, bien sûr que non, ai-je répondu, déconcertée par cette question à la fois puérile et d'un bon sens assez terrifiant.

Les gosses de New York étaient décidément un peu trop au fait des réalités du monde adulte.

Il a haussé les épaules.

— Tu en auras sûrement besoin.

Il n'avait sans doute pas tort.

— Ne leur dis pas que tu m'as vue partir.

— Mais peut-être que je devrais, au contraire. Peut-être que ce que tu t'apprêtes à faire est une très mauvaise idée.

Trevor est un habile joueur d'échecs, l'un des meilleurs de son club. Il voyait que j'étais en mauvaise posture et que j'allais jouer un coup qui risquait de me faire perdre la partie. Soudain cet enfant que j'avais vu naître, que j'avais bercé dans mes bras, que j'avais changé et nourri au biberon se révélait plus dégourdi et réaliste que moi.

— Ne dis rien, ai-je réussi à répondre. Accorde-moi au moins un quart d'heure d'avance.

Alors que je franchissais la porte et me précipitais vers l'escalier, je l'ai entendu m'appeler. Je le connaissais bien. C'était un bon gosse, respectueux des règles. Comme sa mère, il voyait encore le monde en noir et blanc. Il leur dirait, mais d'abord il hésiterait, parce que c'était un garçon et que l'idée de faire partie d'un secret ne lui déplaisait pas. Avec un peu de chance, je serais partie avant que quelqu'un se lance à mes trousses.

Il y avait de cela une éternité, Marcus et moi étions allés à Paris. Pour notre premier anniversaire de mariage, il m'avait fait la surprise un jeudi en me montrant nos billets pour le lendemain. Nous nous étions dit en plaisantant que nous économiserions ainsi un bon millier de dollars en achats pour la préparation du voyage. Mais je m'étais bien rattrapée à notre arrivée.

Quand je l'avais appelée pour lui annoncer la nouvelle, Linda avait poussé des cris de joie. Je savais que Marcus venait de grimper d'un cran dans son estime et j'en avais éprouvé un plaisir un peu puéril.

— C'est si romantique, Izzy ! J'adore Paris.

Le haut-parleur était branché et Erik s'était mêlé à notre conversation.

— Tu sais que tu me fais passer pour un loser, m'avait-il reproché.

— Ouais, c'est vrai, avait renchéri Linda sur le ton de la plaisanterie.

Ces deux-là avaient eu leur lot de voyages en amoureux et de moments enviables. Maintenant, ils avaient les enfants. Et comme disait Linda, leurs tête-à-tête se résumaient désormais à partager une pizza livrée à domicile et une bouteille de vin quand Trevor et Emily étaient couchés.

Notre hôtel se situait dans la très calme rue Saint-Hyacinthe, à deux pas du jardin des Tuileries. Nos journées s'étaient passées en séances de lèche-vitrines, repas au restaurant, dégustations de vin et balades dans les rues de cette ville magnifique. Je me levais tôt et m'installais pour écrire dans un café, à une petite table, au fond de la salle. L'odeur du pain frais, du café moulu et de la fumée de cigarette se mêlait au brouhaha des conversations et au cliquetis des cuillères dans les tasses. Pendant ce temps, Marcus faisait la grasse matinée.

Le soir, nous restions des heures à table à déguster notre dîner, puis nous sortions en boîte. Après avoir beaucoup dansé et bu, nous rentrions à l'hôtel faire l'amour. Je n'ai pas gardé le souvenir de la moindre dispute entre nous durant ce voyage, mais je récris peut-être l'histoire. Nous avons peut-être eu quelques différends à propos du programme des visites ou pour savoir si notre budget nous permettait d'acheter plusieurs foulards chez Hermès — ces petites choses susceptibles de dégénérer en conflits dans une vie de couple. Pourtant je ne me rappelle rien de tel pendant ce voyage.

Il me revient maintenant des détails auxquels je n'avais pas prêté attention sur le moment. Par exemple, Marcus prétendait n'avoir jamais mis les pieds dans cette ville. Il disait qu'en me faisant cette surprise il s'offrait aussi un cadeau. Pourtant, il m'avait semblé étrangement à l'aise dans le labyrinthe des rues parisiennes.

— Tu es sûr que tu n'es jamais venu ici ?

lui avais-je demandé, le nez plongé dans mon guide touristique.

Dans le métro, il n'avait pas plus de problèmes. Il trouvait toujours sans se tromper l'adresse du café, de la boutique ou du musée où nous comptions nous rendre, quand moi-même j'étais complètement perdue.

— Dans une autre vie, peut-être.

Il avait prononcé cette phrase d'un ton grave qui m'avait fait lever les yeux de mon livre. Mais quand nos regards s'étaient croisés, il souriait.

— C'est une question de jugeote, avait-il poursuivi. Or tu as épousé un homme très malin.

Il est vrai que Marcus avait un sens de l'orientation impressionnant. Il ne se perdait jamais, à croire qu'il était équipé d'un GPS interne. Tandis que moi, je passais des heures à errer dans les rues, même dans ma propre ville. En sortant d'une station de métro, j'étais déboussolée et je passais un moment à m'interroger sur la direction que je devais prendre. C'était agaçant, cette façon que Marcus avait de ne jamais se tromper, mais pratique aussi car je pouvais m'en remettre à lui.

Lors de notre dernière nuit à Paris, alors que nous regagnions notre hôtel, tous deux un peu maussades à l'idée que notre séjour touchait à sa fin, Marcus m'avait soudain pris la main.

— Allez, un dernier verre.

Un escalier étroit descendait vers une porte en sous-sol. Des notes de musique s'échappaient d'une entrée dissimulée dans l'ombre. Il se faisait tard et nous devions prendre un vol très tôt le lendemain.

— Dis-moi oui, s'il te plaît. Demain, à cette heure-ci, nous serons rentrés chez nous.

Une volée de marches humides descendait jusqu'à une lourde porte en bois. Quand cette dernière s'était ouverte, nous avions été assaillis par une vague de musique et de fumée de cigarette. Un instant plus tard, nous nous mêlions à une marée humaine s'agitant au rythme d'une musique électronique. Nous nous étions frayé un chemin jusqu'au bar. Derrière le comptoir, un jeune homme au torse à peine vêtu de quelques piercings s'était penché vers nous pour prendre notre commande et Marcus avait dû crier pour se faire entendre.

En règle générale, je n'aime pas la foule, car je m'y sens submergée par un trop-plein de détails, d'énergies, de visages. Mais ce soir-là j'étais très à l'aise et capable d'observer froidement mon environnement. J'avais immédiatement vu qu'il s'agissait d'un club de quartier, il y manquait cette morgue des Parisiens conscients du rêve qu'ils incarnent pour le reste du monde. Il y avait aussi un côté brouillon dans le décor, comme s'il avait été planté pour cette soirée et devait être démonté le lendemain. Les Parisiens chic et branchés que j'avais observés avec envie dans les boutiques de luxe et les restaurants avaient été remplacés par une faune arborant tatouages et ornements métalliques dans les endroits les plus inattendus de leurs personnes. Un couple androgyne était passionnément enlacé près de la porte d'entrée et une femme aux yeux fermés dansait lentement. Sur une scène exiguë, trois garçons vêtus de noir évoluaient au milieu d'un attirail de consoles et d'instruments électroniques. Ils semblaient être à l'origine de l'ambiance sonore, bien qu'affichant la mine sombre et impassible de croque-morts. Quand je m'étais tournée pour partager mes impressions avec Marcus, il avait pris le large. Je l'avais cherché du regard dans la foule et je l'avais reconnu de dos. Il semblait se diriger vers les toilettes. Il avait dû me le dire, mais je n'avais rien entendu dans tout ce vacarme. Sur le comptoir devant moi, il y avait un verre et j'avais supposé que Marcus l'avait déposé là pour moi. Il contenait un breuvage amer et fortement alcoolisé. Vingt minutes plus tard, mon verre vidé et mon intérêt pour le spectacle qui m'entourait très émoussé, je m'étais avancée dans la direction que Marcus avait prise.

Il était en compagnie d'une femme très maigre et pâle, aux traits trop anguleux pour qu'on puisse la trouver jolie. Elle parlait avec animation, tandis que Marcus, visiblement très mal à l'aise, ne cessait de jeter des regards autour de lui. Je m'étais approchée et j'avais vu la femme lui toucher le visage et Marcus repousser sa main d'un geste doux. La femme avait eu à ce moment-là l'air si blessée que j'en avais eu mal pour elle. En se retournant, Marcus avait failli me bousculer.

— Qu'est-ce qui se passe ? lui avais-je demandé.

La musique était un peu moins forte maintenant que nous étions loin de la scène, mais je devais toujours crier pour me faire entendre.

— Oh rien, cette fille prétend me connaître et je n'arrive pas à la convaincre du contraire. Viens, on s'en va.

— Kristof, je t'en prie, avait-elle insisté. Kristof !

Sans se retourner, il m'avait entraînée vers la sortie. J'avais jeté un dernier regard en arrière. La femme continuait de crier des mots que je ne comprenais pas.

— Tu es sûr de ne pas la connaître ? avais-je demandé à Marcus quand nous étions ressortis dans la rue.

J'étais un peu ébranlée et je tremblais légèrement.

Marcus marchait quelques mètres devant moi. Il était revenu sur ses pas et m'avait pris la main.

— Bien sûr que non, m'avait-il répondu d'un air contrarié.

— À sa façon de te toucher…

Je n'avais pas pu terminer ma phrase. De là où je les avais vus, on aurait vraiment pu les prendre pour un couple d'amoureux. J'étais restée figée sur place, fixant la porte comme si je m'attendais à voir cette femme sortir pour nous suivre. J'avais surpris le regard de Marcus dans la même direction.

— Cette fille était complètement défoncée, m'avait-il dit.

Sur ce, il m'avait tirée par la main. Mais j'avais résisté et je l'avais obligé à me regarder.

— Elle m'a appelé par un autre prénom, tu l'as entendue toi-même. Elle n'était pas dans son état normal.

Je l'avais dévisagé avec insistance. Il ouvrait de grands yeux innocents. Il avait l'air sincère et même légèrement amusé. Il avait soutenu mon regard, puis avait baissé la tête et contemplé le trottoir.

— D'accord, tu m'as pris la main dans le sac. J'ai une maîtresse dans cette ville. Ce voyage n'était qu'un prétexte pour pouvoir la rencontrer à l'occasion de notre dernière soirée à Paris, alors que tu te tenais à quelques mètres de moi.

Une petite pluie fine avait commencé à tomber. Avec un sourire désarmant, il m'avait attirée contre lui et l'averse avait emporté mes derniers doutes.

— Dis donc, tu ne serais pas un peu jalouse ?

Cette réflexion m'avait hérissée. Ce n'était pas une question de jalousie : sur les traits de cette femme, j'avais reconnu une expression qui ne m'était pas étrangère. Un soupçon de colère mêlé au sentiment d'avoir été trahie et abandonnée. Mais je m'étais abstenue de répondre. J'avais laissé Marcus passer son bras autour de mes épaules et me guider jusqu'à notre hôtel. J'avais encore jeté un regard derrière moi, certaine de la voir, maussade et solitaire sous la pluie, mais l'escalier était désert et je n'entendais plus la musique qui nous avait attirés dans ce lieu.

Je suis repassée chez Linda et Erik. J'avais une clé de leur appartement. Ce n'était probablement pas une très bonne idée, mais j'étais aux abois. J'avais besoin d'un endroit où pouvoir penser, me changer et me connecter à Internet. Je devais aussi réfléchir à un moyen de me procurer de l'argent. En chemin, je m'étais arrêtée à un distributeur et j'avais retiré tout ce qui restait sur mes comptes. J'avais maintenant cinq cents dollars en poche et je savais que je n'irais pas loin avec une telle somme. J'avais aussi mes cartes, mais je ne pourrais pas m'en servir sans me faire repérer et encore, à condition que Marcus n'ait pas déjà épuisé leur crédit.

J'ai pris une douche dans la chambre de Linda, le seul endroit de la maison encore préservé de la pagaille, son sanctuaire avec murs en pierre et douche à vapeur. Trevor et Emily y étaient interdits de séjour et je soupçonnais que si elle l'avait pu ma sœur aurait obligé Erik à utiliser la salle de bains des enfants. J'ai fait de mon mieux pour ne pas mouiller mon bandage, en vain. J'ai donc fini par l'ôter, non sans douleur.

Après ma douche, je me suis inspectée dans le miroir surplombant le lavabo en marbre et j'ai été effarée de découvrir l'aspect de ma blessure. La plaie courait du milieu de mon front à ma tempe et me faisait une tête digne d'un film d'horreur. Comme si ça ne suffisait pas, on m'avait rasé les cheveux tout autour, ce qui rendait plus visibles encore la plaie sanguinolente et le pus jaunâtre qui suintait des sutures. Ce suintement ne me disait rien de bon, mais je n'avais pas le temps de m'en inquiéter. J'ai trouvé de la gaze et du sparadrap dans la trousse de premiers soins rangée sous le lavabo et j'ai refait mon pansement en manquant de tourner de l'œil tant la blessure était douloureuse. J'étais censée prendre des antibiotiques, mais je ne me rappelais pas si je les avais dans mon sac. Assis par terre, Brown m'observait d'un air triste. Du pas de la porte, il a poussé un gémissement sourd comme s'il s'inquiétait pour moi.

— Je vais bien, lui ai-je dit. T'en fais pas pour moi.

Les pieds nus, je suis allée à la cuisine, Brown sur mes talons. J'ai rempli sa gamelle, changé son eau et je lui ai offert une friandise pour toutou. Après ça, il m'a semblé dans de meilleures dispositions.

J'ai pris un pull noir et un jean dans l'armoire de Linda, un soutien-gorge rose et une culotte coordonnée dans son tiroir. Une fois habillée, je suis allée dans la chambre de Trevor. Je savais qu'il y gardait son ordinateur allumé vingt-quatre heures sur vingt-quatre et que je pourrais me connecter sans mot de passe.

J'ai encore essayé d'appeler le bureau de mon comptable. Je n'ai même pas obtenu son répondeur. J'ai appelé les renseignements téléphoniques, le combiné sans fil de Trevor coincé entre mon épaule et mon oreille, et j'ai tapé le nom du cabinet dans Google, pensant que je n'avais peut-être pas composé le bon numéro.

— Aucun cabinet Benjamin & Heller, Inc. n'est enregistré à Manhattan ni dans les cinq autres districts de New York, m'a-t-on répondu aux renseignements.

Google n'avait rien trouvé non plus.

Maintenant que j'y réfléchissais, je n'avais jamais mis les pieds dans leurs bureaux, ni même jamais appelé Arthur, le comptable qui nous rendait visite une fois par an au moment des déclarations d'impôts et qui m'appelait à l'occasion pour m'interroger sur mes dépenses ou pour me réclamer une facture. Je laissais Marcus s'occuper de toutes ces choses et me contentais de signer les formulaires fiscaux sans même les vérifier.

L'écran de l'ordinateur flottait devant mes yeux fatigués quand j'ai vérifié mes comptes dont je connaissais par cœur les identifiants et les mots de passe de connexion. En dehors de mes récents retraits, rien n'avait changé. Il ne me restait plus un sou à la banque.

J'ai décidé de consulter le relevé de notre carte American Express. Marcus n'était pas assez bête pour continuer à s'en servir, mais je voulais jeter un coup d'œil à ses dernières dépenses. Je m'accrochais à tous les éléments susceptibles de m'apporter des informations sur la situation. J'ai vu apparaître les mouvements habituels : le bar à jus de fruits de son club de gym, nos traiteurs préférés, l'épicier, le café du coin. J'ai fait défiler la liste en remontant plusieurs mois en arrière.

Linda faisait ça tout le temps. Elle consultait tous les jours le relevé de sa carte American Express. Comme ils s'en servaient pour tous les paiements de la vie courante, c'était sa façon de suivre leurs dépenses au jour le jour.

— Pauvre Erik, il ne peut même pas prendre un café chez Starbucks sans que je sois au courant, disait-elle en plaisantant.

Au final, la plaisanterie s'était pourtant retournée contre elle. Pendant qu'elle surveillait leurs petites dépenses, le gros dérapage était passé totalement inaperçu. Mais j'étais mal placée pour la juger.

Je retirais de l'argent sur les comptes qu'on m'indiquait et ne me souciais jamais de connaître le montant de mes dépenses. Depuis deux mois, je n'avais mis mon nez dans mes comptes qu'une seule fois, parce que ma carte avait été refusée.

— C'est parce qu'elle est arrivée à expiration, m'avait répondu Marcus quand je l'avais appelé.

Bizarrement, l'idée de consulter ma banque ou mon comptable ne m'avait pas effleurée.

— Je t'ai laissé la nouvelle sur le plan de travail de la cuisine il y a trois semaines.

En fouillant dans une pile de courrier, je l'avais trouvée, accompagnée d'un petit mot : « Détruis l'ancienne et utilise celle-ci à la place. Je t'aime. M. »

Cet incident m'avait quand même contrariée au point que j'avais décidé de m'intéresser d'un peu plus près à l'état de nos finances. J'avais pointé mes opérations bancaires pendant deux jours et puis j'avais laissé tomber.

Sur l'ordinateur de Trevor, j'ai fait défiler les dépenses de Marcus. Sa carte professionnelle apparaissait sur le même relevé que nos autres cartes de crédit à usage privé.

J'ai fini par remarquer que certaines dépenses revenaient de mois en mois. Autour du 15, Marcus réglait une somme de deux mille dollars à un fournisseur mentionné sur le relevé sous le nom de Services Unlimited. Il aurait pu s'agir de n'importe quel prestataire de services aux entreprises : nettoyage, destruction de documents confidentiels, fourniture de logiciels. Toutefois c'était le seul élément sortant de l'ordinaire. Les dépenses de Marcus chez Cornucopia, mon fleuriste préféré, au restaurant Mandarin Oriental ou chez La Perla correspondaient toutes à des cadeaux qu'il m'avait faits ou à des soirées que nous avions passées ensemble.

J'ai lancé une recherche sur le nom de Services Unlimited et trouvé un site qui proposait du personnel temporaire sous la rubrique « Accueil ». En guise d'illustrations, de magnifiques créatures, sous prétexte d'attraper un dossier ou de prendre des notes sous la dictée, exhibaient un décolleté plongeant, ou bien, le stylo à la bouche, faisaient mine de suivre avec une intense concentration les délibérations d'un conseil d'administration. En d'autres circonstances, j'aurais ri de ce racolage bas de gamme. Mais, à force de faire défiler des pages et des pages de filles aux longues jambes et aux lèvres pulpeuses qui offraient leurs « compétences professionnelles », j'ai perdu tout sens de l'humour. Services Unlimited proposait des escort-girls en toute légalité. Il n'y était pas question de sexe, juste de belles filles à exhiber à son bras. Comme n'importe quelle entreprise, celle-ci acceptait les paiements par carte de crédit. J'ai eu beau faire, je n'ai pas pu m'imaginer Marcus payant pour des services sexuels l'une des filles dont j'avais vu la photo sur le site. Il était bien trop fier. Mais il y avait tant de choses que j'ignorais à son sujet. Après tout, je ne connaissais son véritable nom que depuis quelques heures.

J'ai attrapé un bloc-notes en piteux état et un stylo à encre violette sur l'étagère au-dessus du bureau. Mais, au moment où j'allais inscrire le numéro de téléphone indiqué sur le site — l'indicatif 718 était celui d'un district extérieur à Manhattan —, j'ai soudain reconnu la femme qui m'avait agressée dans les locaux de Razor Technologies. Elle apparaissait sous le pseudonyme « S », et son profil disait : « Un mètre quatre-vingt d'énergie pure et d'efficacité professionnelle. »

Inconsciemment, j'ai porté ma main à ma blessure et frissonné à ce contact. La pire douleur n'était pas celle que le coup avait provoquée, mais plutôt celle que venait de réveiller le souvenir d'un SMS lu sur le téléphone de Marcus. « Je te sens encore à l'intérieur de moi. »

J'ai essayé d'assembler toutes les pièces du puzzle : le texto, la femme en tenue d'agent du FBI qui m'avait assommée posant pour ce site Web, la somme débitée mensuellement sur la carte professionnelle de mon mari. Toute cette histoire dépassait largement ma capacité à tisser une intrigue à partir d'éléments décousus. J'étais en train de regarder cette femme à l'écran, habitée par les pensées les plus sombres, quand mon portable a sonné. L'appel venait de Jack, mon agent.

— Salut, j'ai d'excellentes nouvelles, m'a-t-il annoncé quand j'ai décroché. Un beau chèque de ton éditeur anglais vient d'arriver pour toi.

Campée sur ses longues jambes, le téléphone à la main, les lèvres entrouvertes, la fille semblait me narguer. Dans ma rage, j'aurais voulu plonger dans cet écran et lui tordre le cou. Qui était-elle et quelle était sa relation avec mon mari ?

— Izzy, tu m'écoutes ?

— Oui, oui.

— Qu'est-ce qui ne va pas ?

— Rien, tout va bien.

À quel moment l'affaire allait-elle faire les gros titres de la presse ? Ça ne tarderait pas. Les écrivains sont rarement des stars médiatiques, mais une histoire comme celle-là risquait de défrayer la chronique. J'imaginais déjà l'accroche des journaux : « La réalité dépasse la fiction : le mari de la romancière à succès s'était créé un personnage. »

— J'ai besoin de cet argent, Jack.

— D'accord, je te fais un virement demain.

— Non, il me le faut aujourd'hui et en liquide.

Il a marqué une pause pendant laquelle je l'ai entendu pianoter sur son clavier. Je déteste que les gens fassent autre chose lorsque j'essaie d'avoir une conversation avec eux.

Il a quand même fini par me répondre :

— Elle est bien bonne.

— Je ne cherche pas à être drôle, Jack.

Il y a eu un autre silence, mais au moins Jack avait cessé de taper sur son clavier.

— Tu vas me dire ce qui se passe ?

Jack et moi étions amis depuis la fac. Nous nous étions rencontrés dans un atelier d'écriture. Avec le temps, Jack avait compris qu'il n'aurait jamais la patience — ou le talent — d'écrire. Le côté commercial l'intéressait davantage. Son diplôme en poche, il avait décroché un emploi d'agent littéraire et quelques années plus tard il négociait le contrat de mon premier roman. Encore plus tard, il avait quitté ce poste pour monter sa propre agence. Nous étions donc à la fois amis et partenaires en affaires.

Nous avions couché ensemble une fois. C'était quelques semaines avant que je rencontre Marcus. Nous étions partis assister à une conférence. Un soir, nous avions trop bu et nous avions fini dans le même lit. Qui sait, cette attirance réciproque avait peut-être toujours été là, cachée sous la surface, mais nos relations amicales et professionnelles étaient si bonnes que nous avions choisi de fermer les yeux sur cet aspect plus inconstant de l'affection qui nous liait l'un à l'autre. Jack était mon confident, tout autant que Linda ou Marcus.

Nous n'avions jamais évoqué cet épisode. Quand je m'étais réveillée au petit matin, j'avais ramassé en hâte mes vêtements et quitté la chambre d'hôtel en laissant Jack profondément endormi. Je n'avais même jamais su avec certitude s'il avait gardé un quelconque souvenir de cette nuit-là.

Devant son insistance, je lui ai fait le récit des événements des derniers jours, de la disparition de Marcus au site Web que je venais de découvrir et que j'avais encore sous les yeux.

— Bon sang ! s'est exclamé Jack quand j'en ai eu fini. C'est bien vrai, tu es sûre ?

— Hélas, oui.

— Tu as été blessée. Comment ça va maintenant ?

— Ça va, enfin je crois. Comment gère-t-on une situation pareille, tu le sais ?

— Si tu veux mon avis, ce n'est pas à toi de régler ça. Toi, tu vas te mettre au lit et laisser aux gens qualifiés le soin de gérer cette affaire. Les flics, les avocats, ils sont payés pour ça.

Si nous nous étions trouvés à ce moment-là dans la même pièce, son bras autour de mes épaules, il m'aurait doucement poussée vers un fauteuil. Je l'imaginais passant sa main dans son épaisse chevelure brune. J'aurais voulu pouvoir me réchauffer à la chaleur de ses yeux noirs, l'observer en pensant qu'il avait besoin d'un rasage, me sentir apaisée par sa présence rassurante. Mais, au lieu de ça, je contemplais sur un écran une femme à la beauté inquiétante et j'avais dans la bouche le goût âcre de la rancœur.

— Pas question que je renonce, que je m'en remette aux autres encore une fois. Il m'a volée, il s'en est pris à ma famille. Je ne le laisserai pas s'en sortir comme ça. Je n'attendrai pas sagement que la police perde sa trace en courant après les commissions rogatoires du juge. Il n'en est pas question.

Jack a poussé ce soupir d'exaspération et de renoncement que j'avais si souvent entendu au fil des années. Il me considérait comme une tête de mule et me l'avait maintes fois répété, qu'il s'agisse d'un contrat à négocier, de questions éditoriales, des femmes avec lesquels il sortait et que je jugeais insignifiantes ou du restaurant où nous devions déjeuner.

— Qu'est-ce que tu vas encore m'annoncer ? m'a-t-il dit d'une voix qui grimpait dangereusement dans les aigus. Que tu comptes partir en cavale ? Ce n'est pas sérieux.

— Je ne suis pas en cavale, comme tu dis. Je n'ai rien à me reprocher. J'essaie juste de comprendre et j'espère pouvoir réparer les dégâts. Alors, tu vas me donner cet argent, oui ou non ?

— Je veux bien t'aider, mais je ne serai pas ton complice.

— Je te le répète : je n'ai rien fait de répréhensible.

— Et si la police vient me parler, je suppose que je suis censé leur dire que tu n'as pas cherché à me contacter et que j'ignore où tu es.

— Exact. Je ne t'ai pas contacté, c'est toi qui m'as appelée. Et tu ne sais pas où je suis en ce moment.

Après un court silence, il m'a répondu :

— C'est bon, je vais te trouver du liquide.

— Je te rappelle plus tard.

J'allais raccrocher, mais j'ai entendu qu'il continuait à parler.

— J'aimerais pouvoir dire que je suis surpris, mais en vérité je n'ai jamais aimé ce type.

— Ce type, mais tu parles de l'homme qui est mon mari depuis cinq ans !

— Je sais, mais c'est vrai. Je n'ai jamais pu le blairer.

— Tu n'en as jamais rien dit.

— Tu ne me l'as jamais demandé.

— Quand même.

— Disons que je ne voulais pas te blesser. Tu avais l'air de tenir tellement à lui.

Sa voix avait une drôle d'intonation que je ne lui avais jamais entendue. Et c'est alors que j'ai compris : Jack n'avait pas oublié.

— Fais bien attention à toi.

Après ma conversation avec Jack, j'ai noté le numéro affiché sur la page Web de Services Unlimited, mais au lieu de le composer, j'ai lancé une recherche dans l'annuaire inversé et obtenu une adresse dans le Queens. Il m'en a beaucoup coûté de détacher mon regard de la créature aguicheuse à qui je devais ma blessure à la tête. Mais le temps jouait contre moi. En m'attardant ici j'augmentais les risques d'être retrouvée par la police ou par quiconque était sur mes traces.

Je me suis connectée à ma messagerie électronique et j'ai ouvert ma corbeille que je n'avais jamais pris la peine de vider. Le second des deux mystérieux mails que j'avais reçus s'y trouvait encore, mais le premier avait disparu, car ma corbeille était programmée pour se purger automatiquement une fois par semaine. La barre bleue du curseur clignotait sur le message. Le nom de son expéditeur était Camilla Novak, son objet « votre mari ».

Le message disait : « Votre mari est un menteur et un assassin. Son passé est sur le point de le rattraper. Vous devez penser à sauver votre peau. Vous êtes en danger. Appelez-moi, SVP. »

Elle indiquait ensuite son nom et son numéro de téléphone.

En le relisant maintenant, même à la lumière des récents événements, je n'avais aucun mal à comprendre pourquoi je n'avais pas prêté attention à ce message totalement délirant. Une semaine plus tôt, je l'aurais pris pour un spam, un de ces messages qui vous annoncent que vous avez gagné une fortune ou qu'un ancien amoureux du lycée cherche à reprendre contact. Ma boîte à lettres était constamment encombrée de ces pourriels, ces appâts lancés au hasard pour attraper les plus crédules, les plus solitaires ou les plus paranos d'entre nous. Je les supprimais sans état d'âme. Si seulement mon jugement avait été aussi solide dans la vie réelle.

Après un court moment d'hésitation, j'ai composé sur mon téléphone portable le numéro indiqué à la fin du message. Il a sonné dans le vide pendant longtemps et j'ai cru que personne n'allait répondre. Enfin, on a décroché.

— Allô, a prononcé une voix de femme ultrasensuelle.

Je n'avais pas pris le temps de réfléchir à ce que je dirais et j'ai failli raccrocher.

— Allô ?

J'ai quand même fini par retrouver ma langue.

— C'est Isabel Raine.

Il y a eu un silence pendant lequel je n'ai plus entendu que le souffle de sa respiration.

— Vous m'avez écrit au sujet de mon mari, ai-je enchaîné. Vous disiez qu'il était un menteur et un assassin. Que j'étais en danger.

J'étais très calme et détachée, et ma voix ne trahissait en rien la tension nerveuse extrême qui m'habitait.

Nouveau silence, puis elle m'a répondu :

— Je me suis trompée. J'ai menti. Désolée.

— Non, ne raccrochez pas. Vous devez me dire la vérité.

— Il est trop tard.

La sonnerie d'un interphone a retenti dans l'écouteur.

— Je dois vous laisser. Ne rappelez plus jamais.

Sur ce, elle a coupé la communication. Je l'ai rappelée aussitôt, mais je suis tombée sur sa messagerie.

— Je suis au courant pour le vrai Marcus Raine, ai-je débité. Que lui est-il arrivé ? Vous devez m'aider.

Mes mots sont tombés dans le vide.

J'ai tapé le nom de Camilla dans un annuaire en ligne. J'ai noté l'adresse qui s'affichait en espérant qu'il s'agissait bien de la même personne. Elle habitait dans SoHo, à deux pas de l'endroit où je me trouvais. Ensuite j'ai tapé dans Google : « marcus raine porté disparu ». J'avais besoin de collecter de nouvelles informations avant de me jeter dans la mêlée.

La liste des résultats contenait de nombreux articles de journaux déjà datés qui ne m'ont rien appris de plus que ce que je savais déjà. Les autres liens étaient à côté de la plaque : un homonyme cherchait une compagne sur un site de rencontres, un dénommé Marcus domicilié dans Raine Street vendait un matelas, et un vieil homme qui avait trouvé à son chien Marcus une fiancée prénommée Reine (orthographié Raine) en avait fait le sujet d'une poésie ridicule.

J'allais cliquer sur « suivant » quand, en bas de la page, un titre a attiré mon attention : « Qu'est-il arrivé à Marcus Raine ? » Le lien m'a conduite sur le site affaires.non.résolues-ny.com.

« À la télévision, le policier obsédé par une affaire de disparition travaille sans relâche sur le dossier jusqu'à l'heure de la retraite, disait le texte de la page d'accueil. Mais dans le monde réel, des gens disparaissent sans qu'on sache jamais ce qui leur est arrivé. Un jour quelqu'un sort faire les courses et ne rentre pas chez lui. Personne n'en entend plus jamais parler. La vie poursuit son cours dans l'indifférence générale, sauf pour ceux d'entre nous que cette personne a laissés derrière elle et qui restent à jamais hantés par cette disparition, par la révolte et par les questions demeurées sans réponse. »

Des photographies d'amateur se succédaient à l'écran. Des photos de classe, de vacances ou d'identité montrant des sujets tantôt saisis sur le vif, tantôt prenant la pose.

En cliquant sur le nom de Marcus Raine, j'ai vu s'afficher le portrait que Crowe m'avait déjà montré, à cette différence près que la petite amie avait été effacée de l'image. Le commentaire qui l'accompagnait racontait que Raine vivait le rêve américain quand il avait subitement disparu. Élevé par sa tante en Tchécoslovaquie après la mort de ses parents, il avait émigré aux États-Unis où il avait poursuivi ses études et fait fortune. C'était mot pour mot l'histoire de mon mari.

Camilla Novak, également originaire de Tchécoslovaquie, rapportait que son ami avait eu un comportement étrange dans les semaines qui avaient précédé sa disparition. Sujet à des accès de paranoïa, il avait installé plusieurs verrous sur sa porte et refusait de répondre au téléphone si elle n'avait pas respecté le code convenu entre eux (laisser sonner une fois, puis raccrocher et rappeler). « Il se croyait surveillé. Mais il refusait de dire par qui et pourquoi. J'étais terriblement inquiète, car je savais qu'il y avait eu des cas de maladies mentales dans sa famille, racontait Camilla Novak. À aucun moment je n'ai pensé qu'il pouvait être réellement en danger. »

Le site indiquait ensuite un numéro de téléphone à composer au cas où l'on penserait détenir des informations sur cette affaire.

Dans la foulée, j'ai tapé Kristof Ragan dans le moteur de recherche. Mais je n'ai obtenu qu'une liste d'établissements scolaires et d'entreprises dont les répertoires contenaient les noms Kristof ou Ragan. J'ai continué à faire défiler les pages à l'écran, mais à chaque mauvais lien je me décourageais un peu plus. Quand je suis arrivée au dernier de la dernière page, j'ai fini par craquer, pour la première fois depuis le début de cette histoire.

Dans la vaste chambre de mon neveu, au milieu des animaux en peluche, des affiches de *La Guerre des étoiles* et de tout le capharnaüm d'un fan de skateboard, j'ai laissé retomber mon front sur le bureau et j'ai pleuré de rage, de chagrin, d'impuissance. Quelques jours plus tôt, dans un moment pareil, je me serais tournée vers mon mari. Calme et réfléchi, il m'aurait arrachée au chaos de mes émotions. « Respire, Isabel, m'aurait-il dit. Commence par faire le vide dans ton esprit. » Alors j'aurais senti se lever le brouillard qui m'enveloppe dans les moments de stress intense en inhibant chez moi toute capacité de réflexion. « Il n'est pas de problème qui n'ait sa solution, m'aurait-il encore dit. Il existe toujours un moyen de s'en sortir. » Je l'aurais écouté en sachant qu'il avait raison.

La douleur de son absence était si violente que j'ai failli ramper jusqu'au lit de Trevor et me coucher en boule sous les couvertures. Mon ami, mon époux, mon amant était un menteur doublé très certainement d'un criminel. Pourtant, à la simple idée d'être séparée de lui, j'étais anéantie. En dépit de notre mariage brisé, de tout ce qui m'avait blessée, j'aimais cet homme et j'avais en lui une foi naïve, même si ma confiance avait été quelque peu ébranlée quand j'avais découvert qu'il m'avait trompée avec une autre femme.

Une conversation avec l'inspecteur Crowe m'est revenue en mémoire. L'amour pardonne tout, m'avait-il dit d'un ton caustique. À quoi j'avais répondu : l'amour permet d'accepter et de tourner la page.

Mais, dans mon cas, l'amour avait peut-être été trop tolérant. En voulant exister à tout prix, il avait créé les conditions nécessaires à sa propre survie.

Mon téléphone posé près du clavier de l'ordinateur s'est mis à vibrer sur la surface lisse et blanche du bureau. J'ai regardé l'écran. L'appel venait d'Erik. Après un instant d'hésitation, j'ai décroché, mais sans parler.

— Ne fais pas ça, m'a-t-il implorée. Ce n'est pas ton boulot. Reviens et nous réglerons toute cette histoire ensemble.

J'ai continué de me taire.

— Va chez l'avocat, au moins. Tu as son adresse. Cabinet John Brace & Son, sur Park Avenue. Il saura quoi faire. Cet inspecteur dit que si nous n'arrivons pas à te ramener, il t'inscrira sur la liste des suspects. Tu entends ça, Izzy ? La situation est déjà assez compliquée, pas la peine d'en rajouter.

J'ai coupé la communication et reposé mon téléphone. Une seconde plus tard, il a vibré de nouveau. Cette fois, c'était Linda. Je l'ai laissé vrombir et glisser lentement du bord de la table. Au bout d'un moment, il s'est tu.

Alors que je me levais, il a recommencé à vibrer. Ce téléphone à la coque ronde argentée avait toujours eu pour moi la valeur d'un talisman. Il me réconfortait. Je le serrais dans le creux de ma main et je savais qu'il me suffisait d'enfoncer une simple touche pour entrer en contact avec les êtres qui m'étaient chers.

À présent je laissais leurs voix m'appeler dans le vide.

J'ai emprunté à Linda un vieux manteau trouvé dans sa penderie. Je m'apprêtais à sortir quand une idée m'est venue. J'ai couru jusqu'à la pièce où Erik avait installé son bureau et ouvert l'armoire dans laquelle il rangeait ses papiers personnels. Il ne la fermait jamais à clé. Je n'ai eu aucune difficulté à mettre la main sur ce que je cherchais. Pendant l'été, Linda, les enfants et moi avions fait un voyage au Mexique. Dans la confusion de l'enregistrement à l'aéroport, nous avions interverti nos passeports. Du coup, le mien se retrouvait maintenant chez eux. Soulagée et légèrement euphorique, je m'en suis emparée. Parfois la destinée nous sourit, même après nous avoir rudement malmenés.

Grady Crowe n'aimait pas les hôpitaux. Qui les aime ? Mais lui ne les détestait pas pour les mêmes raisons que tout le monde. Il n'avait jamais accompagné un mourant à l'hôpital et ne se sentait pas particulièrement mal à l'aise au contact des malades. L'hôpital ne le ramenait pas non plus à sa propre mortalité.

L'éclairage, le décor défraîchi, l'odeur de cantine, voilà ce qui lui déplaisait dans les hôpitaux. Sa sensibilité en était heurtée. Il était contrarié de voir qu'on ne soignait pas les gens dans un environnement plus agréable et pensait que les malades se rétabliraient plus vite s'ils n'avaient pas constamment sous les yeux du Formica gris, des murs crasseux et leur reflet blafard projeté dans la glace par la lumière glauque des néons. Si ces personnes étaient appelées à finir leurs jours ici, n'avaient-elles pas droit à un peu plus d'égards ? Un papier peint qui se décollait et un affreux lit métallique étaient-ils les dernières choses sur lesquelles elles poseraient les yeux avant de partir ? Mais peut-être tout le monde n'était-il pas aussi attentif que lui à ces détails.

Son téléphone sonna.

— Ça bouge, lui annonça Jez à l'autre bout du fil.

Elle semblait légèrement essoufflée. Une sirène hurlait à l'arrière-plan.

— Tu es à pied ? lui demanda-t-il.

— Maintenant, oui. Elle a pris un taxi pour se rendre chez sa sœur. Je l'ai attendue devant l'immeuble. Elle vient tout juste de ressortir, à pied, et elle a l'air rudement pressée.

— Où as-tu laissé la voiture ?

— Mal garée en face de chez les Book.

— Tu sais où elle va ?

— Non, répondit Jez sur le ton qu'elle aurait pris avec un gosse de trois ans. C'est justement pour ça que je la filoche.

— Tiens-moi au courant.

Il regarda Linda Book, puis les deux gamins qui avaient l'air de s'ennuyer ferme. Ou peut-être étaient-ils tout simplement tristes. Il les avait interrogés dans la salle d'attente réservée aux familles, mais sans résultat.

— Et toi, tu vas où ? lui demanda Jez.

— J'en sais encore rien.

— Bon, tiens-moi au courant de ton côté.

Sa première bonne initiative en vingt-quatre heures avait été de laisser Jez en faction dehors à leur arrivée à l'hôpital. Il n'avait aucun motif légal de retenir Isabel Raine, mais l'un d'eux pouvait quand même la garder à l'œil. Qui sait si elle ne les conduirait pas à son mari. Qui sait si elle ne serait pas prise en chasse par ces malfrats qui avaient voulu tuer son beau-père.

Isabel Raine était du genre à s'éclipser. Cette femme était habitée par la colère et l'arrogance. Elle avait été trahie et cherchait des réponses, tout en étant persuadée qu'elle était la personne la mieux qualifiée pour les obtenir. Crowe ne s'était pas trompé. À la première occasion, Isabel Raine s'était fait la belle.

Toutefois elle avait attendu d'être sûre que son beau-père était tiré d'affaire et que les autres membres de la famille étaient là pour le soutenir. Aux yeux de Crowe, ce comportement indiquait que, si elle ne respectait pas toujours les règles du jeu, cette femme était au fond honnête et droite. Le fait qu'elle soit restée au chevet de Fred alors qu'elle aurait pu facilement prendre le large en disait long sur sa personnalité. C'était un détail révélateur, comme disaient les écrivains.

Il avait lu beaucoup de livres à propos de l'art d'écrire un roman et cette histoire de détail révélateur s'était gravée dans sa mémoire. Dans son esprit, le principe pouvait également s'appliquer au travail d'enquête. Après tout, ce n'était pas très étonnant. Ces deux professions avaient beaucoup de choses en commun. Dans l'une et l'autre, il fallait aimer chercher, résoudre, spéculer, en suivant son instinct. Il fallait s'intéresser aux gens, afin de comprendre pourquoi ils étaient capables de faire des choses abominables ou sublimes.

Levant les yeux, il vit que Linda Book l'observait.

— Elle est allée chez vous, lui expliqua-t-il. Elle ne semblait pas surprise.

— Elle a la clé.

Linda Book se plaça devant la baie vitrée et regarda dehors, les bras croisés, accoudée à l'appui de fenêtre. Ses ongles carrés étaient coupés court. À son doigt brillait un diamant d'un carat et demi, au bas mot. Elle serrait et desserrait inconsciemment la main qui portait son alliance et, ce faisant, pinçait l'épais cachemire de son manteau. Au premier coup d'œil, il avait reconnu que c'était du cachemire, il avait toujours eu un talent pour distinguer à la vue ou au toucher les étoffes de belle qualité.

La lumière déclinante du jour qui entrait par la fenêtre rehaussait les reflets de sa chevelure. Il retrouvait chez Linda un peu d'Isabel Raine dans l'arête du nez et dans la forme du front. Il était facile de deviner qu'elles étaient sœurs, bien que différentes par leur carnation. Isabel avait la peau blanche comme du lait, tandis que Linda l'avait dorée. C'étaient de très jolies femmes, mais la beauté de Linda possédait une douceur qui lui venait sans doute de la maternité. Il y avait chez un certain type de mères un savoir compatissant de la nature humaine acquis à force de changer les couches, de calmer les grosses colères, de soigner les bobos et d'apaiser les terreurs nocturnes.

— Où peut-elle aller, madame Book ?

— Là où elle espère trouver des réponses, répondit-elle en continuant de regarder par la fenêtre.

— Vous ne l'aidez pas en vous taisant, vous savez.

— Isabel ne m'a jamais laissée l'aider, inspecteur. Je ne pourrai rien faire pour elle tant qu'elle ne l'aura pas décidé.

Crowe la vit couler un regard en direction de sa fille, une petite brune qui faisait mine de dormir, avachie dans un fauteuil inconfortable.

— Croyez-moi, si je le savais, je vous dirais où elle a l'intention d'aller, ajouta-t-elle.

Crowe entendit son téléphone sonner. C'était Jez.

— Je l'ai perdue ! hurla son équipière pour se faire entendre malgré le brouhaha de la rue.

— Quoi ! lâcha-t-il sèchement, attirant sur lui le regard de Linda Book et de sa fille.

— J'ai été emportée par la foule qui descendait du métro et elle en a profité pour grimper dans la rame. Les portes se sont refermées avant que j'aie le temps de monter.

— Quelle ligne ?

— Celle de Broadway, en direction du nord.

— Bordel !

Linda lui décocha un regard noir, mais la

gamine affichait un sourire en coin. Soudain la ressemblance avec sa tante devint frappante. Crowe commençait à en avoir sa claque de cette famille de têtes de mule. Mère, fille, tante, elles avaient toutes le même petit air narquois.

— Tu comptes faire quoi, maintenant ? demanda-t-il à Jez avec un emportement qui l'étonna lui-même.

— À ton avis, Crowe ?

— Essaie de l'intercepter à la prochaine station.

Jez poussa un soupir d'exaspération.

— D'accord, concéda-t-elle d'un ton qui laissait clairement entendre qu'elle n'y croyait pas.

Crowe mit fin à leur conversation. S'il avait été seul, il aurait balancé un grand coup de pied dans un meuble et proféré quelques jurons, histoire de se défouler. Mais il réussit à se maîtriser en présence de Linda Book et de sa fille.

— J'ai une idée, dit la gamine.

Elle le regarda comme s'il pouvait sérieusement être intéressé par ce qu'elle pensait.

— Ah vraiment, fit-il.

Loin de se laisser intimider par son ton caustique, l'adolescente, l'air furieux, se tourna vers sa mère, comme pour lui signifier qu'il n'était pas un interlocuteur digne d'intérêt. Crowe en fut tout déstabilisé.

— Demande à papa de rentrer chez nous et de regarder l'ordinateur, expliqua-t-elle. Tu peux utiliser le logiciel espion que tu as installé pour savoir quels sites elle a consultés. De là, on pourra en déduire où elle est allée.

— Quel logiciel espion ? s'exclama Linda d'un ton faussement innocent.

— Allez, maman, arrête ton cinéma. Comme si on savait pas.

— Ouais, c'est une idée géniale, s'exclama Crowe.

Emily Book lui décocha un sourire dédaigneux.

Cinq minutes plus tard, Erik Book était en chemin vers leur domicile. Linda ne semblait pas très à l'aise. Elle se massait les tempes, ne sachant si elle aidait sa sœur ou la mettait en difficulté.

Quand elles étaient enfants, avant la mort de leur père — parce que après elles n'avaient plus jamais été des enfants —, des deux sœurs, tout le monde s'accordait à dire qu'Izzy était la plus difficile. Si Izzy était venue la première, clamait Margie à qui voulait l'entendre, elle n'aurait jamais eu un deuxième enfant. Izzy cumulait tous les problèmes. Elle souffrait de coliques, se réveillait la nuit, ne faisait jamais la sieste et chipotait à table. Ces mots revenaient sans cesse dans la bouche de Margie.

Pourtant Linda connaissait la vérité. Izzy était désobéissante, quand elle-même était sage comme une image. Izzy n'avait pas sa langue dans sa poche, quand elle-même était toujours calme. Izzy était franche, quand elle-même était diplomate. Au bout du compte, toutes ces différences faisaient passer Linda pour un ange et Izzy pour un démon. Mais elle savait qui des deux était la gentille et qui était la méchante.

En regardant Emily, elle retrouvait la pureté d'âme de sa sœur. Chez Trevor, elle retrouvait la conviction que le bien triompherait toujours du mal, une foi entretenue par ses bandes dessinées et par des films comme *La Guerre des étoiles*. Pour lui, dans toute situation, il y avait deux camps bien distincts : les bons et les mauvais. Aujourd'hui, il boudait près de la porte, aux prises avec sa conscience. Linda le savait taraudé par le sentiment dérangeant que, dans le cas présent, suivre les règles n'était peut-être pas la meilleure solution. Il semblait désorienté. Elle aurait voulu lui dire qu'avec le temps sa confusion irait grandissant et que les choses ne seraient plus jamais aussi claires qu'elles l'étaient pour lui en cet instant. Autrefois, elle avait eu la même intransigeance. Le pauvre Fred pouvait encore en témoigner. Elle aurait voulu dire à son fils que tout n'était pas blanc ou noir, mais cette leçon-là serait pour un autre jour.

— Tu as bien fait, Trevor, lui glissa-t-elle pour le réconforter. Izzy a besoin de notre aide en ce moment, même si elle ne veut pas l'admettre.

Son fils hocha la tête sans conviction et croisa ses bras autour de son torse maigre. Emily lui décocha une œillade noire.

— Fayot, susurra-t-elle. Sale morveux.

— Ferme-la, protesta-t-il d'une voix suraiguë. C'est toi qui as eu l'idée d'utiliser le mouchard de l'ordi, je te rappelle.

— Emily, lâche-nous un peu, tu veux ? la réprimanda sa mère.

— Quoi ? protesta Emily. C'est lui qu'a commencé.

Sur ce, le frère et la sœur se mirent à se hurler dessus. Les prises de bec, c'était leur réaction habituelle au stress. Leurs cris avaient de quoi rendre fou.

— Ça suffit, maintenant !

Les deux enfants se turent tout net et regardèrent leur mère avec une expression suffoquée. Emily regagna son fauteuil et s'y laissa tomber dans un geste théâtral. Trevor retourna bouder dans son coin.

— J'ai besoin de silence, reprit leur mère plus calmement. J'ai besoin de réfléchir.

En dépit de ses efforts, elle n'arrivait pas à en vouloir à Izzy d'avoir pris la fuite, pas plus qu'elle ne pouvait en vouloir à un chat de faire ses griffes sur les meubles ou à un chien de mordiller les chaussures. Izzy était comme ça. Un point c'est tout.

Linda se souvint d'avoir lu un jour un article au sujet d'une expérience de psychologie durant laquelle on avait demandé à des sujets d'administrer des décharges électriques à une personne qui se trouvait dans une autre pièce, hors de leur vue. L'expérience avait révélé que la majorité des sujets continuait d'envoyer des décharges en dépit des hurlements de douleur qui leur parvenaient de l'autre pièce, tant que la personne symbolisant l'autorité leur en donnait l'ordre. Linda savait qu'elle se rangeait dans ce groupe d'individus. Elle serait rongée par le remords et par le doute, mais elle continuerait à appuyer sur ce bouton jusqu'à ce qu'on lui dise d'arrêter.

Izzy, au contraire, protesterait et finirait probablement par casser la figure du responsable avant d'aller délivrer la victime. Or, dans certains milieux sociaux, cela faisait d'elle une indésirable et une mauvaise graine.

Jusqu'à sa liaison avec Ben, Linda n'avait jamais désobéi et elle jugeait sévèrement ceux qui enfreignaient les règles. Pendant des années, elle avait tourmenté Margie et Fred, parce qu'elle avait décrété que sa mère devait respecter l'engagement pris envers son premier mari, même dans la mort. Quant à son père, il incarnait bien sûr à ses yeux la désobéissance suprême, puisqu'il avait transgressé la plus stricte de toutes les règles : « Ne pars pas. Ne m'abandonne pas. Aime-moi pour toujours. » Elle l'avait haï pour cette désertion, mais il lui avait fallu des années de psychothérapie pour en prendre conscience.

Artistiquement non plus, elle ne prenait jamais de risques. Elle se pliait aux conventions et respectait les canons qui font qu'une image est considérée comme belle. Elle avait été encensée, portée aux nues pour ce conformisme et avait reçu des sommes indécentes pour des photographies d'art ou de presse que secrètement elle jugeait banales et mièvres — ce qui était aussi l'opinion de Ben.

Par réflexe, elle composa le numéro d'Izzy et fut surprise d'entendre Erik lui répondre.

— Salut, dit-il.

Dans ce simple mot, Linda réussit à entendre toute la honte et tout le désespoir qui tourmentaient son mari. Elle ne releva pas. À cet instant, elle ne se sentait pas capable de gérer les émotions d'Erik, pas plus que d'affronter ce qu'il avait fait. Dans son échelle de valeurs, la trahison financière était pire que l'infidélité. Elle ignorait ce que l'avenir leur réservait et pour l'heure elle n'avait pas la force d'y réfléchir. Elle lui avait pardonné avant même qu'il passe aux aveux, sans aucune arrière-pensée. Mais cela ne l'empêchait pas de le détester pour ce qu'il avait fait.

— Tu l'as trouvée, dit-elle, soulagée.

Elle sentit peser sur elle le regard d'Emily et de Trevor.

— Non. Elle a laissé son téléphone. Il traînait par terre dans la chambre de Trevor.

Elle fit un signe de tête aux enfants, qui baissèrent les épaules de découragement. Izzy venait de rompre la dernière amarre qui la retenait encore à eux. Elle avait quitté le port et Linda en était terrifiée.

— Je vais la trouver, je te le promets, reprit Erik.

Il y tenait plus que tout, Linda l'entendait dans sa voix. Il voulait être le héros de cette histoire.

— Elle a fait une recherche dans Google, enchaîna-t-il. Camilla Novak, ce nom te dit quelque chose ?

Linda fouilla dans les bases de données de son cerveau fatigué.

— Non, finit-elle par répondre.

— Il y a une adresse à SoHo. C'est à deux minutes d'ici.

Linda plongea la main dans son sac et en sortit un Bic sans bouchon ainsi qu'un ticket de caisse du café où elle s'était envoyée en l'air avec Ben quelques heures plus tôt. Cela lui rappela qu'elle aussi avait des choses à se reprocher.

— Dicte, dit-elle plus sèchement qu'elle ne l'aurait voulu.

Elle nota l'adresse tout en demandant à Erik pourquoi Izzy avait pris un métro en direction du nord de la ville.

— J'en sais rien, mais elle a fait une recherche sur Kristof Ragan. Tu connais ?

— Non plus.

Elle inscrivit le nom.

— Autre chose ?

— Elle a surfé sur le site d'une boîte appelée

Services Unlimited. Une société de personnel temporaire qui semble servir de couverture à un réseau de call-girls. Bizarre.

— Qu'est-ce qu'elle irait faire sur ce genre de site ?

— Aucune idée.

— Quoi d'autre ?

— American Express. Elle a probablement consulté les relevés de sa carte de crédit.

— C'est tout ?

— Oui. Tu vas communiquer tout ça à la police ?

— Forcément.

— D'accord.

Après une courte pause, il ajouta :

— Laisse-moi un peu d'avance. Si je la trouve le premier, je parviendrai peut-être à la convaincre de prendre un avocat. Elle a déjà assez payé. Il ne manquerait plus qu'elle soit placée en garde à vue.

À ce moment-là, l'inspecteur Crowe revint dans la pièce, rapportant des sodas pour les enfants et un café pour elle. Il s'était aspergé d'eau de toilette et Linda en avait les sinus irrités.

— D'accord, dit-elle à Erik. Appelle-moi quand tu auras trouvé quelque chose.

Elle raccrocha et glissa dans sa poche le

papier sur lequel elle avait griffonné. Elle regarda l'inspecteur et lui adressa un sourire de gratitude pour le café qu'il lui tendait.

— Il est en train de consulter l'ordinateur, dit-elle. Il nous rappelle.

Crowe opina et lui tendit sa carte de visite.

— Appelez-moi sur mon portable s'il trouve quoi que ce soit.

— Où allez-vous ?

— J'ai une piste à suivre.

Quand leurs regards se croisèrent, il lui en coûta de ne pas pouvoir répéter ce qu'elle savait à cette figure de l'autorité. L'inspecteur s'était montré franc avec elle en lui confiant tout ce qu'il avait appris à propos du mari d'Izzy. Elle se sentait coupable de lui taire ces informations, même si ce n'était que pour donner à Erik un peu d'avance afin qu'il tente de raisonner sa folle de sœur. Elle fut soulagée quand il gagna la porte.

Au moment de sortir, il s'arrêta, la main sur la poignée, et se retourna vers elle.

— Je serais curieux de savoir. Est-ce qu'il vous est jamais arrivé de penser que votre beau-frère n'était pas celui qu'il prétendait être ? Vous rappelez-vous un détail qui aurait pu vous faire douter de lui ?

Cette idée lui trottait dans la tête depuis que

l'inspecteur lui avait parlé de l'homme porté disparu et de son identité usurpée. Mais, à part la méfiance que lui inspirait Marcus et son sentiment qu'il n'était pas assez bien pour sa sœur, il n'y avait rien, pas un indice qui puisse les aider. C'est ce qu'elle répondit à Crowe.

— Eh bien réfléchissez-y et faites-moi signe si un détail vous revient, aussi insignifiant soit-il.

Puis il ajouta :

— Est-ce que le nom de Camilla Novak vous évoque quelque chose ?

Incapable de soutenir son regard, elle baissa les yeux.

— Non.

L'inspecteur laissa passer une seconde avant d'ajouter :

— Vous en êtes certaine ?

Elle hocha la tête et s'obligea à le fixer d'un air franc et sincère.

— Pourquoi me demandez-vous ça ? Qui est cette femme ?

— Quelqu'un qui pourrait avoir des informations. Appelez-moi, dit-il.

Puis il quitta la pièce.

— Tu viens de lui mentir ! s'indigna Emily dès que l'inspecteur eut disparu.

Linda songea un instant à nier, mais elle

n'en eut pas le courage, surtout à voir la façon dont ses enfants la dévisageaient.

— Motus, dit-elle en venant s'asseoir près de sa fille.

Elle la prit par les épaules.

— Tu as menti à la police ! s'exclama Trevor d'une voix angoissée.

Il avait la même expression que le jour où Linda avait dû lui avouer que le père Noël n'existait pas.

— Je fais ça pour que papa ait un peu d'avance sur eux, expliqua-t-elle à voix basse tout en surveillant la porte. Parce que nous voulons retrouver votre tante les premiers.

— Mais tu disais que j'avais bien fait, s'offusqua Trevor.

— Oh, arrête un peu de pleurnicher, répliqua sa sœur.

— Tu as très bien fait, le rassura Linda. Et maintenant encore nous faisons ce qui nous semble le mieux.

Rien n'était jamais tout noir ou tout blanc, aurait-elle voulu lui dire. Elle lui ouvrit les bras et il vint s'asseoir sur ses genoux. Il n'était pas encore trop grand pour ça. Emily prit la main de son frère et la serra très fort. Il leur arrivait d'être odieux l'un envers l'autre et de se lancer à la tête les pires horreurs, mais Linda savait qu'il existait entre ces deux-là un amour féroce, le même que celui qui l'unissait à Izzy. Maintenant que leur vie vacillait sur ses bases à un point dont ils n'étaient même pas encore conscients et que leur univers menaçait à chaque instant de s'écrouler, il leur restait au moins ça. Il leur resterait toujours ça.

12

Elle se vidait lentement de son sang. La panique et la volonté de survivre faisaient battre ses paupières comme les ailes d'un papillon. Sa respiration n'était plus qu'un souffle rauque de désespoir. Quand il vit sa main agitée d'un tressautement et ses yeux rouler dans leurs orbites, il détourna le regard. Il était extrêmement contrarié et cette contrariété lui donnait la migraine.

Il avait enfreint la première de ses propres règles : minimiser les pertes, ramasser tout ce qu'on pouvait et prendre la fuite au premier problème. L'attachement et l'arrogance, voilà pourquoi il se retrouvait dans cette situation. La mise en garde de Sara résonnait encore à ses oreilles.

Il alla s'asseoir sur le canapé et, le menton posé sur son poing fermé, il la regarda. Il y avait eu un temps où il avait cru pouvoir l'aimer.

Mais elle s'était offerte à lui trop facilement et sa passion pour elle s'était vite refroidie.

Il avait fait la connaissance de Marcus Raine chez Red Gravity où ils travaillaient tous les deux comme programmeurs. Ils avaient grandi dans le même pays, à quelques kilomètres l'un de l'autre, mais Marcus Raine ne tenait à se lier avec personne et surtout pas avec un compatriote. Ses collègues riaient de lui derrière son dos. Ils disaient qu'on le débranchait en fin de journée et qu'il restait là, inerte à son bureau, jusqu'au matin. Il était encore à son poste quand tout le monde partait le soir et il y était déjà quand ils arrivaient le matin. Il semblait posséder la même tenue vestimentaire en cinq exemplaires. Pantalon noir et chaussures de marche, chemises dans des tons bruns ou gris. La fille de la réception avait pris des notes : marron le lundi, anthracite le mardi, ardoise le mercredi, chocolat le jeudi et gris métallique le vendredi. Quel que soit le temps, il portait toujours la même veste trois quarts en cuir, été comme hiver, qu'il pleuve ou qu'il vente. Seules exceptions : quand il faisait vraiment très froid il se coiffait parfois d'un bonnet de laine et s'il faisait très chaud il tombait la veste.

Lui-même était à peine plus sociable que

Marcus Raine et ne se joignait jamais aux rires. Mais cela aussi faisait partie de son plan, de sa volonté de se fondre dans le décor. Assez amical pour ne pas s'isoler du groupe, mais jamais trop proche non plus. Cette stratégie avait été payante. Il était presque certain que ses collègues de travail ne se rappelaient même pas son nom. Lui-même l'oubliait parfois et pouvait passer plusieurs jours sans y penser. À présent, après toutes ces années, ce nom de Kristof Ragan semblait appartenir à un autre, à un homme qui avait mené une vie insignifiante et que tout le monde avait effacé de sa mémoire.

Leurs plaisanteries au sujet de Raine masquaient en réalité beaucoup de ressentiment, car Marcus avait été l'un des premiers employés de la boîte. Engagé bien avant les autres à un salaire fixe très bas, il s'était vu proposer en compensation un gros paquet d'actions de la société. Quand celle-ci était entrée en Bourse, Raine était devenu un homme riche. Pour le récompenser de sa loyauté, la direction avait en outre augmenté son salaire. Selon la rumeur — et dans les petites entreprises les rumeurs vont bon train —, il gagnait presque autant que le P-DG de la boîte. Mais Kristof Ragan n'enviait pas sa réussite à Marcus. Ce qu'il éprouvait à l'égard de son collègue était moins de la jalousie que de la curiosité. Il se demandait comment on vivait dans la peau d'un Marcus Raine.

Quand elle travaillait, et elle n'avait pas besoin d'être assise à son ordinateur pour cela, Isabel avait toujours la même expression. Elle penchait la tête sur le côté d'un air pensif, le regard perdu dans le lointain. Elle se retranchait dans cet espace mental quand elle voulait comprendre et imaginer, se glisser dans la peau de quelqu'un qu'elle n'était pas. La transformation, pour fascinante qu'elle fût, ne lui était pas étrangère. Toute sa vie, il avait lui aussi été habité par des désirs identiques, mais pour des raisons très différentes.

C'était Camilla, la petite amie de Raine, qui l'avait poussé à agir. Tout avait commencé le jour où Raine avait oublié son déjeuner chez lui. Chaque matin il apportait son repas au travail. C'était toujours le même. Une tranche de viande sur du pain complet et un fruit. Comme boisson, il buvait l'eau de la fontaine réfrigérée dans une tasse qu'il rinçait au lavabo de la salle de repos des employés avant de la ranger dans un tiroir de son bureau. Ses gestes étaient réglés comme du papier à musique et sa routine était immuable. Personne n'aurait imaginé Raine avec une femme comme Camilla. Un corps mince et ferme, une chevelure blond platine, une petite voix flûtée, des jambes d'une longueur impressionnante juchées sur des chaussures rouges à hauts talons. Quand elle avait fait son entrée habillée d'une petite robe à fleurs, l'air s'était chargé d'électricité.

— Je peux laisser ça pour Marcus Raine ? avait-elle demandé, montrant le sac de papier kraft qu'elle tenait à la main.

— Je vais l'appeler, avait répondu l'employé de la réception avec un empressement exagéré. Quel est votre nom ?

La fille avait hésité et promené un regard autour d'elle.

— Camilla, avait-elle fini par répondre.

Le bureau d'accueil faisait face à la porte d'entrée et derrière lui s'alignaient les box où les gens travaillaient. Les uns après les autres, les employés avaient trouvé un prétexte pour jeter un coup d'œil par-dessus la cloison de leurs cubes, telles des marmottes sortant la tête de leurs terriers. De l'endroit où il se trouvait, lui-même avait une vue directe sur la réception. Raine s'était levé, avait marché jusqu'à l'accueil et pris le sac de papier des mains de la fille. Le visage de Camilla s'était illuminé à son approche, son sourire s'était élargi quand il l'avait enlacée par la taille et embrassée. Raine lui avait glissé quelques mots en tchèque à l'oreille et elle était partie d'un éclat de rire aussi cristallin que le bruit de glaçons tombant dans un verre.

À compter de ce jour, Marcus Raine avait cessé d'être un sujet de plaisanteries. Sur le visage de ses collègues de travail, les sourires moqueurs s'étaient effacés, remplacés par un froid rictus d'envie.

Cela faisait longtemps qu'il n'avait plus repensé aux circonstances de sa première rencontre avec Camilla, ni au désir qu'il avait éprouvé dès ce premier instant. Un désir différent de celui qu'il ressentait pour Isabel, lequel était plus intellectuel et moins passionné. Son amour pour Isabel sublimait la partie le plus noble de sa personnalité, tandis que Camilla réveillait l'animal en lui.

Il avait revu la jeune femme une semaine plus tard. Mais cette fois la rencontre n'avait rien de fortuit. Il était resté à son poste de travail jusqu'au départ de Raine, qu'il avait vu passer derrière la cloison de son box. Puis il avait ramassé ses affaires en toute hâte et dévalé l'escalier pendant que le vieil ascenseur transportait Raine au rez-de-chaussée. Au moment précis où il était sorti de la cage d'escalier, Raine franchissait les portes vitrées débouchant sur Canal Street. Il était presque 20 heures, mais c'était l'été et il faisait encore jour dehors.

L'air chaud, chargé d'humidité, avait aussitôt fait perler des gouttes de sueur à son front. Il avait suivi Raine à distance dans l'agitation des rues, longeant les magasins de matériel électronique — trous béants au rez-de-chaussée des immeubles d'où sortait un vrombissement de basse craché par des haut-parleurs —, longeant les stands de contrefaçons au milieu des gaz d'échappement et des fumets de canard rôti.

Resplendissante dans un simple chemisier bleu et une jupe assortie, les pieds chaussés de fines tongs, Camilla attendait Raine à l'entrée de la station de métro. Elle était comme une bouffée d'air pur au milieu de la crasse de New York. Raine avait déposé un rapide baiser sur sa joue, après quoi le couple s'était engouffré dans la bouche de métro.

Il avait grimpé en même temps qu'eux dans la rame et les avait observés à travers la vitre sale qui séparait les deux wagons. Raine avait passé son bras autour des épaules de Camilla et de son autre main tenait les doigts délicats de la jeune femme. Ainsi enlacés, totalement absorbés l'un par l'autre, ils ne prêtaient aucune attention au monde qui les entourait. Elle levait vers lui un visage éclairé par un large sourire. Quant à Raine, c'était un tout autre homme. Gai, vif, détendu, à des années-lumière de la gargouille que connaissaient ses collègues de bureau. Il n'avait plus rien de l'individu à l'œil morne perpétuellement rivé à l'écran de son ordinateur, qui mangeait son sandwich en solitaire dans la salle de repos, répondait aux questions en marmonnant et envoyait des mails laconiques ne dépassant jamais une ligne. À voir l'expression peinte sur le visage de sa compagne, on l'aurait pris pour l'être le plus séduisant qui ait jamais foulé la surface de la terre.

Quand le couple était ressorti du métro dans l'Upper West Side, il avait poursuivi sa filature et les avait vus pénétrer dans un élégant immeuble d'avant-guerre gardé par un portier en livrée bleu marine. Resté seul sur le trottoir, il avait été submergé par un désir qu'il n'avait jamais ressenti jusque-là. Au point d'en avoir la nausée en pensant au trou à rat qu'il partageait avec son bon à rien de frère à Williamsburg. Le salaire qu'il touchait lui aurait permis de vivre comme un prince dans son pays, mais ici il vivotait misérablement alors que tout ce qu'il avait toujours voulu posséder s'étalait sous son nez.

Il avait vite compris que la malhonnêteté était la seule façon de faire fortune dans ce pays. Les riches Américains enviés de tous n'étaient pas arrivés là où ils étaient grâce à leur labeur acharné, et contrairement à ce qu'ils voulaient faire croire ils ne s'étaient pas hissés jusqu'au sommet grâce à leur probité. Ils devaient leur situation à la chance, à l'image de Marcus Raine, ou alors ils avaient dû voler, escroquer et même parfois tuer pour réussir. Or cette pensée, loin de l'indigner, lui ouvrait l'appétit et stimulait sa créativité.

Au contraire de son frère, Ivan n'avait jamais eu le projet de parvenir à ses fins par les études et le travail. Dès son arrivée sur le sol américain, il s'était acoquiné avec des individus louches, deux frères associés à la mafia albanaise qui vivaient de petits larcins, dévalisant les gens aux distributeurs et convoyant des filles fraîchement débarquées du pays qui rêvaient de devenir mannequins et finissaient dans un club de strip-tease glauque, accros à la métamphétamine. Ivan se faisait un paquet de fric, malgré son intelligence limitée et son manque évident de maturité. Dans les boîtes de nuit, dans les restaurants, c'était toujours lui qui payait la note en grand seigneur.

Plus tard ce jour-là, durant l'interminable trajet qui le ramenait à Brooklyn, il avait réfléchi aux raisons qui l'avaient incité à émigrer dans ce pays et à ce qu'il avait espéré y accomplir. Son projet n'était pas de devenir un quelconque employé obligé de se plier aux règles. Il ne se voyait pas trimant comme un esclave dans un bureau, ni quémandant la permission de prendre quelques jours de repos quand il était malade, son seul temps libre relégué à la fin de ses sinistres journées de labeur et limité à deux ridicules semaines de congés payés que l'entreprise lui accorderait une fois par an. Tout à coup, il lui était apparu qu'Ivan, qu'il avait toujours considéré comme un fainéant et un imbécile, avait raison depuis le début.

Quand il était rentré à leur appartement, il avait trouvé son frère vautré sur le canapé, au milieu d'un tas d'emballages de fast-food. Il avait déboutonné sa braguette pour libérer sa panse et fixait l'écran de la télévision d'un regard vide. Sa respiration régulière et profonde aurait pu laisser croire qu'il dormait, pourtant il était bien éveillé puisqu'il avait levé sa main en l'air en signe de salut.

Kristof Ragan était entré, avait claqué la porte derrière lui et déposé la sacoche de son ordinateur portable par terre, aux pieds de son frère. L'appartement était un taudis meublé d'un canapé récupéré dans la rue, d'une vieille table, de deux chaises en plastique et de deux matelas qu'ils déroulaient le soir pour se coucher. Des draps tendus devant les fenêtres faisaient office de rideaux. L'endroit n'avait pas vu un balai depuis la dernière fois que l'exaspération avait poussé Kristof à faire le ménage, et cela faisait déjà un bon mois. Mais pour l'heure les questions ménagères étaient le cadet de ses soucis.

— Ivan, avait-il dit. Je viens d'avoir une idée.

— Quel genre d'idée ? lui avait demandé son frère d'une voix morne.

Face à lui, un téléviseur Sony avec écran géant, une PlayStation, un lecteur de DVD ainsi qu'une chaîne stéréo et des haut-parleurs occupaient tout le pan de mur. Ivan ne se douchait pas tous les jours, mais il prenait grand soin de son matériel électronique apparu mystérieusement dans l'appartement quelques semaines plus tôt. Son frère ne savait pas s'il l'avait acheté ou volé, et ne voulait pas le savoir.

Il avait parlé de Marcus Raine et exposé son projet.

— Je te l'ai dit et répété pendant toutes ces années, lui avait répondu Ivan en rigolant. Tu travailles trop pour ce que ça te rapporte. Qu'est-ce qui t'a fait changer d'avis ? Me dis pas que c'est cette meuf.

Il n'aurait pas pu dire ce qui avait déclenché en lui cette métamorphose soudaine. Sur le moment, il avait effectivement pensé que c'était Camilla, mais la réponse n'était pas là. C'était comme s'il était fatigué de nager à contre-courant de sa vie. Il en avait fini de faire des pieds et des mains et avait décidé dorénavant de se laisser porter par les flots. Riant toujours, Ivan lui avait envoyé une claque dans le dos et l'avait félicité de regarder enfin la réalité en face. À dater de ce jour, les deux frères s'étaient attelés à la tâche. Cela lui semblait si lointain. Il était alors un autre homme et vivait sous un autre nom.

Camilla restait superbe, même dans la mort. Il se tenait au-dessus de son cadavre et se remémorait la chaleur de sa peau, son corps accueillant. Il avait toujours cru qu'elle sentait le mal en lui et que ça l'excitait. Mais il se trompait. Quand elle avait enfin compris qui il était, elle s'était retournée contre lui.

Il s'accroupit, remit en place le col de son chemisier blanc et aperçut un peu de la dentelle du soutien-gorge qui enveloppait sa poitrine sculpturale. Les Françaises et les Italiennes étaient célébrées pour leur beauté sensuelle, mais les femmes tchèques, grandes et minces, aux traits fins et durs à la fois, on n'en parlait jamais. C'était peut-être à cause de leur froideur. Leur âpreté apparente était aussi celle de Prague. En comparaison de la ville tchèque, Paris faisait pâle figure, et pourtant Prague n'était pour les Américains qu'une étape de quelques jours dans leur tour d'Europe. Elle ne faisait pas rêver, pas comme la Ville lumière qui brillait de tous ses feux et dansait, la jupe relevée, en offrant ses trésors à la vue de tous. Discrète et réservée, Prague ne donnait à voir sa perfection qu'à la dérobée.

— Il y a longtemps que j'aurais dû te tuer, murmura-t-il.

La sonnerie de l'interphone retentit soudain et une sorte de courant électrique le traversa de part en part. Le cœur battant, toujours accroupi près du corps, il se figea et retint son souffle. On sonna de nouveau. Puis tout redevint silencieux. Un instant plus tard, il entendit l'interphone résonner dans plusieurs appartements.

Le visiteur espérait sans doute qu'un habitant de l'immeuble lui ouvrirait.

Une porte se déverrouilla, s'ouvrit brièvement et se referma. L'écho de son claquement se répercuta dans la cage d'escalier. Puis le silence revint et il commença à se détendre. Mais, quand il vit tourner la poignée, il se rappela trop tard qu'il avait oublié de pousser le verrou.

13

Je l'ai aperçue en quittant l'immeuble de Linda. Elle était assise à l'intérieur d'une Chevrolet Caprice banalisée garée de l'autre côté de la rue et tentait de se cacher derrière un journal. Mais j'ai tout de suite reconnu la chevelure blonde de Jesamyn Breslow et entraperçu une partie de son visage quand elle a tourné la page de son journal. Je comprenais maintenant pourquoi j'avais eu si peu de mal à m'éclipser. Ils croyaient que je pouvais les mener à mon mari.

L'envie ne m'a pas manqué de marcher jusqu'à sa voiture, de cogner à sa vitre et de lui dire ce que j'avais sur le cœur. Au lieu de faire leur boulot de flics, ils préféraient me filer. Alors que je n'en savais pas plus qu'eux et que je me contentais de suivre les maigres pistes sur lesquelles ils m'avaient orientée sans le vouloir. Mais j'ai préféré prendre la direction de la station de métro de Prince Street. J'ai entendu sa portière claquer et compris qu'elle venait de sortir de son véhicule. Allongeant le pas, je me suis enfoncée dans les profondeurs de la station.

Un rapide coup d'œil par-dessus mon épaule m'a permis de vérifier qu'elle me suivait, toujours abritée derrière son journal. J'ai réussi à la semer en me glissant dans une rame bondée. Je suis descendue un arrêt plus loin, à Astor Place, et j'ai repris la rame suivante qui repartait vers le sud de Manhattan. En ressortant du métro, je me suis rendue à l'adresse de Camilla Novak, au coin de West Broadway et de Broome Street. J'ai toujours adoré SoHo, son mélange d'élégance et de branchitude, d'épate et de crasse, ses galeries d'art et ses boutiques chic aux loyers exorbitants, ses petits immeubles résidentiels, ses cafés italiens et ses restaurants ultra-tendance. Ce quartier, autrefois baptisé « district de la fonte », abritait toujours d'imposants bâtiments d'époque aux fenêtres gigantesques, dont les lofts des derniers étages étaient très convoités pour l'espace qu'ils offraient, leur luminosité et leurs loyers modérés. Les artistes s'y étaient installés illégalement dès le début des années 1970, transgressant le découpage social traditionnel de la ville, mais celle-ci était alors en pleine dépression et avait bien d'autres chats à fouetter, avec une criminalité en hausse et une économie en pleine déconfiture.

Quand je suis arrivée à l'adresse que j'avais notée, j'ai appuyé avec insistance sur le bouton de l'interphone. « Novak, 4A » était griffonné sur sa boîte à lettres, sinon je n'aurais pas su sur quel bouton appuyer. J'ai alors compris pourquoi on conseillait de ne jamais inscrire son nom à côté d'un interphone installé sur la rue.

Je n'ai obtenu aucune réponse. Après tout, rien ne me permettait d'affirmer que Camilla se trouvait chez elle quand je lui avais parlé sur son portable. Du reste, elle pouvait être sortie depuis, craignant que je ne la retrouve en cherchant ses coordonnées sur Internet, ce que j'avais justement fait. C'est elle qui avait cherché à prendre contact avec moi, alors pourquoi avait-elle changé d'avis ?

J'ai sonné de nouveau. N'obtenant toujours pas de réponse, j'ai appuyé sur d'autres boutons en espérant que quelqu'un me laisserait entrer. Je n'avais pas d'idée précise de ce que je ferais une fois à l'intérieur. J'étais en pilotage automatique, j'obéissais à mon instinct sans me projeter au-delà de l'instant présent.

J'étais sur le point de renoncer quand une voix a grésillé dans le haut-parleur.

— Qui est-ce ?

— C'est Camilla. J'ai oublié mes clés.

— Encore ? a croassé la voix âgée. C'est la dernière fois.

J'ai entendu un déclic et j'ai poussé la porte. Le hall d'entrée était carrelé en damier et les murs nus en béton étaient éclairés par une lumière pâle tombant du palier du premier étage. Et maintenant, grosse maligne ? ai-je pensé en poussant une seconde porte qui ouvrait sur la cage d'escalier.

Passant la tête à l'intérieur, j'ai entendu un chat miauler et les éclats de voix d'un jeu télévisé. Quelque part, un bébé pleurait. Alors que je grimpais les premières marches, prise du désir instinctif d'appeler ma sœur, j'ai tâté le renflement de mon sac à la recherche de mon téléphone. En me rappelant que je ne l'avais plus, j'ai soudain senti l'angoisse monter.

Au quatrième étage, j'ai marqué un temps d'arrêt avant de m'avancer dans la lumière diaphane filtrant à travers le verre dépoli d'une fenêtre au bout du couloir. L'appartement 4A était le premier sur ma droite. J'ai regardé la porte. Elle avait visiblement été repeinte récemment, parce qu'elle était d'un noir brillant qui tranchait sur le gris terne des autres. Que devais-je faire, maintenant ? Frapper ? Coller mon oreille à la porte ? J'ai envisagé un instant de tourner les talons, de suivre les conseils d'Erik et de me rendre chez son avocat. Mais j'ai finalement posé ma main sur la poignée. La porte n'était pas verrouillée, ce qui n'était pas bon signe.

La raison aurait voulu que je batte en retraite car je savais pertinemment que ma position était plus que délicate. Pourtant j'ai poussé la porte et je me suis avancée sur le seuil de l'appartement tel un lemming courant vers le précipice.

Les stores étaient baissés. Dans la pénombre, j'ai entendu la sonnerie mélodieuse et légère d'un portable. Elle s'est interrompue un instant avant de reprendre de plus belle. Je suis restée figée dans l'encadrement de la porte, la main sur la poignée. Puis je me suis décidée à faire un pas sur le parquet de l'entrée.

— Camilla ? ai-je appelé.

Le téléphone avait cessé de sonner et dans le silence je ne percevais plus que le brouhaha lointain de la rue. L'appartement, bien rangé, était meublé simplement : un canapé beige et un fauteuil assorti, une table basse, un vieux téléviseur installé près de la fenêtre, un grand tapis d'Orient au sol, quelques affiches dans des cadres bon marché aux murs, un plaid gris négligemment jeté sur un repose-pieds. La sonnerie a recommencé à se faire entendre. Elle venait d'un sac à main posé près d'un manteau sur le canapé.

J'ai avancé dans sa direction. Et soudain je l'ai vue, gisant par terre, ses jambes pudiquement repliées sur le côté. Une flaque rouge s'était formée sur le parquet. Le sang avait imprégné ses vêtements et aspergé le mur blanc. Sa gorge d'une pâleur diaphane était entièrement traversée par une entaille hideuse au point d'en paraître irréelle. Son pantalon de toile clair et son chemisier blanc étaient tout tachés.

Partant de ma blessure, une douleur lancinante m'a traversé le crâne et s'est frayé un chemin le long de mon échine. Je voulais graver dans ma mémoire la scène que j'avais sous les yeux et tenter d'en analyser le moindre détail, mais autour de moi la pièce s'est mise à tanguer. J'ai été secouée d'un haut-le-cœur tandis qu'un désir irrépressible de fuir s'emparait de moi. C'est alors que, du coin de l'œil, j'ai cru percevoir un mouvement dans mon champ de vision.

— Ne te retourne pas, Isabel, m'a ordonné une voix.

Mais bien sûr je me suis retournée et il était là. Mon mari, mon amant, l'inconnu avec qui j'avais partagé plusieurs années de ma vie. J'ai tendu les bras vers lui, mais il a reculé. Les liens qui la veille encore nous unissaient avaient été rompus. Je me tenais sur le rivage et je le regardais s'éloigner sur l'eau, encore visible mais déjà hors d'atteinte.

— Pourquoi ? lui ai-je demandé.

Baissant les yeux, j'ai aperçu son pistolet, ainsi que le sang sur ses mains et sur sa chemise.

Je suis restée sans réaction. Normalement j'aurais dû crier, implorer, sangloter, et pourtant j'avais la sensation de flotter hors de mon corps, de contempler de très haut le cadavre allongé au sol et les mains de mon mari tachées de sang. En surface, il me paraissait si familier. Mais ses profondeurs n'étaient que mystère, un continent inexploré que je n'aurais plus jamais la chance de découvrir.

— Pourquoi as-tu fait ça ?

Mes paroles sont restées suspendues dans l'air, tandis que les spasmes de la nausée me déchiraient le ventre. J'ai contemplé le corps inerte de Camilla Novak et j'ai compris que tout était fini. Une porte s'était refermée et aucun de nous ne la franchirait plus jamais.

Notre destin commun s'achevait là. Pourtant je n'éprouvais aucune colère, aucun besoin de hurler ni de pleurer. La fille couchée par terre était morte. Mais moi je ne l'étais pas. Je me déplaçais dans l'espace avec des gestes mécaniques, comme si mon âme venait de m'être arrachée.

— Je n'ai pas de réponse à te donner, m'a-t-il rétorqué calmement, aucune que tu puisses comprendre.

Sa voix grave et froide semblait sortir tout droit de ces profondeurs ignorées. Je ne savais plus rien de mon mari et si on me l'avait demandé je n'aurais pas pu trouver chez lui un seul détail solide à partir duquel extrapoler et expliquer tout le mal qu'il avait fait.

J'ignore combien de temps nous sommes restés ainsi face à face tels deux étrangers qui se seraient croisés dans une vie antérieure. Quand enfin il s'est dirigé vers la porte, j'ai voulu le suivre, mais il a levé son pistolet et je me suis figée. J'ai observé son visage pareil à un astre distant et glacial. Il se servirait de son arme sans la moindre hésitation. Il m'abattrait sur place et s'en irait tranquillement. La blessure était trop profonde pour que j'en ressente encore la morsure.

— Renonce à me chercher, m'a-t-il dit de

ce ton inflexible que je lui connaissais bien. Oublie-moi et recommence une nouvelle vie. Ça vaudra mieux.

Je crois que je lui ai souri. Et puis soudain, sous l'hébétude, a percé une rage violente supplantant tout l'amour que j'avais jamais eu pour lui. La volte-face a été fulgurante.

— Si tu crois pouvoir t'en tirer comme ça, tu te trompes lourdement. Je te retrouverai, même si je dois te chercher jusqu'à ma mort.

J'ai vu passer l'espace d'un instant une vague émotion sur ses traits. De la peur, de la colère, de la pitié, je n'aurais pas su le dire. Il a continué à avancer vers la porte et je n'ai pas tenté de l'arrêter. J'ai fermé les yeux et, quand je les ai rouverts, il était parti.

DEUXIÈME PARTIE

LA MORT AUX TROUSSES

« Le caractère nous donne des qualités,
mais c'est dans les actes
– dans ce que nous faisons –
que nous sommes heureux ou le contraire…
Tout le bonheur et la misère de l'homme
prennent la forme d'une action. »

ARISTOTE

« Écrire un roman, c'est comme conduire
une voiture en pleine nuit.
On ne voit pas plus loin
que le faisceau de ses phares,
mais on peut faire
comme ça tout le voyage. »

E. L. DOCTOROW

14

— Tu veux dire qu'il n'y a jamais de nouveaux jours ? me demanda Trevor.

Il était jeune, beaucoup trop jeune pour une crise existentielle.

— Il n'y a que les mêmes jours qui se répètent tout le temps ?

Son visage avait une expression presque horrifiée. Il refusait de croire que la vie puisse être aussi banale et réserver si peu de surprises. Linda était en rendez-vous avec son agent et Erik était parti quelques jours en voyage avec Emily. Trevor et moi avions projeté une visite dans une boutique de Washington Square spécialisée dans les jeux d'échecs, suivie d'un goûter hypercalorique que ses parents ne lui auraient jamais permis de manger. Il devait avoir dans les cinq ans à l'époque.

Nous avions traîné près d'une heure dans le magasin, admirant des pions de toutes les tailles et de toutes les formes : des dragons et des sorciers, des personnages inspirés d'*Alice au pays des merveilles* ou des *Schtroumpfs*. Il y avait des échiquiers ouvragés en marbre et en verre, en stéatite, en plastique. Finalement, Trevor avait opté pour un jeu en bois tout simple avec des pions sculptés à la main. Trevor, notre puriste. Nous étions assis sur un banc dans le parc, près des tables où les joueurs d'échecs disputaient des parties chronométrées. Autour de nous, les feuilles des arbres viraient à l'ocre. Les étudiants de l'université promenaient de gros sacs à dos, des gamins s'entraînaient à sauter avec leurs skateboards et un SDF agressif faisait tinter des pièces de monnaie dans un gobelet.

— Mais comment tu sais ? Tu peux pas savoir ce qui va arriver pour toujours ? avait-il insisté, toujours très pragmatique. Personne peut savoir.

Incapable de lui fournir une explication convaincante, je m'étais contentée de hausser les épaules.

— C'est comme ça, c'est tout.

Il était logique qu'il vive dans l'espoir de se réveiller un beau matin pour découvrir que nous n'étions pas mardi ou samedi, mais ballondi ou bonbondi. Ce jour-là, les choses ne seraient pas comme d'habitude. Les lois de la pesanteur auraient peut-être été modifiées et tout semblerait plus léger. Ou bien le soleil se serait teinté de rose et tout le monde aurait soudain bien meilleure mine.

— Ces repères qui marquent le passage du temps ne sont qu'une invention de l'esprit humain, avais-je expliqué à mon neveu.

À la manière songeuse dont il m'avait dévisagée j'avais fini par croire qu'il avait compris.

— Si les jours sont toujours identiques, c'est parce que les gens les ont faits ainsi. Pour tout maintenir en ordre.

Il avait réfléchi un instant à la question en tirant sur un fil qui dépassait de son jean.

— C'est complètement bête, avait-il fini par lâcher d'un air désemparé.

Je m'en étais voulu de ne pas lui avoir donné l'espoir qu'une fois dans sa vie un jour ne serait pas exactement tel qu'il s'y attendait. Il ne m'en aurait rien coûté d'admettre devant lui que j'avais tort, car il était vrai que je ne savais pas ce qui arriverait pour toujours. J'avais donc fait marche arrière.

— Chaque jour est différent, tu sais. À chaque instant, il peut arriver des choses magiques et surprenantes.

Il avait hoché légèrement la tête, comme si du haut de ses cinq ans il connaissait déjà cette vérité.

— Mais ces choses, elles arriveront toujours un mercredi, ou bien un lundi, avait-il rétorqué, la mine grave.

J'avais toujours vu en Emily le poète de la famille, mais Trevor avait peut-être en lui un peu des tourments de l'artiste cherchant toujours à mettre le monde en harmonie avec la vision qu'il s'en faisait, espérant toujours voir de la poussière d'étoile là où il n'y avait que des cendres.

— Viens, Trevor, allons t'acheter un milk-shake et des frites.

Son visage s'était alors éclairé, comme si cette conversation déprimante n'avait jamais eu lieu. C'était un don de l'enfance, cette aptitude à se laisser distraire des grandes questions par de toutes petites choses.

C'est drôle comme les pensées les plus incongrues vous viennent dans les pires moments de votre vie. J'aurais pu m'élancer à la poursuite de Marcus, mais je ne l'ai pas fait. Je suis restée clouée sur place, abasourdie par la vision de ce corps par terre et par ma rencontre avec Marcus, incapable de réconcilier ma vie présente avec celle que je vivais encore quelques jours plus tôt.

Je me suis agenouillée auprès de Camilla Novak que j'avais reconnue d'après la photo que m'avait montrée l'inspecteur Crowe et j'ai posé ma main sur son épaule. Je venais tout juste de lui parler. Il me semblait impossible qu'elle soit morte. En dépit de tout le sang qu'elle avait perdu, je me suis demandé si elle respirait encore, comme Fred quand je l'avais trouvé livide et baignant dans une flaque rouge. Mais Camilla n'avait pas eu sa chance. Son cadavre était déjà d'une rigidité qui n'avait rien de naturel.

En la touchant, je n'avais pas seulement en tête le noble espoir de lui sauver la vie. Je voulais aussi sentir le contact de cette peau diaphane. À ce moment précis, je n'éprouvais aucune révulsion. Sa chair avait la consistance de l'argile. Quand le cœur cesse d'envoyer du sang dans nos veines, quand nos poumons cessent de se remplir et de se vider, une porte en nous s'ouvre et quelque chose s'en va en abandonnant une scène vide. Le rideau est toujours levé, mais les projecteurs n'éclairent plus que les planches. Que se passe-t-il en ce moment précis ? Assurément plus qu'une panne générale de la machine.

— Confrontés à un cadavre, la première réaction des gens est la fuite, me dirait Crowe par la suite. Il n'y a que dans les films qu'on les voit se pencher pour vérifier si la personne qui baigne dans son sang avec la gorge tranchée est encore en vie. Devant une telle boucherie, le citoyen lambda tombe dans les pommes ou vomit ses tripes.

— Je ne suis pas un citoyen lambda.

— Je commence à m'en apercevoir.

Mais cette conversation n'aurait lieu que beaucoup plus tard.

— Oh, mon Dieu !

Arrachée à mes pensées, je me suis retournée et j'ai aperçu Erik dans l'encadrement de la porte. Il était décomposé, à deux doigts de tourner de l'œil. Instinctivement, il a battu en retraite vers le couloir.

— Ferme cette porte, lui ai-je ordonné. Et verrouille-la.

— Il faut qu'on se tire d'ici vite fait, m'a-t-il rétorqué en jetant un regard affolé derrière lui. On va aller voir cet avocat sans perdre une minute. Mais qu'est-ce que tu fous ?

— Bon sang, Erik, ai-je dit entre mes dents. Tu vas fermer cette porte, oui ?

Il a hésité avant de s'exécuter.

— Qui a fait ça ? Est-ce que tu… ?

— Est-ce que j'ai fait quoi ?

Je l'ai dévisagé d'un air incrédule. Il avait une expression horrifiée et me fixait de ses yeux exorbités qui me rappelaient ceux de Trevor.

— Alors qui ?

J'ai ramené mon regard sur le corps de Camilla Novak, sur ses jambes longues et fines, sur la dentelle de son soutien-gorge qui dépassait de son chemisier. Sur la table basse, on distinguait encore la marque de son rouge à lèvres sur le bord d'une tasse de café à moitié pleine. Sa veste et son sac à main étaient négligemment jetés sur le canapé. Elle était sur le point de sortir quand Marcus s'était présenté à sa porte. Elle l'avait laissé entrer. Certes, il pouvait l'avoir trompée pour la convaincre d'ouvrir la porte de la rue, mais elle n'aurait pas ouvert celle de son appartement avant de l'avoir vu. Elle le connaissait. Voilà pourquoi elle lui avait ouvert et l'avait laissé entrer chez elle. Ensuite, il l'avait tuée.

— Marcus était ici, ai-je dit.

— Comment ça ? Tu l'as vu ?

J'ai hoché la tête tout en repensant à l'expression que j'avais lue sur les traits de mon mari. Ce n'était ni de la haine ni de la colère, mais une expression que je connaissais bien, un mélange d'exaspération rentrée et de dédain. Qui était-il ?

— C'est lui qui l'a tuée ?

— Elle était le seul lien tangible avec le véritable Marcus Raine, ai-je répondu d'une voix dénuée de toute trace d'émotion.

Je me suis levée pour prendre le sac de Camilla sur le canapé.

— Qu'est-ce que tu fais ?

C'était une contrefaçon de mauvaise qualité dont les coutures commençaient à lâcher. J'ai fouillé son contenu. Un téléphone portable rose bonbon, un portefeuille violet à paillettes, deux tubes de gloss, du mascara, une pince à épiler. Soudain je suis tombée sur une chose que je ne m'attendais pas du tout à trouver là.

— Tu es en train de laisser tes empreintes digitales partout, m'a fait remarquer Erik, les pouces coincés sous les aisselles de ses bras fermement croisés.

Les séries télévisées avaient fait de nous de vrais experts en criminologie.

— Tu sais ce qu'elle m'a dit de lui le soir de mes fiançailles ?

— Qui ça ? De quoi tu parles ?

— Linda, ai-je répondu, agacée qu'il n'arrive pas à suivre le cours de mes pensées décousues. Tu sais ce qu'elle m'a dit à propos de Marcus ?

Il a fait non de la tête, se demandant où je voulais en venir. Son regard a rencontré le corps de Camilla. Maintenant qu'il avait trouvé le courage d'affronter ce spectacle, c'était comme s'il ne pouvait plus en détacher les yeux.

— Elle m'a dit qu'il était exactement comme notre père.

Il a levé les yeux vers moi, l'air surpris. Ma sœur et moi n'avions jamais abordé ce sujet en sa présence, tant les blessures qu'avait laissées en nous le départ de notre père étaient encore à vif.

— Qu'est-ce qu'elle voulait dire par là, à ton avis ? ai-je ajouté.

Il a roulé des yeux et s'est mis à danser d'un pied sur l'autre comme un petit garçon embarrassé.

— Partons d'ici, m'a-t-il dit. Nous discuterons de tout ça dans un taxi.

À ce moment-là, toute la colère que j'avais réprimée m'a submergée.

— Je veux dire que mon père était un homme gentil et affectueux. Chaleureux et jovial.

— J'ignore ce qu'elle avait en tête. Je n'ai pas connu votre père.

— Elle t'en a forcément parlé.

Il s'est approché de moi et a posé deux mains fermes sur mes épaules.

— Écoute-moi bien, Izzy. Nous devons nous tirer d'ici, tout de suite. Ou alors on appelle les flics et on leur raconte ce qui s'est passé. Une femme est morte et tu as vu Marcus. Il est recherché par la police. Il a commis des actes abominables et nous sommes en train de le laisser filer.

— Oh non, il ne s'en tirera pas, je te le promets. Même s'il a pris une légère avance.

Erik m'a fixée d'un regard intense tout en pressant plus fort mes épaules. À son expression soucieuse, j'ai compris qu'il me croyait en état de choc et déboussolée. Mais il se trompait sur toute la ligne. Jamais je n'avais été plus lucide. Du moins c'est ce que je croyais sur le moment, avec une blessure à la tête, un cadavre à mes pieds et un mari assassin en cavale.

— Dis-moi ce que tu en penses et ensuite on appellera la police.

Erik a baissé la tête avec un soupir exaspéré.

— D'accord, elle voulait dire que les apparences peuvent être trompeuses. Que derrière la façade qu'il présentait au monde, Marcus, comme votre père, avait une vie cachée. Elle avait senti sa froideur. Linda disait que votre père était froid lui aussi, d'une certaine façon. Sous ses dehors affectueux, il y avait chez lui une peur de se lier véritablement. Il était terrifié par l'intimité de l'amour. Il avait une formidable capacité à s'isoler du monde et portait en lui une cassure qui ne s'est révélée qu'avec son suicide.

Envahie par une immense tristesse, j'ai lentement hoché la tête. Avec son œil de photographe, Linda avait vu clair en eux, tandis que mon imagination d'écrivain avait créé deux autres hommes.

Je me suis blottie dans les bras d'Erik.

— Je suis désolée, ai-je murmuré contre son épaule.

Derrière son dos, j'ai pris l'objet dont la découverte dans le sac bon marché de Camilla m'avait tellement surprise. Il était froid et léger comme un jouet.

— Ce n'est pas ta faute, m'a-t-il rassurée. Maintenant appelons l'avocat et la police.

— Si, c'est ma faute et je suis la seule à pouvoir arranger les choses. Tout le reste a disparu — mon argent, mon mariage, la famille que nous formions. Il nous a tout volé et il va s'en tirer.

— Izzy, de toute façon c'est perdu. Nous reconstruirons tout.

— Pas question.

Je me suis écartée de lui. En voyant l'arme dans ma main, Erik a levé les yeux au ciel comme il l'aurait fait devant un enfant capricieux.

— Tu leur diras que je t'ai menacé, ai-je articulé d'une voix tremblante et légèrement hystérique. Tu leur diras que tu m'as trouvée ici et que j'ai refusé de te suivre.

Il a souri avec une expression incrédule.

— Arrête ça, Izzy.

— Je t'adore, Erik. Tu es un mari extraordinaire et un père génial.

Il savait que je ne lui ferais jamais aucun mal et je savais qu'il le savait. Mais nous avons joué la scène comme de bons acteurs. Devant mon air farouche, Erik a reculé et levé les bras en l'air en feignant de capituler.

— Je n'ai pas réussi à le retenir parmi nous. Aucun de nous n'y est parvenu.

Erik a cligné des yeux, comprenant que je ne parlais pas de Marcus.

— Il ne s'agit pas de ton père, Izzy.

J'ai jeté le sac de Camilla par-dessus mon épaule.

— Qu'est-ce que je vais leur dire ? a insisté

Erik. À la police ? À Linda ? Aux enfants ?

— Contente-toi de leur dire la vérité. Je t'ai menacé d'une arme et je suis partie à la recherche de mon mari.

— Les flics te croiront coupable. Ils penseront que tu as quelque chose à voir dans tout ça. Comment pourrai-je les convaincre du contraire si tu prends la fuite ?

— Ils auront raison. Après tout, je suis coupable comme peut l'être une femme qui n'a pas su interpréter les signes, qui n'a pas écouté son instinct.

— Tu n'es pas dans ton état normal. Ne fais pas ça.

Je l'ai planté là et il n'a pas cherché à me suivre. Je suis ressortie de l'immeuble, j'ai remonté la rue en courant et je me suis engouffrée dans la station de métro. Je ne me lançais pas à l'aveuglette. Je savais où j'allais, là où j'aurais dû me rendre depuis le commencement.

15

Elle n'avait plus jamais repensé à cette nuit-là. Elle restait présente en elle, telle la pièce d'une vieille et grande demeure pleine de courants d'air où elle n'entrerait jamais. Il lui arrivait parfois de parcourir le sombre couloir ou même de poser sa main sur la poignée, mais jamais elle n'ouvrait cette porte. Elle n'oubliait pas la mise en garde de Barbe-Bleue et pensait que Pandore était une idiote. Il y a des souvenirs qu'il vaut mieux garder enterrés. Les rubriques psycho conseillaient de se pencher sur son passé et d'exhumer les vieux traumatismes, pour que puisse commencer un processus d'acceptation, de soulagement et de pardon. Mais Linda se demandait si c'était toujours la meilleure voie à suivre. Cette philosophie ne poussait-elle pas les gens à rouvrir sans cesse des blessures qui auraient guéri plus facilement si on les avait laissées cicatriser en paix ?

Elle ne voulait pas revenir à cette nuit où elle s'était réveillée en sursaut dans son lit. La chambre qu'elle partageait avec Isabel baignait dans un clair de lune si lumineux qu'elle avait d'abord cru que c'était le matin. Mais à travers sa fenêtre elle avait aperçu la face bleuâtre de la lune, comme un gros ballon encore bas dans le ciel. Elle s'était glissée hors de ses couvertures, sans craindre de réveiller sa sœur, qui avait un sommeil de plomb, tout comme Margie, et qu'il fallait secouer vigoureusement le matin pour la faire sortir du lit. Enfouie sous ses draps, son souffle était si profond et régulier qu'on aurait dit qu'elle faisait semblant de dormir. Linda s'était approchée de la fenêtre et avait regardé le jardin. La balançoire rouillée qu'elles n'avaient plus touchée depuis des lustres penchait dangereusement et son portique semblait tout tordu sous la lumière du clair de lune. Le vieux chêne se dressait de toute sa hauteur et ses feuilles bruissaient dans la brise nocturne. Au fond du jardin, devant un bosquet, on distinguait la silhouette de la cabane à outils, qui paraissait solide alors qu'en réalité elle était aussi branlante que le portique de la balançoire.

— Qu'un bon coup de vent souffle dessus et

il n'en restera qu'un tas de planches, aimait à répéter leur mère.

— Avoue que ça te plairait, lui rétorquait leur père.

Linda avait vu qu'un des deux battants de la porte était entrouvert. Elle avait enfilé en hâte un jean sous sa chemise de nuit, chaussé ses tennis et s'était élancée dans le couloir.

La nuit, quand sa sœur et sa mère étaient plongées dans leur sommeil sans rêves, Linda était la petite fille à son papa. Comme lui, elle souffrait d'insomnie et il leur arrivait parfois de ne pas fermer l'œil de la nuit.

— Toi et moi, on est comme des promeneurs sur la lune, ma fille. Il n'y a que nous et les étoiles au-dessus de nos têtes.

Elle avait traversé le jardin et l'herbe mouillée de rosée avait trempé la toile de ses tennis. Sur le côté de la maison, elle avait perçu un frémissement suivi d'un son métallique. Des ratons laveurs qui fouillaient dans les poubelles. Margie piquerait une crise. Linda raconterait ça à son père et ils se paieraient un gros fou rire. C'est une autre chose qu'ils avaient en commun, ce malin plaisir qu'ils prenaient à rire de ce qui faisait tourner sa mère en bourrique. À l'époque elle n'aurait pas su dire pourquoi. Mais quand la froide et calme Margie se mettait à pester devant ses ordures éparpillées, devant un fusible, toujours le même, qui fondait, ou devant la porte du buffet qui sortait de ses gonds, Linda et son père échangeaient un sourire conspirateur.

— Ce mépris commun pour ta mère était votre seule façon de communiquer, lui avait fait remarquer Erik.

Linda en avait été mortifiée.

— Mépris n'est pas le mot juste, avait-elle rétorqué comme l'aurait fait sa sœur.

— Alors qu'est-ce que c'était ?

— Je ne sais pas, mais je me sentais presque soulagée quand je la voyais perdre contenance. Soudain, elle devenait humaine, elle n'était plus ce robot programmé pour respecter les convenances. Je crois que ça nous plaisait de voir en elle les faiblesses que nous avons tous.

— Hum, avait fait Erik. Ce n'est pas comme ça que je vois ta mère. Pour moi elle n'a rien de rigide, au contraire je la trouve drôle et chaleureuse.

— C'est parce qu'elle n'est pas ta mère.

— Je te l'accorde.

Elle avait frappé un coup léger à la porte en appelant :

— Papa ?

Elle pensait le trouver somnolent sur son tabouret, un coude posé sur son établi et le menton sur son poing, ou bien tellement absorbé par son travail qu'il ne l'entendrait pas entrer mais relèverait soudain la tête et lui sourirait.

« Coucou, mon rayon de lune. Viens donc t'asseoir près de moi. »

Alors elle aurait son papa pour elle toute seule. La journée appartenait à Izzy. C'était vers elle qu'il dirigeait d'abord son regard. C'était aux plaisanteries d'Isabel qu'il riait le plus fort. C'était sa main qu'il prenait spontanément, sa tête qu'il caressait. Non qu'il ne prêtât aucune attention à Linda, mais c'était toujours avec un décalage de quelques secondes, même quand — et peut-être justement quand — il ne le faisait pas exprès.

Sous sa poussée, la porte s'ouvrit en grinçant. Une odeur inhabituelle, douceâtre et métallique, frappa ses narines. La scène se révéla à elle sous la forme d'instantanés : une cigarette encore fumante dans le cendrier, une bouteille d'alcool presque vide, un verre renversé, un sourire moqueur figé sur ses lèvres, une tache sombre sur le blanc de sa chemise, un pistolet sur le sol. Chaque détail existait dans son propre cadre, indépendamment des autres. Il faisait trop sombre pour voir le sang. Il avait placé le canon de son arme sous son menton. Une méthode peu efficace pour en finir. Il valait mieux viser la tempe, car alors il n'y avait aucun risque d'erreur.

Tout d'abord, elle ne put détacher son regard de la cigarette. Elle n'avait encore jamais vu son père fumer. C'était comme un secret honteux qu'il lui aurait caché. Elle en avait conçu de la colère. Mais plusieurs années plus tard, ce dont elle se souviendrait, ce qui hanterait ses rêves, ce serait ce sourire. Jamais elle n'avait vu sur le visage de son père ce sourire de dérision, cet air de dire au monde entier : « Je vous emmerde », mais peut-être avait-il simplement attendu la bonne occasion pour se montrer.

La terreur l'avait envahie, se mêlant à une flambée de colère aussi douloureuse qu'une crampe à l'estomac. La fulgurance du coup l'ébranla tout entière. Elle était à peine plus âgée qu'Emily maintenant et beaucoup moins mûre à bien des égards. Rien ne l'avait préparée au spectacle qui s'offrait à elle. Tout était si incompréhensible que la scène en devenait presque invisible à ses yeux. On avait trouvé son vomi à l'extérieur de la cabane au matin et à ce détail on avait su qu'elle avait été la première à le voir dans cet état. Elle se rappelait la sensation d'engourdissement, comme une panne générale de secteur.

« C'est un rêve, avait-elle pensé. Je vais fermer cette porte et retourner me coucher. Demain matin, j'aurai tout oublié. »

Elle s'était répété ces mots tandis qu'elle revenait sur ses pas, tandis qu'elle ôtait ses tennis mouillées et essuyait ses pieds sur le paillasson, tandis qu'elle remontait l'escalier et regagnait sa chambre. Elle voulait se convaincre que la force de sa volonté avait le pouvoir d'infléchir le cours des choses. Jusqu'à ce que le jour se lève, elle était restée prostrée sur son lit, dans un état de choc qui anesthésiait la douleur. Quand sa sœur s'était réveillée, elle lui avait raconté son rêve.

— Les rêves ne peuvent pas nous faire de mal, lui avait répondu Isabel.

Puis le cri de Margie, une horrible plainte de bête blessée, avait déchiré le silence du petit matin et fait exploser l'univers qu'elles avaient toujours connu.

Pourquoi repensait-elle à tout ça maintenant ? Quel bien pouvait-elle en attendre ? Pourtant les souvenirs étaient là, alors que ses enfants enlacés l'un à l'autre comme de petits singes dormaient sur un lit d'hôpital, au chevet de Fred. Trevor ronflait légèrement et Emily émettait de temps à autre un gémissement sourd ou un profond soupir. Fred était immobile, si pâle qu'à deux reprises déjà elle s'était levée pour s'assurer qu'il respirait encore.

Margie devait en ce moment être à bord de l'avion qui la ramenait chez elle. Linda avait promis d'attendre à l'hôpital jusqu'à son arrivée. Les enfants avaient refusé de la quitter pour aller chez la mère d'Erik. Elle les avait installés comme elle avait pu et, non sans surprise, les avait vus sombrer aussitôt dans le sommeil.

Linda était assise dans un fauteuil inconfortable, le regard perdu dans la lueur orange des lampadaires qui éclairaient le parking. C'était une nuit sans lune et sans étoiles. Encore une fois elle ne fermerait pas l'œil. Encore une fois elle monterait la garde, prête à affronter seule ce qui allait venir. Plusieurs heures s'étaient écoulées depuis qu'elle avait parlé à Erik pour la dernière fois. Il devait avoir éteint son téléphone, car elle tombait systématiquement sur sa boîte vocale. Sa batterie était en partie déchargée quand il avait quitté l'hôpital. Il avait gardé le portable d'Isabel, mais il était aussi injoignable à ce numéro et elle entendait l'annonce que sa sœur prononçait d'un ton léger : « Laissez-moi un message et je vous rappellerai. » Un sombre pressentiment lui étreignait la poitrine. Où étaient-ils donc passés ?

Cette bouffée d'angoisse la poussa à sortir dans le couloir pour appeler Ben. Elle ne se souciait pas de le déranger en pleine nuit ni même d'éveiller les soupçons de sa femme. Elle savait qu'il ne prendrait la communication que s'il était en mesure de le faire.

— Salut, dit-il dès la première sonnerie.

En entendant sa voix chaude et douce, elle sentit les larmes lui monter aux yeux. Était-ce ce matin qu'ils avaient fait l'amour dans les toilettes du Java Stop ? Était-ce ce matin qu'elle s'était juré de ne plus jamais le revoir ?

— Salut, murmura-t-elle tout en scrutant le couloir.

Personne en vue. Une radio diffusait tout bas un chant de Noël.

— Tu es seul ?

— Oui, répondit-il sans plus de précision. Tu vas bien ?

— Pas vraiment, dit-elle en s'adossant au mur. Pas bien du tout, même.

— Raconte.

Elle jeta un coup d'œil dans le box vide des infirmières. La pendule indiquait presque 22 heures.

— Où sont tes enfants ? demanda-t-elle.

Un jour qu'elle échangeait avec lui des propos salaces au téléphone, ils avaient été interrompus par la fille de Ben. « Papa, du lolo », avait-elle prononcé de sa voix fluette. Elle n'avait pas plus de deux ans à l'époque et commençait tout juste à parler.

Linda s'en était beaucoup voulu. Elle s'était sentie sale et idiote. Elle n'avait aucune envie de réitérer cette expérience. Comme Ben ne disait rien, elle pensa un moment que la communication avait été coupée. Puis elle entendit sa respiration et se rappela aussitôt le souffle de Ben dans son cou ce matin-là.

— Ils sont tous à la maison, dit-il. Mais je n'y suis pas.

— Où es-tu ?

— Je suis parti.

Elle se souvint de son air triste et désemparé quand ils s'étaient vus.

— Écoute…

— Je sais, Linda.

— Je ne peux pas…

— Je sais, répéta-t-il.

Sa voix avait changé. Était-ce de la colère ?

Mais quand il parla à nouveau il avait retrouvé un ton posé.

— Là n'est pas la question. Moi, j'en suis capable. Mes sentiments pour toi sont assez forts pour que je décide de quitter ma femme et mes enfants. Et ça n'est juste pour personne.

Elle se prit la tête de sa main libre. Qu'est-ce qu'ils avaient tous à vouloir que les choses soient justes ? Qu'y avait-il de juste dans la vie, dans le couple et même dans le fait d'avoir des enfants ? À quel moment le bonheur était-il devenu le Saint-Graal ? Ne fallait-il pas parfois accepter d'être un peu malheureux pour préserver les autres ? Les enfants, en premier lieu ?

— Ça date de quand ? demanda-t-elle.

Elle se sentait déçue par lui. Quelque part sa décision de quitter sa famille le rendait moins attirant à ses yeux.

— D'hier.

Tout s'expliquait. Sa façon de débarquer chez elle et de lui faire l'amour comme un homme désespéré.

— Pourquoi tu ne m'en as pas parlé ce matin ?

— Tu étais préoccupée, tu avais la tête ailleurs et je ne voulais pas te créer un nouveau problème.

— Je suis désolée.

Elle ne savait pas de quoi elle s'excusait ni même si elle s'excusait. Peut-être exprimait-elle seulement sa tristesse face à la situation lamentable dans laquelle ils s'étaient fourrés.

— Tu l'aimes, hein ? demanda-t-il.

Il toussota, comme si ces mots lui avaient brûlé la gorge.

Erik avait pleuré en lui avouant ce qu'il avait fait. Elle ne l'avait jamais vu dans cet état. Elle l'avait serré dans ses bras et lui avait caressé la nuque comme elle le faisait pour consoler les enfants, alors qu'elle aurait pu lui hurler dessus et même le frapper. Erik les avait privés de ce qu'elle considérait comme essentiel à leur bien-être et à leur sécurité. Il avait agi à son insu et mis leur avenir en péril, tout comme son père autrefois. Elle était malade de se rendre compte qu'après avoir passé sa vie à s'efforcer de ne pas ressembler à Margie elle en arrivait là. Mais, en dépit de sa colère et de sa déception, elle avait compris que jamais elle ne pourrait cesser d'aimer son mari, pas plus qu'elle ne pouvait cesser d'aimer Emily, Trevor ou Isabel. Son attachement à lui était viscéral.

— Oui, je l'aime et tu le sais. J'ai toujours été honnête avec toi.

Dans le silence pesant qui s'ensuivit, elle sentit combien ses paroles avaient blessé Ben. Ses joues s'enflammèrent. Était-ce l'effet de la honte ou de l'agacement ? Elle n'aurait su le dire.

— Je vais raccrocher. Je n'aurais jamais dû t'appeler.

— Tu avais besoin de parler, dit-il aussitôt. Je suis désolé.

— Ce n'est rien. Prends bien soin de toi.

Sa voix était froide, elle le savait, mais elle ne pouvait rien y faire.

— Attends, Linda…

Elle fit semblant de n'avoir pas entendu ces derniers mots et coupa la communication. Une seconde plus tard, son téléphone se mettait à vibrer. C'était lui qui rappelait. Elle enclencha la messagerie et rangea l'appareil dans sa poche. Elle retourna dans la chambre et marcha jusqu'à la fenêtre.

Trevor, Emily, Fred, tous dormaient paisiblement. Elle prêta l'oreille au chœur de leurs respirations. Une note aiguë, une autre plus grave et la basse d'un ronflement venant du lit de Fred. Une averse de grésil commença à tomber. Des gouttes glacées s'écrasèrent contre la vitre. Elle pensa à Erik et à Isabel, et l'angoisse revint en force. Elle fut distraite un instant par les dessins des cristaux de givre sur la vitre. Avec l'averse, l'éclairage orange du parking qu'elle avait trouvé si laid tournait maintenant à l'or. Le rectangle de lumière venant du couloir découpait une porte qui semblait ouvrir sur un autre espace-temps en se reflétant dans la vitre. L'éclairage n'était pas assez intense pour l'effet qu'elle espérait obtenir. Malgré tout elle s'empara de son appareil. C'est alors qu'elle remarqua sur le parking une chose qui la glaça.

Une Mercedes noire était à l'arrêt sous un lampadaire. La fumée que crachait son pot d'échappement formait dans l'air froid une buée grise et sale. Elle connaissait très bien cette voiture, la portière emboutie et égratignée du côté conducteur et les jantes personnalisées très au-dessus de ses moyens. Elle avait ri, pleuré, fait l'amour et épanché son cœur dans cette voiture.

Elle aperçut une ombre au volant et vit luire le bout incandescent d'une cigarette. Ben.

Que faisait-il ici ? L'attendait-il ? L'avait-il suivie ? Était-il resté là pendant tout ce temps ?

Son téléphone recommença à vibrer. Elle le sortit de sa poche et consulta l'écran.

Ben, encore lui.

16

Leur caquètement commençait à lui porter sur les nerfs. Il avait quelque chose de désespéré et de cruel à la fois. Grady Crowe avait longuement observé des femmes pareilles à celles-là en se demandant si elles étaient un phénomène propre aux grandes villes américaines. Dans la quarantaine, mais plus proches de cinquante que de quarante, décharnées, les traits durcis par la tension constante que leur imposait un entraînement physique acharné. Les petits seins plats, les ongles carrés et enduits d'une épaisse couche de vernis. Elles étaient souvent arrogantes et mal embouchées, exhibant leur corps mince comme un passeport pour la grossièreté. Mais, en dépit de toutes les privations, des régimes, de l'épuisement physique auxquels elles s'astreignaient, elles étaient dépourvues d'attrait et même repoussantes avec leurs sourires méprisants et leurs commentaires fielleux. Elles étaient seules, malheureuses, frustrées, d'où leur aigreur et leur méchanceté.

Pour Grady Crowe, les femmes américaines avaient été dupées. On leur avait vendu un concept qui avait échoué lamentablement. Les médias leur répétaient qu'elles devaient passer chaque minute de leur temps à s'occuper de leur corps. Elles devaient suer à leur club de gym, acheter la recette du dernier régime miracle, s'épiler, s'enduire, se pomponner, se bichonner, et, en récompense de tous ces efforts, elles séduiraient un homme qui les aimerait pour toujours. Inutile de cultiver sa beauté intérieure, pas la peine de chercher un accomplissement spirituel. Il fallait occuper aussi peu d'espace que possible, réduire ses dimensions au minimum, ou bien on s'exposait aux quolibets des industriels qui faisaient fortune sur votre dos. Tout le business de la minceur, la littérature du bien-être et les laboratoires pharmaceutiques conspiraient pour vous voler votre argent et vous déposséder de votre amour-propre. Vous leur donniez tout sans rien obtenir de satisfaisant en échange. Ces femmes s'obstinaient à croire à ces salades, de tout leur cœur, et bâtissaient leur vie sur des mirages.

Le caquètement n'en finissait pas et Grady n'arrivait même plus à penser. Il contemplait le cadavre de Camilla Novak avec le désir de s'imprégner de la scène, d'en relever le moindre détail, mais il ne parvenait à rien. Assis sur le canapé, Erik Book tenta de passer un appel sur son portable et finit par y renoncer. Devant son air abattu, Crowe se demanda quel effet ça lui ferait d'avoir un demi-million de dollars à dilapider. Il n'éprouvait guère de sympathie pour ce type à cause de tout ce fric qu'il avait bêtement perdu. En revanche, il se demandait si Erik Book savait que sa femme le trompait. Crowe n'avait eu aucun mal à la percer à jour et à interpréter les signes : la nervosité, l'air d'insatisfaction profonde.

Il les avait déjà vus chez Clara quand le regard qu'elle portait sur lui avait changé imperceptiblement. Elle avait commencé par ne plus vouloir qu'il la prenne dans ses bras et dans la rue elle retirait la main qu'il aurait aimé tenir. Il avait d'abord mis ça sur le compte d'une usure normale après des années de vie commune. Mais ç'avait été une erreur de jugement, comme celle qui les avait conduits au trou à rat servant de domicile à Charlie Shane alors qu'ils auraient dû se lancer à la recherche de Camilla Novak, comme l'avait suggéré

Jez. S'ils étaient venus ici directement, cette femme serait peut-être toujours vivante. Depuis quelque temps, il commettait bourde sur bourde. Décidément, son instinct de flic le trahissait.

Il prit la main de Camilla et sentit à travers son gant en latex la délicatesse de ses os. Il remarqua sur sa peau une marque bleue presque effacée. Le tampon d'une discothèque. Il arrivait à peine à déchiffrer ce qui était écrit. The Topaz Room. Il n'en avait jamais entendu parler. Il tira son téléphone de sa poche et entra ce nom dans le moteur de recherche de son navigateur Internet. Il trouva une entrée dans le Queens, marqua la page et rangea son portable.

Pendant ce temps, les caquètements n'en finissaient pas. Il s'approcha des techniciens de l'identité judiciaire.

— Il y a une morte ici, vous pourriez lui montrer un peu de respect.

La cancanière en chef tordit vers lui son cou décharné.

— Elle ne peut plus nous entendre, persifla-t-elle.

— Elle non, mais moi si. Alors mettez-la en sourdine.

Il n'était pas rare que les policiers plaisantent sur une scène de crime et émettent des remarques déplacées. C'était un moyen pour eux de supporter l'horreur à laquelle ils étaient confrontés. Toutefois Crowe n'appréciait pas cet humour, encore moins dans l'appartement d'une jolie fille. Dans le Bronx, face aux victimes d'un règlement de comptes entre malfrats, c'était différent. Mais une jeune femme comme Camilla qui vivait seule en ville et travaillait comme n'importe laquelle de ses propres sœurs méritait plus d'égards et il veillerait à ce qu'elle les obtienne.

— Je peux pas réfléchir, dit-il à Jez.

— Sortons d'ici une minute.

Il emboîta le pas à son équipière, qui s'adossa contre le mur gris du couloir. Jez sortit de son sac un paquet de chewing-gums. Elle en fit tomber un dans la paume de Grady et s'en fourra plusieurs dans la bouche. Autrefois, elle avait fumé, pas tout le temps, juste quand elle était nerveuse. Maintenant, elle mâchait.

— Cette fille était à peu près notre seule piste, déclara-t-elle au bout d'une minute de rumination.

— Il nous reste Shane.

— Charlie Shane est introuvable et nous n'avons relevé aucun indice à son domicile.

Crowe se demandait s'il devait reconnaître

devant Jez qu'elle avait raison et qu'ils se trouvaient dans cette impasse à cause de lui. Mais les mots restèrent coincés dans sa gorge.

— Récapitulons, dit-il au lieu de prononcer son mea-culpa. Book prétend qu'il est venu ici chercher Isabel afin de la convaincre de se rendre à la police et qu'il l'a trouvée à côté du cadavre. Elle lui a dit qu'elle venait de voir Marcus Raine et que c'était lui qui avait tué Camilla.

— Comment Book est-il entré ?

— Il aura trouvé la porte de la rue entrouverte.

Jez continua à ruminer en silence, puis tira un stylo de sa poche.

— Il prétend avoir emprunté l'escalier, mais il n'a pas croisé Raine, ajouta-t-elle, renouant avec sa vieille manie de tapoter son stylo contre sa cuisse. Les autres issues, sur le toit et à l'arrière de l'immeuble, sont des portes coupe-feu qui auraient déclenché une alarme si quelqu'un les avait ouvertes.

Crowe gratta les jointures de ses doigts. L'égratignure n'était pas encore complètement cicatrisée et un peu de sang apparut quand il détacha la croûte.

— Il a donc entendu Book monter l'escalier et s'est planqué.

— À moins que Raine n'ait jamais mis les pieds ici.

Jez, sans le regarder, sortit de son autre poche un paquet de mouchoirs en papier et lui en tendit un. Grady le prit et l'appuya avec précaution sur sa blessure. La tache de sang qui se forma sur le mouchoir lui évoqua l'image d'un coquelicot dans la neige.

— Je n'imagine pas Isabel Raine en meurtrière.

Jez haussa les épaules et se remit à tapoter son stylo.

— Tout le monde peut tuer s'il a un mobile.

Crowe connaissait sa théorie sur cette question, mais il n'y souscrivait pas. Pour lui, ceux qui passaient à l'acte étaient des égocentriques qui considéraient que leurs besoins et leur propre survie passaient avant ceux des autres. Sauf dans les cas de légitime défense, il pensait qu'il fallait être limite sociopathe pour ôter la vie à un être humain. Même quand la colère nous aveugle, l'acte de tuer dénote chez celui qui le commet une incroyable arrogance. Il n'avait rien détecté de tel chez Isabel Raine. Certes elle avait des airs supérieurs, mais sa suffisance était d'un autre type.

— Camilla Novak était le dernier lien avec le tout premier crime, déclara Jez. Désormais, nous n'avons plus aucun témoin vivant, juste une affaire de disparition non résolue. Quelqu'un le savait forcément.

— Il y a peut-être quelque chose dans l'appartement, dit Grady. On ne sait jamais.

— On ne trouvera rien ici, répondit Jez avec certitude.

Il comprit qu'elle pensait à ce qui s'était passé au domicile des Raine et dans les locaux de la société, où tout ce qui aurait pu avoir valeur d'indice avait été escamoté.

— S'il y avait quoi que ce soit d'intéressant, l'un des époux Raine l'a emporté.

— Tu penses donc qu'Isabel Raine pourrait être mêlée à tout ça ?

Jez fit claquer son chewing-gum dans sa bouche et promena son regard le long du couloir.

— À ton avis, où aurait pu se planquer Marcus Raine en entendant Book arriver ?

Grady examina le couloir à son tour. L'architecture était typique du sud de Manhattan : sol carrelé, plafonds hauts, murs gris et escalier en pierre.

— Il aurait pu se cacher dans les étages, dit-il, et redescendre une fois Book entré dans l'appartement.

Jez s'approcha de la rambarde du palier et plongea son regard dans la cage d'escalier.

Elle acquiesça, quoique avec un peu de réticence.

— Dès que Book est entré, Isabel Raine est ressortie en disant qu'elle allait retrouver son mari et arranger les choses pour sa sœur et sa famille, poursuivit Grady.

— Et tu crois qu'il l'aurait laissée repartir si facilement ?

— Qu'est-ce qu'il pouvait faire d'autre ? Il n'allait tout de même pas la ligoter.

— Ça n'aurait pas été une mauvaise idée. Elle aurait eu l'air moins coupable si elle était restée dans les parages. Est-ce qu'elle a emporté quelque chose ?

— Erik Book affirme que non, fit Grady avec une moue sceptique.

Il sentait bien que Book ne lui disait pas tout. Peut-être pour protéger sa belle-sœur ou pour protéger ses arrières. Ces gens qui la veille encore avaient l'air de victimes ne semblaient plus si innocents aujourd'hui.

— Dans ce cas, où est passé le sac de Novak ? Son manteau est sur le canapé comme si elle se préparait à sortir, fit remarquer Jez.

Grady secoua lentement la tête.

— On n'a rien retrouvé, ni sac, ni portable, ni trousseau de clés, ni portefeuille dans l'immeuble.

— Quelqu'un a pris son sac.

— On dirait bien, oui. Tu as remarqué le tampon au dos de sa main ?

— Une jeune femme sexy, célibataire et qui vit à New York. Le contraire serait étonnant.

— Ouais, mais ce club se trouve dans le Queens.

Jez fronça les sourcils.

— Dans le Queens ? Bizarre. Je vois mal une fille de Manhattan aller s'éclater dans le Queens.

Dans l'appartement, les caquètements avaient repris de plus belle et Grady se sentit bouillir de colère. Il fit de gros efforts pour se maîtriser. Il se traînait déjà une sale réputation, il ne voulait pas perdre son calme en présence de tous ces gens.

— Je n'aime pas beaucoup cette femme, dit-il.

— Tu n'aimes personne, lui répondit Jez avec un sourire compréhensif.

— Toi, je t'aime.

— Je devrais me sentir flattée de faire partie des heureux élus qui trouvent grâce à tes yeux. Tu n'as pas l'impression parfois de juger les gens un peu vite ?

— Je suis flic, je te rappelle.

— Justement. Tu es censé garder l'esprit ouvert. Alors que le tien est un piège d'acier.

— Merci, c'est agréable à entendre.

Elle prit un air faussement compatissant.

— Prends ça comme une marque d'amour vache.

Il rit, songea un instant à lâcher un commentaire à propos de son ex, mais il avait encore en tête la réprimande de Jez.

— D'ordinaire, les femmes ne s'égorgent pas entre elles, reprit-il après un silence. Cela exige en effet une force physique considérable. Il faut immobiliser la victime d'un bras et lui trancher la gorge de l'autre main.

Il mima le geste.

— À moins que la victime n'ait confiance, objecta Jez.

D'un mouvement vif, elle s'approcha de lui, lui plaça la pointe de son index à la base du cou et fit mine de l'égorger. Puis tout aussi rapidement elle reprit sa place contre le mur.

— Jamais cette fille n'aurait laissé un inconnu s'approcher suffisamment pour lui trancher la gorge, à moins d'être maîtrisée par la force. Or Camilla Novak a laissé son assassin entrer chez elle.

Grady se rappela alors une confidence qu'Isabel Raine lui avait faite à l'hôpital.

— D'après Isabel Raine, son mari a eu une liaison il y a deux ans environ, mais elle n'a jamais su avec qui. C'était peut-être avec Camilla Novak.

— Ce qui nous donne un mobile pour le mari et pour la femme, fit Jez.

— Et nous ramène une fois de plus à Marcus Raine.

— Qu'est-ce qu'on fait, maintenant ? Nos meilleures pistes sont mortes ou en cavale.

— Il faut savoir où sont partis les fonds, répondit Grady. Les gens peuvent disparaître, mais l'argent laisse toujours une trace.

— C'est déjà fait, précisa Jez. J'ai obtenu un mandat nous permettant d'avoir accès aux comptes bancaires des Raine. On devrait recevoir tout ça demain matin.

— Il nous faut aussi la liste des appels passés sur leurs portables.

Jez leva les yeux au ciel.

— Tu me prends pour une débutante ou quoi ? D'ailleurs, maintenant qu'on en parle, tu pourrais te charger de ces corvées de temps en temps. Même si monsieur préfère trimbaler partout sa figure d'enterrement en se plaignant de ne pas pouvoir réfléchir et s'imprégner de la scène de crime.

Elle lui agita sa main sous le nez.

— Si tu veux mon opinion, t'es qu'un flic de pacotille.

— C'est bon, t'as fini avec les insultes ? Aide-moi plutôt à les faire dégager d'ici.

— Ce ne sont pas des insultes, Grady, juste des observations. Ne sois pas si susceptible. J'essaie seulement de t'aider à redescendre sur terre.

Elle eut un petit sourire goguenard. Elle savait qu'elle avait mis dans le mille et elle jubilait.

— Tu ne me laisses pas une seule chance, protesta-t-il d'une voix geignarde. Tu fourres ton nez partout et de toute façon t'es meilleure que moi pour tous ces trucs. Les gens t'écoutent.

— Hum, fit-elle en retournant dans l'appartement.

— Allons chez Red Gravity avec une photo du faux Marcus Raine. Quelqu'un le reconnaîtra peut-être, enchaîna-t-il.

— À condition que cette boîte ait survécu à l'éclatement de la bulle Internet. Beaucoup des jeunes pousses de l'époque n'ont pas passé le cap.

— Ça vaut quand même le coup d'essayer.

— Encore un truc qui devra attendre demain matin.

Grady jeta un coup d'œil à sa montre. Il était près de 22 heures. Le matin semblait encore loin. Or ils ne pouvaient pas tout miser sur quelques relevés bancaires et une société high-tech qui avait peut-être mis la clé sous la porte.

— En attendant, on fait quoi ? demanda-t-il à sa collègue.

Jez tourna la tête vers lui.

— En attendant, on se coltine l'enquête de voisinage. Quelqu'un dans l'immeuble aura peut-être vu ou entendu quelque chose. Ensuite on cuisine Erik Book, parce que je suis convaincue que ce type ne nous a pas tout dit.

— Et quand son avocat se pointera, s'il n'est pas déjà en route, que dirais-tu d'aller faire un petit tour en boîte ?

— Tu lis dans mes pensées.

Autrefois, je ne connaissais pas la peur. Je n'ai pas oublié cette époque. J'étais sûre de moi, sûre de mes opinions, de mes passions, de mes buts. Dans mes cours à l'université de New York, je défendais avec rage mes points de vue, qu'il soit question de politique, d'histoire ou de littérature. Tous ceux qui n'étaient pas de mon avis avaient tort. Aucun événement n'a pu changer ça, aucun dont je me souvienne.

Mais, avec l'âge, la passion s'est émoussée. Je suis devenue plus réservée et j'ai perdu de mon intransigeance. Je me suis mise à éviter les grandes discussions politiques que j'avais tellement aimées. Désormais, les disputes religieuses, morales, existentielles me mettaient mal à l'aise. Il y avait tellement d'avis différents et tellement de gens sûrs de leur fait. Au fil du temps j'en suis venue à me dire que le monde était d'une complexité impossible à démêler, que les divergences étaient souvent inconciliables, et j'ai perdu le goût de batailler.

J'ai perçu le même processus chez Linda. Après le suicide de mon père, elle n'était qu'une boule de colère. Elle en voulait au monde entier. À mon père, à ma mère, à Fred, à tous ceux qui croisaient sa route et ne lui montraient pas de respect. Pour des broutilles, elle sautait à la gorge des vendeuses, des serveuses et mêmes des masseuses. Un jour, j'ai été obligée de l'évacuer d'un cabaret du Village à la suite d'une dispute qui l'avait opposée à un travesti. J'ai oublié ce qui avait déclenché l'altercation, néanmoins je suis sûre qu'ils en seraient venus aux mains.

Mais, à partir du moment où Erik est entré

dans sa vie, elle s'est métamorphosée. « Il lui a retiré l'épine qu'elle avait dans le pied », disait Fred avec sa bonhomie coutumière. L'arrivée d'Emily ensuite a fini de l'apaiser. À la naissance de Trevor, ma sœur était devenue aussi sereine qu'un moine bouddhiste. Quand je passais au loft, je trouvais l'endroit sens dessus dessous. La vaisselle sale s'empilait dans l'évier, le sol était jonché de tapis d'activités pour bébé, de cubes en tissu et de peluches, et Linda, tranquillement allongée sur la moquette du salon, agitait des clés sous le nez de Trevor ou lisait une histoire à Emily devant une haute pile de livres.

— Je n'ai pas la force, Isabel, m'avait-elle confié un jour.

J'étais chez eux et elle me parlait d'une mauvaise critique qu'elle avait lue. L'auteur jugeait son travail banal et mièvre. Personne n'aime lire une mauvaise critique, mais avec Linda on pouvait s'attendre au pire. Elle pouvait ruminer sa vengeance pendant des jours, appeler les journaux pour récriminer, rédiger des critiques acerbes de ses propres critiques et les envoyer à l'auteur. Pourtant ce jour-là elle avait l'air de s'en moquer éperdument.

— Je ne peux plus me permettre de partir en vrille pour un oui ou pour un non. J'ai des devoirs envers eux. Ces enfants, on les met au monde et eux n'ont pas demandé à venir. On choisit de leur donner la vie pour toutes sortes de raisons, bonnes ou mauvaises. Le moins qu'on puisse faire pour eux, c'est de ne pas être une plaie qui passe son temps à enrager, à geindre et à déprimer.

Je n'avais eu aucun mal à comprendre la sagesse simple contenue dans ses paroles.

— Regarde-les, avait-elle continué en me montrant Trevor, qui trottinait dans sa couche et attrapait au hasard toutes les choses colorées pour les porter aussitôt à sa bouche. Nous avons tous été comme lui. Le dernier des abrutis que tu croises dans la rue, le tueur en série, le politicien véreux, nous avons tous un jour déambulé ainsi dans une couche mouillée en mordillant une girafe en caoutchouc. Une fois qu'on a pigé ça, il est plus facile de laisser les choses glisser sur soi que de fulminer à longueur de temps.

C'est bien beau, m'étais-je dit, mais en perdant l'assurance et l'arrogance de la jeunesse que perdons-nous d'autre ? La passion, la soif de créer ? Quand la maternité exige tellement de temps, d'énergie et d'amour, quand réussir à dormir une nuit complète relève de l'exploit, l'artiste ne risque-t-elle pas d'être sacrifiée ?

Mais mes craintes n'étaient pas fondées. Linda avait plus de mal à travailler, c'était certain. Je l'ai vue se débattre pour préserver l'espace mental dont elle avait besoin afin d'aiguiser son regard. Linda était en proie aux angoisses existentielles d'une artiste et d'une mère et elle savait les exprimer avec force.

— Je n'avais pas prévu que mon rôle de mère occuperait mon cœur au point de ne laisser aucune place pour autre chose.

Mais au final son travail y avait trouvé une nouvelle profondeur, une beauté bien supérieure à tout ce qu'elle avait pu faire avant la venue d'Emily et de Trevor.

Son expérience m'a servi quand, à mon tour, j'ai été enceinte. J'avais toujours eu par rapport à cette question des sentiments très ambivalents. Voyant que mes règles n'arrivaient pas, j'avais fait un test de grossesse acheté en pharmacie. Face à la confirmation de mes doutes, j'avais passé toute une semaine tiraillée entre la joie et la panique, entre l'angoisse et l'excitation avant de me décider à en parler à Marcus.

Jamais je ne pourrai oublier sa réaction quand je lui ai appris la nouvelle. Croyant à une blague, il avait d'abord eu un petit sourire. Puis quand il avait compris que j'étais sérieuse, son visage s'était transformé. Le premier instant de surprise passé, il s'était totalement fermé. Bras croisés sur la poitrine, il s'était tourné vers la fenêtre.

— Ce n'est pas une très bonne idée, Isabel. Ce n'est pas…

Il avait laissé sa phrase en suspens tandis qu'il secouait la tête d'un air incrédule.

— Ce n'est pas une idée, Marcus. C'est un être humain.

— Tu ne comprends pas.

Cet instant, plus que n'importe quel autre, aurait dû faire retentir en moi un signal d'alarme. Mais, aveuglée que j'étais par la déception, je n'avais rien vu.

À présent, dans la rame de métro qui filait vers le nord, il me semblait clair qu'à ce moment-là il avait été sur le point de passer aux aveux, d'où l'expression implorante que j'avais lue sur ses traits quand il s'était retourné vers moi.

— Écoute…

D'un geste de la main, je lui avais coupé la parole, car j'avais trop peur de ce qui allait suivre.

— Ne dis rien que tu pourrais regretter ensuite.

Je croyais qu'il me demanderait d'interrompre cette grossesse et je ne voulais pas que ces mots restent à jamais gravés entre nous, rongeant peu à peu notre couple. Mais ce n'était peut-être pas du tout ce qu'il avait voulu me dire, peut-être avait-il l'intention de m'avouer tout ce que j'étais en train d'apprendre maintenant sans aucun ménagement.

D'ordinaire, le bercement d'un véhicule en mouvement a sur moi un effet apaisant et le métro, environnement crasseux et menaçant, n'échappe pas à la règle. Je somnolais à moitié, et dans mon esprit les souvenirs se mêlaient aux images du présent. Je ne dormais pas vraiment, j'étais trop énervée pour m'assoupir. J'étais plutôt plongée dans un demi-sommeil agité. Tout en restant consciente des vibrations du wagon et des arrêts qui se succédaient, je me trouvais propulsée dans notre appartement. J'étais dans la cuisine, humant le fumet d'une sauce tomate qui mijotait sur le feu, écoutant la musique qui venait du salon et sentant sous mes doigts le contact froid d'un plan de travail en granit.

— Ne m'oblige pas à te détester, lui avais-je dit.

Il avait sursauté et levé son regard vers moi. À voir sa réaction, on aurait dit que je l'avais giflé et, du reste, l'envie ne m'en avait pas manqué. J'aurais voulu le frapper, lui hurler toute ma colère. Et je l'aurais certainement fait si je n'avais pressenti qu'il resterait planté devant moi, essuyant mes coups avec une expression imperturbable.

— As-tu la moindre idée de ce que cela signifie d'être parent ? m'avait-il demandé.

Une question absurde, à laquelle j'avais néanmoins répondu.

— Oui, je crois que c'est arrêter de vivre pour sa seule petite personne et avoir la chance de découvrir une autre sorte d'amour.

L'argument était faible, même à mes propres yeux. Marcus m'avait longuement observée.

— Et si tu te trompais ? avait-il ajouté avec un regard glacial. Et si ça n'avait rien à voir avec ce que tu crois ?

— Mais de quoi tu parles ?

— Tu sais aussi bien que moi que tous les parents n'aiment pas leurs enfants.

J'avais senti venir les nausées et les premiers signes d'une crise de migraine.

— Je ne vois pas ce que tu cherches à me dire.

Les lèvres pincées, il avait secoué la tête. Tout me semble si clair à présent, mais sur le moment je m'étais laissé tromper par mon désespoir. Une seule pensée m'obsédait. « Il ne veut pas de cet enfant. Il pense ne pas pouvoir aimer un bébé. »

Je m’étais attendue à une réaction mitigée de sa part. Je savais qu’il serait anxieux et aussi ambivalent sur la question que je l’avais été moi-même. Pourtant je restais persuadée que sous le tumulte intellectuel se cachait un profond désir d’enfant. Mais sa froideur, la pâleur apparue sur son visage, la distance physique qu’il avait installée entre nous, toutes ces choses étaient autant de signes annonciateurs du début de la fin.

— Linda et Erik sont heureux, avais-je rétorqué.

— C’est vraiment ce que tu crois ?

— Pas toi ?

— C’est donc ça. Tu veux ce qu’a ta sœur.

— Non, bien sûr que non. La question n’est pas de savoir ce que je veux, mais ce qui est. Et je suis enceinte.

— Tu ne l’as donc pas choisi ?

— Le problème n’est pas là.

Il m’avait considérée avec un sourire dédaigneux.

— C’est bien ce que je pensais.

La culpabilité m’avait envahie. Culpabilité de ne pas désirer cet enfant assez fort mais de le garder malgré tout, culpabilité d’essayer de convaincre Marcus que c'était une bonne chose. Ça n'aurait pas dû se passer de cette façon. Linda et Erik avaient sauté de joie en apprenant qu'ils allaient avoir un bébé. Ils n'avaient pas prévu d'avoir Emily, pas plus que Trevor. Mais chaque fois ils s'étaient sincèrement réjouis. J'avais naïvement cru que ce serait pareil pour nous.

Dehors, le jour avait décliné. Nous n'avions pas allumé les lumières et nous étions restés assis dans le noir.

Marcus s'était approché de moi.

Par réflexe, j'avais passé mes bras autour de ma taille. C'était si soudain chez moi, ce souci de protéger l'être qui grandissait à l'intérieur de moi. Je m'étais éloignée de Marcus et j'étais allée m'asseoir à la table.

— Je crois que je comprends ta position, avais-je dit.

J'avais regardé le sol et pensé qu'il avait besoin d'un coup de balai.

— Mettons fin à cette conversation avant que les dommages deviennent irréversibles.

— Il y a tant de choses qui t'échappent.

Cette réplique de Marcus m'avait déplu. Elle sonnait creux, elle sentait le cliché, mais je n'étais pas d'humeur à revoir notre texte.

— Dans ce cas, éclaire-moi.

J'avais levé les yeux vers lui, mais il était retourné à la fenêtre et regardait dehors en parfait étranger.

— Je n'ai aucun souvenir de mes parents, m'avait-il avoué. Je ne me rappelle pas ce que c'est que d'être l'enfant de quelqu'un.

Il ne cherchait pas ma compréhension en me confiant cela. Au contraire, il fermait une porte, et je n'avais même pas tenté d'exprimer toutes les pensées qui m'étaient venues à l'esprit. Lentement il s'était approché de l'interrupteur et avait allumé. J'avais cligné des yeux dans la lumière. J'avais cru qu'il allait continuer à parler, mais il avait pris sa veste sur le dossier d'une chaise.

— Je vais faire un tour, j'ai besoin de respirer.

— D'accord, avais-je dit en sentant s'ouvrir en moi un abîme de désespoir.

De toutes les réactions que j'avais imaginées, celle-ci était la pire. J'aurais encore préféré une scène à l'horreur d'être abandonnée.

Il n'était revenu chez nous que très tard. Je m'étais abstenue d'appeler Linda. Je lui taisais tellement de choses au sujet de Marcus. Elle était déjà prompte à le juger sans que je lui donne du grain à moudre. J'avais songé à appeler Jack, mais ça m'aurait semblé une trahison. Je m'étais donc installée devant la télé en espérant que Marcus ne tarderait pas à rentrer. Mais il était minuit passé quand j'avais entendu sa clé tourner dans la serrure. J'étais déjà couchée, toutes lumières éteintes. Il avait grimpé l'escalier et gagné silencieusement notre chambre.

— Isabel, m'avait-il appelée depuis la porte.

J'avais fait semblant d'être endormie. J'étais fatiguée et je ne voulais plus parler. C'était avec soulagement que je l'avais entendu redescendre et allumer la télévision. Le lendemain matin, j'étais partie pour mon club de gym avant qu'il se réveille et je n'étais pas rentrée avant l'heure à laquelle il partait travailler.

Ce soir-là, il était rentré en m'apportant un gigantesque ours en peluche. Il s'était excusé et nous avions repris le cours de notre vie comme si de rien n'était. À force d'y croire, j'avais fini par me persuader qu'il avait changé et je m'étais appliquée à ne pas voir que ses sourires étaient forcés et que les attentions dont il m'entourait n'avaient rien de sincère.

Et puis quelques semaines plus tard ce qui devait arriver était arrivé. Coup sur coup, j'avais perdu le bébé et découvert la liaison de Marcus. Pourtant la nuit qui avait précédé sa disparition nous avions fait l'amour et au matin nous avions dégusté ensemble des croissants. La tragédie et les trahisons dissoutes dans la banalité du quotidien, l'amnésie temporaire déguisée en pardon pour que l'amour survive, était-ce là le secret d'un mariage durable ? Peut-être seulement du mien.

Tous ces souvenirs enfouis refaisaient surface maintenant que Marcus avait disparu. Je m'étais leurrée en me croyant plus clairvoyante que les autres. En réalité, je n'avais vu que ce que je voulais voir et le reste je l'avais récrit à ma convenance.

Je suis descendue du métro à la station de la 86e Rue est et je suis ressortie sur la Cinquième Avenue. Je me trouvais à l'exact opposé de mon appartement, séparée de lui par Central Park. J'avais le sac d'une morte accroché à l'épaule et j'y transportais la première arme à feu que j'aie jamais touchée. Je me sentais si loin de mon ancienne vie que j'aurais pu tout aussi bien me trouver dans une autre galaxie.

J'ai longé la ziggourat renversée du Guggenheim, vaste espace blanc aussi paisible qu'un paysage lunaire. J'ai pensé avec regret aux jours d'insouciance où j'avais descendu les degrés de son escalier intérieur en spirale et arpenté ses salles, passant des impressionnistes aux postimpressionnistes puis aux modernistes. Les artistes avaient disparu, mais leur art survivait, apaisé, même quand les créateurs avaient eu une vie tout sauf tranquille.

C'était le soir et le quartier était calme. La proximité du parc donnait à cette partie de la ville une ambiance plus aérée. En temps ordinaire, je m'y serais sentie parfaitement à l'abri, mais ce soir-là je jetais des coups d'œil inquiets au moindre bruit de pas derrière moi et je scrutais d'un air soupçonneux tous les passants que je croisais. J'ai glissé ma main à l'intérieur du sac à main tape-à-l'œil de Camilla et j'ai refermé mes doigts sur l'arme, prête à m'en servir en cas de nécessité.

Tout en marchant, je me suis repassé le film de mes dernières vingt-quatre heures. Vingt-quatre heures seulement. Le coup de téléphone et l'horrible cri, Fred baignant dans son sang sur le marbre de son vestibule, la gorge tranchée de la belle Camilla. J'ai fini par reconnaître que Trevor avait vu juste. Toute cette histoire me dépassait. J'ai pensé à Linda, qui devait être morte d'inquiétude et furieuse contre moi d'avoir menacé Erik d'une arme. Elle devait savoir à présent à quelles extrémités m'avait poussée le désespoir. J'entendais claquer mes pas sur le trottoir dans la nuit silencieuse. Dans un éclair de lucidité j'ai pensé que je devais appeler l'inspecteur Crowe et lui dire tout ce que j'avais appris, puis contacter cet avocat, sauter dans un taxi et me rendre à la police. La raison me dictait d'accepter toute l'aide qu'on pourrait m'offrir, d'arrêter de me comporter comme une idiote, au moins pour ma famille si je ne le faisais pas pour moi-même. Je me suis arrêtée et j'ai pris le téléphone de Camilla dans ma poche droite, la carte de l'inspecteur Crowe dans la gauche. Je pouvais passer cet appel et mettre fin à tout ça.

Puis j'ai repensé à celle qui se faisait appeler « S », à ses yeux cruels, à son corps parfait. Un goût de bile m'a empli la bouche. La rage à l'état pur avait un goût d'amertume auquel je commençais à m'habituer. J'ai rangé le téléphone et la carte. Je ne laisserais personne d'autre que moi écrire la fin de cette histoire.

« N'essaie pas de me retrouver ni de chercher des réponses aux questions que tu te poseras. Sinon, je ne garantis pas ta protection ni celle de ta famille. »

J'entendais encore le son de sa voix dans ma tête aussi clairement que s'il s'était trouvé près de moi.

Me protéger, mais de qui ? De son autre moi, de cette ombre qui avait vécu à mes côtés, qui avait dormi dans mon lit pendant plusieurs années ? L'inspecteur Breslow m'avait demandé si Marcus souffrait de troubles mentaux. Au fond qu'est-ce que j'en savais ? Celui que j'avais vu au domicile de Camilla Novak était bien mon mari, l'homme que je connaissais, et pas un dément rendu méconnaissable par son délire. C'était lui, révélé peut-être pour la première fois sous son véritable jour.

J'ai continué à marcher. Tournant à droite dans la 88e Rue, j'ai longé une rangée de demeures cossues jusqu'à la porte d'une maison que je connaissais bien. Au moment où j'appuyais sur la sonnette, je me suis demandé une fois de plus comment il avait les moyens d'habiter une maison de trois étages dans le très chic Upper East Side, le rectangle d'or réservé aux plus grosses fortunes de Manhattan. Cette question me turlupinait depuis longtemps et un jour j'avais trouvé le courage de la lui poser.

— C'est grâce à toi si je suis riche, m'avait-il répondu.

J'avais ri. Sans Marcus, je n'aurais jamais eu les moyens de vivre dans mon duplex de l'Upper West Side et j'occuperais encore mon ancien appartement dans l'East Village.

— Mais je n'ai même pas réussi à faire ma propre fortune.

— Tu t'en sors très bien.

— Tiens donc.

Il est vrai que quand Jack s'y était installé, cette maison, avec ses poutres et ses fils électriques apparents, ses escaliers branlants et ses taches d'humidité aux plafonds, n'était que l'ombre de ce qu'elle est devenue depuis. Jack avait passé des années à la restaurer et réalisé lui-même une grande partie des travaux. En cinq ans, il en avait fait un petit bijou. Chaque fois que je passais le voir, je le trouvais occupé à rénover une nouvelle pièce. Il me faisait penser à Fred, qui avait autrefois consacré tout son temps à réparer ce qui était cassé chez nous.

— On dit que lorsqu'un homme ressent le besoin de construire une maison, c'est parce qu'il a le sentiment de n'avoir pas accompli assez de choses dans sa vie, m'avait confié Jack un jour où je l'avais trouvé clouant un parquet dans le couloir du premier étage.

Assise sur le seuil de sa chambre, les pieds contre le chambranle de la porte, une bière dans la main, je campais une précieuse assistante. J'étais mariée depuis un an et Marcus s'était absenté pour ses affaires. Du moins, c'était ce que je croyais à l'époque.

— C'est ce que tu éprouves ? lui avais-je demandé.

Il avait frappé à deux reprises avec son marteau et l'écho de ses coups était allé se perdre dans les chambres encore vides.

— Je ne sais pas.

C'est alors qu'avait resurgi de ma mémoire le souvenir de l'unique nuit que nous avions passée ensemble. C'était si soudain que j'avais senti le rouge me monter aux joues. « Je t'ai toujours aimée, Isabel », m'avait-il soufflé à l'oreille. Qu'avais-je répondu ? Je ne m'en souvenais pas.

— Comment ça marche avec cette éditrice que tu fréquentais ?

— Elle a jugé que je nécessitais un trop gros travail de révision.

Je m'étais esclaffée à cette plaisanterie. Jack s'était joint à mon hilarité et nous avions piqué ensemble un gros fou rire.

Comme s'il était derrière la porte à attendre mon coup de sonnette, Jack m'a tout de suite ouvert. Il semblait mort d'inquiétude et au bord de la crise de nerfs.

— Bon sang, il est presque 23 heures. Ta sœur n'a pas arrêté d'appeler. Je me suis fait un sang d'encre.

— Qu'est-ce que tu lui as dit ? ai-je demandé en entrant.

— Que je n'avais aucune nouvelle de toi,

mais elle savait que je mentais.

Il m'a attrapé les bras en m'examinant des pieds à la tête.

— Tu as une mine épouvantable et ton bandage est plein de sang.

J'ai posé la main sur ma blessure. Le pansement était trempé. Jack m'a entraînée dans un étroit couloir. Nous sommes passés devant la cuisine façon grand chef, tout en granit et inox, genre modèle d'exposition, immaculée comme seule peut l'être la cuisine d'un homme qui dîne dehors tous les soirs de la semaine. J'étais présente quand on lui avait livré les plans de granit et j'avais donné un coup de main à Jack pour déballer l'électroménager.

Quand nous sommes arrivés dans sa grande salle de bains et que j'ai vu ma tête dans la glace, j'en ai presque pleuré. Épouvantable était bien le mot. J'avais une mine de déterrée, aussi livide que celle d'Ivan lors de notre rencontre. J'ai revu le bandage qu'il avait à la poitrine et le sang qui était passé à travers. Je me suis soudain sentie plus proche de ce colosse déjanté.

Jack a retiré mon pansement et fait la grimace.

— C'est infecté. Ne bouge pas.

Dès qu'il est sorti, je me suis laissée glisser

jusqu'au sol. Assise sur le tapis de bain moelleux, je me suis appuyée contre le meuble en bois. J'ai entendu Jack grimper l'escalier quatre à quatre. Il est revenu une minute plus tard et s'est agenouillé près de moi. J'ai eu un mouvement de recul en voyant dans sa main la bouteille d'eau oxygénée. Il avait aussi rapporté du coton, de la gaze et une pommade antibiotique. Il était dans son rôle, celui de l'infirmier, du bricoleur qui répare tout.

— Et Jack, dans tout ça ?

La question récurrente de ma sœur, celle qu'elle me posait après chacun de mes rendez-vous ratés, chacune de mes lamentables liaisons.

— C'est un type bien et il t'aime beaucoup. Ça saute aux yeux.

— Nous sommes amis et ça s'arrête là.

— C'est déjà un début. L'amour, ce n'est pas que coups de foudre et étoiles filantes.

— On croirait entendre maman.

Agitant sous mon nez un coton qui dégageait une forte odeur d'antiseptique, Jack m'a mise en garde :

— Ça va faire mal, je te préviens.

— Parfait, ça ne me changera pas de l'ordinaire.

Il m'a regardée d'un air perplexe et compatissant à la fois, puis s'est attaqué sans ménagement à ma blessure. J'ai tout fait pour rester de marbre, mais je n'ai pas pu empêcher mes larmes de couler.

Et pendant tout ce temps, Jack n'arrêtait pas de répéter :

— Je suis désolé, Izzy, tellement désolé.

— Qu'est-ce que tu fiches ici ?

Un nuage de buée s'échappa de sa bouche. Elle serra contre elle les pans de son manteau.

— Grimpe dans la voiture, murmura Ben sans la regarder. Il gèle dehors.

— Pas question que je monte dans ta voiture alors que mes enfants dorment dans cet hôpital.

En pensant à eux, endormis au chevet de Fred, elle éprouva un pincement d'angoisse. L'un d'eux pouvait se réveiller, aller à la fenêtre et la voir en grande conversation avec un inconnu sur le parking. Cela susciterait un flot de questions auxquelles elle ne pourrait pas répondre.

Il l'avait vue sortir de l'hôpital, elle l'avait deviné à sa façon de se redresser sur son siège et d'étudier son reflet dans le rétroviseur. Était-il assez fou pour s'imaginer qu'elle serait contente de le trouver là ?

— Une minute, c'est tout ce que je te demande. S'il te plaît.

Les narines de Linda furent agressées par l'odeur âcre de trop nombreuses cigarettes fumées dans un espace confiné. Elle vit qu'il avait les traits tirés. Il écoutait un blues qu'elle n'avait jamais entendu. D'une voix éraillée, une femme chantait son chagrin d'être abandonnée par son homme.

— Je t'ai déjà dit non, Ben. Qu'est-ce que tu viens faire ici ? Est-ce que tu m'as suivie ?

Il hocha la tête, piteux mais pas honteux. Il semblait espérer qu'elle trouverait son geste drôle ou charmant. Il était loin du compte.

— Tu es donc resté posté devant chez moi. Combien de temps ?

— Depuis qu'on s'est quittés au café.

Elle aperçut son propre reflet dans la vitre arrière, du côté passager, et vit ses traits déformés par la colère et l'incrédulité.

Elle prit un instant pour se ressaisir avant de répondre :

— C'est pas drôle, Ben. C'est même très flippant.

Elle s'attendait à ce qu'il présente des excuses et s'en aille. Demain, elle lui annoncerait qu'ils ne pouvaient plus se voir. Elle était en pleine crise familiale et elle avait besoin de se recentrer sur ses proches. Il comprendrait et peut-être qu'il retournerait auprès de sa femme et de ses enfants. Mais, contre toute attente, il la regarda d'un air mauvais et fit entendre un rire amer.

— J'ai foutu ma vie en l'air pour toi, Linda. Le moins que tu puisses faire est de monter dans cette bagnole.

Ses paroles tranchantes comme une lame venaient de changer brusquement tout ce qu'ils étaient l'un pour l'autre. Son ton était si différent de tout ce qu'elle avait jamais entendu sortir de sa bouche que pendant une fraction de seconde elle le contempla d'un air interdit, croyant à une plaisanterie. Mais Ben n'avait aucune envie de plaisanter.

— Je ne t'ai jamais rien demandé, répondit-elle d'une voix calme.

Elle ne voulait pas l'accabler davantage, mais Ben lui communiquait sa tension et elle souhaitait seulement qu'il s'en aille.

— C'est même tout le contraire, ajouta-t-elle.

— Tu n'as pas eu besoin de me le demander, hurla-t-il en la faisant sursauter.

Il ferma les yeux, prit une grande inspiration, et reprit d'une voix qui n'était plus qu'un murmure :

— Au fond de ton cœur, c'est ce que tu voulais. Avoue. Je te connais et c'est ça l'amour. Savoir ce que veut l'autre et le lui donner sans qu'il ait besoin de le demander.

— Allez, Ben, va dormir un peu, lui répondit-elle avec une tendresse forcée. On reparlera de tout ça demain.

Il tourna vivement son visage vers elle. Elle put alors mesurer toute la profondeur de sa lassitude et vit dans son regard une lueur effrayante. Craignant qu'il ne sorte de la voiture, elle recula instinctivement. Comment en étaient-ils arrivés là ?

— Je ne peux pas, dit-il. J'ai perdu le sommeil. J'ai besoin de toi à mes côtés.

Frissonnant de froid et de peur, elle serra ses bras plus étroitement contre elle. Elle n'avait jamais perçu cet aspect de lui, mais, à bien y réfléchir, elle ne le connaissait pas si bien que ça. Certes, ils couchaient ensemble, mais, quoi qu'en dise Ben, le sexe ne créait pas forcément l'intimité.

Elle lui sourit en signe d'apaisement, s'approcha de la voiture et lui toucha le bras. Il parut se détendre un peu.

— Je crois qu'elle était contente au fond et soulagée que la comédie prenne fin, dit-il. Erik le sera aussi. Il est peut-être aussi malheureux que toi.

Elle continua de sourire, même si les paroles de Ben lui coupaient les jambes.

— Tu as peut-être raison, acquiesça-t-elle. Je vais lui parler et je t'appelle demain.

Il sourit enfin et posa la main sur la sienne.

— Je ferai de toi la plus heureuse des femmes, tu verras.

— Je sais. Va te reposer, maintenant.

— D'accord.

— Tu me le promets ?

— Oui.

Elle s'éloigna de lui, tourna les talons et commença à se diriger vers l'hôpital. Elle aurait voulu prendre ses jambes à son cou.

— Tu lui parleras, lâcha Ben. Ou c'est moi qui m'en chargerai.

Son cœur battait à grands coups. Elle allongea le pas et l'entendit l'appeler, mais cette fois elle ne s'arrêta pas avant d'être arrivée dans le hall brillamment éclairé. Elle se précipita vers les toilettes et se cramponna au bord du lavabo. Quand ses tremblements se furent calmés, elle se rua dans un box et vomit un mélange de bile, d'eau et de café. Ensuite, elle se laissa glisser par terre et appuya sa tête contre la cloison.

À ce moment-là son portable se mit à sonner. Elle répondit sans reconnaître le numéro qui s'affichait.

— Salut, c'est moi.

Jamais elle n'avait été plus heureuse d'entendre la voix rassurante de son mari. En comparaison de ce qu'elle avait fait, la trahison d'Erik n'était rien.

Elle prit une grande inspiration et articula :

— Qu'est-ce qui se passe ? Je n'ai pas arrêté de t'appeler.

— Mon téléphone était HS.

— Où es-tu ?

À voix basse, Erik lui raconta l'épisode de Camilla Novak et la fuite d'Isabel.

— Elle t'a menacé ?

— Je n'en ai pas soufflé mot à la police. Elle ne m'aurait jamais fait de mal, mais elle devait trouver un moyen de m'obliger à la laisser partir. Elle n'aurait pas tiré sur moi.

Linda était atterrée. Ils étaient tous en train de craquer les uns après les autres. Étaient-ils donc si fragiles, prêts à se briser au moindre vent contraire ?

— Où es-tu ?

— Au poste. La police voulait m'interroger. Ils ont une drôle de façon de me traiter. On dirait qu'ils me soupçonnent de leur cacher des choses.

— C'est le cas ?

— Oui, pour l'arme. Je n'ai pas dit non plus

qu'elle avait filé avec le sac à main de Camilla.

— Pourquoi a-t-elle fait ça ?

— Je n'en sais rien. Ta sœur ne s'est pas montrée très communicative. Elle se sent investie d'une mission, elle semble persuadée qu'elle va pouvoir tout régler.

Linda poussa un soupir qui se transforma en sanglots. Elle fut elle-même surprise par la violence de sa réaction. Ses larmes se mirent à couler sans qu'elle puisse les retenir.

— J'ai besoin de toi, Linda.

Sa prière, qui faisait écho à celle de Ben, fit redoubler ses sanglots.

— Tu es toujours à l'hôpital ?

Sans attendre sa réponse, il enchaîna :

— Confie les enfants à ma mère. Elle t'attend. Ensuite, rapplique ici.

Il lui donna l'adresse du poste de police.

— Je ne peux pas laisser Fred tout seul. J'ai promis à maman que je l'attendrais.

— Elle comprendra.

Elle acquiesça.

— On va s'en sortir, fais-moi confiance, reprit-il.

— Moi aussi j'ai fait des erreurs, de très grosses erreurs, parvint-elle à articuler.

Elle épongea ses larmes et tenta de reprendre son souffle. Elle avait envie d'avouer, de tout déballer, mais le moment ne pouvait pas être plus mal choisi.

— Pour l'instant, rapplique et appelle cet avocat, dit Erik d'un ton ferme.

Il était tel qu'elle avait besoin qu'il soit en un moment pareil.

Elle parvint à se ressaisir et se remit debout.

— D'accord, j'arrive.

Elle ignorait si Ben traînait encore sur le parking, ni comment elle arriverait à quitter les lieux avec les enfants sans qu'il les voie. Mais elle était déterminée.

Elle s'aspergea le visage en hâte et ressortit des toilettes. Dans le grand hall désert, elle aperçut une femme toute frêle qui jetait des regards autour d'elle et semblait désorientée. Elle portait un manteau bleu marine et traînait derrière elle une valise à roulettes. Il s'écoula quelques secondes avant que Linda reconnaisse sa mère, tant la présence de Margie lui semblait incongrue dans le vaste chantier qu'était devenue sa vie.

— Maman ?

— Linda ! s'exclama Margie avec soulagement. Vas-tu enfin m'expliquer ce qui se passe ?

Elle observa sa fille et aucun détail ne sembla lui échapper. Ni sa chevelure hirsute, ni les coulures de mascara sous ses yeux, ni la tache de café sur son manteau. Elle fronça les sourcils d'un air soucieux.

— Mais bon sang, vas-tu me dire ce qui s'est passé ? répéta-t-elle.

17

Ce qui m'a le plus étonnée dans notre mariage, c'est la rapidité avec laquelle nous nous sommes installés dans les habitudes. Sans être banale, notre vie est vite devenue routinière. Après l'euphorie de la rencontre, la magie des premiers rendez-vous, l'excitation des fiançailles, l'agitation des préparatifs de la cérémonie, les délices de la lune de miel, les petits plaisirs de l'installation dans un nouveau foyer et ceux du déballage des cadeaux extravagants, était venu le temps de s'adapter à la vie de couple, de se penser comme un nous et non plus comme deux je. Au début, tout brille, tout est nouveau et frais, et puis tout rentre dans la normalité. Je n'aurais pourtant pas dû en être surprise. Linda m'avait éclairée sur ce qui m'attendait.

— Quand tu as choisi la bonne personne et que tu aimes sincèrement ton compagnon, le feu, sans vraiment s'éteindre, s'apaise. Le brasier se transforme en veilleuse et si tu n'y prends pas garde cette petite flamme s'éteindra complètement.

— Erik et toi avez toujours vos moments romantiques.

— Oui, mais nous faisons des efforts pour ça. Les enfants et le travail occupent toute notre vie. Je ne vais jamais au restaurant ou au cinéma sans qu'au fond de moi je continue à me faire du souci pour Trevor et Emily. Parfois, quand nous faisons l'amour, il m'arrive de me demander si nous avons payé la facture d'électricité.

— Oh, Linda !

Un petit haussement d'épaules, un battement de cils (le portrait craché de Margie).

— Voilà la vie des gens mariés avec enfants. Mais c'est pas aussi terrible que ça n'y paraît. Tu verras.

Elle m'avait regardée avec le sourire de la sœur aînée pleine de sagesse.

Pas moi, avais-je pensé. Ça ne m'arrivera jamais.

Entre Marcus et moi les choses n'ont jamais pris cette tournure, pas au plan sexuel du moins. Même si nous nous étions installés dans une routine, entre le travail, la vaisselle, le ménage et les courses, il ne m'est jamais arrivé de penser à la facture d'électricité quand nous faisions l'amour. Mais il est vrai que nous n'avions pas d'enfants, que nous n'étions par conséquent pas accablés par la fatigue que je lisais sur les traits de Linda et d'Erik après des années de nuits trop courtes et de tracas incessants à veiller aux besoins des uns et des autres.

Sans oublier que je ne connaissais pas vraiment Marcus. L'homme avec qui je couchais était un étranger et peut-être qu'inconsciemment je ne me sentais jamais assez à l'aise avec lui pour laisser mon esprit divaguer. C'était peut-être l'inconnu qui excitait ma passion et le désir de comprendre qui me tenait en haleine. La simple curiosité de savoir qui était cet homme, voilà peut-être pourquoi j'étais restée, même quand tout avait mal tourné après la perte du bébé et la liaison de Marcus.

Jack arpentait la pièce et parlait d'une voix forte, tout en agitant les bras comme un prédicateur. Je sentais en moi un vide où nulle vie ne pouvait s'épanouir, où nul amour ne pouvait durer.

Il m'avait servi un sandwich au thon, m'avait obligée à prendre des antibiotiques et s'appliquait maintenant à me sermonner à propos de ma folle inconscience. Il menaçait d'appeler la police ou de me traîner lui-même jusqu'au cabinet de l'avocat. En bon New-Yorkais, né et élevé à Manhattan, Jack possédait une verve naturelle et pouvait palabrer avec assurance sur n'importe quel sujet.

— Nous ne sommes plus dans un de tes romans, Isabel. Il s'agit de ta vie.

— Où est la différence ?

Il a interrompu ses déambulations et m'a regardée. Je ne sais pas comment décrire Jack. Il est si proche de moi qu'il m'arrive de ne plus voir le désordre étudié de ses cheveux bruns, la douceur de son regard noir qui semble toujours s'amuser de tout, la forme étrange de son nez, cassé au cours d'une bagarre au lycée, et sa silhouette athlétique mais un peu enrobée d'homme qui passe ce qu'il faut de temps à son club de sport sans pour autant renoncer aux plaisirs de la table.

— Es-tu en train de me dire que tu ne fais plus de différence entre la réalité et la fiction ?

Son regard accusateur s'attardait sur la blessure qu'il venait de soigner comme si elle était la cause de mon désordre mental.

— Non, pas en ce moment.

— De deux choses l'une : soit tu traverses

une simple crise existentielle, soit tu as officiellement franchi la ligne.

De quelle ligne me parlait-il ? De celle qui sépare la folie de la raison, le réel de l'imaginaire ?

— Tu sais, si c'était une de mes histoires, je me demanderais ce que mon héroïne va entreprendre à partir de maintenant. Je serais en train d'explorer le champ des possibles. Ce que j'ai justement l'intention de faire.

— Dans le monde réel, les erreurs peuvent avoir de graves conséquences, Isabel.

— Dans les livres aussi.

— D'accord, fit-il, agacé. Mais tu n'as pas le droit de retravailler ta copie. Dans le monde réel, les conséquences sont irréversibles.

Je me suis détournée de lui et j'ai observé au mur un croquis d'ingénieur du pont de Brooklyn, admirative devant la précision des lignes, les cotes, les notes tracées à la main en tout petits caractères indiquant la longueur des câbles et la largeur du tablier. J'ai toujours envié aux ingénieurs leur méticulosité, leur foi dans leurs outils et leur savoir-faire, leur conviction que le monde peut être mesuré. En comparaison, mon propre monde semblait mouvant et instable, échappant à toute possibilité de calcul.

Jack n'avait pas tort. Il venait de marquer un point et de pomper du même coup ce qui me restait de force. Une fois de plus, j'étais plongée dans le doute. J'ai pensé à l'inspecteur Crowe et à son numéro que j'avais gardé dans ma poche. Tous les gens que j'aimais et que je respectais me conseillaient de m'en remettre à un avocat. Pourquoi m'entêtais-je à agir autrement ?

— Ton téléphone sonne, lui ai-je fait remarquer.

J'ai laissé errer mon regard sur le haut plafond blanc à moulures et sur les lignes pures de la rampe d'éclairage, appréciant ce mélange très réussi d'ancien et de contemporain.

Jack avait accompli un boulot extraordinaire dans cette maison. J'ai noté la présence d'une fissure au plafond et de quelques cadavres d'insectes derrière le verre des lampes. La stridulation étouffée d'un téléphone emplissait la pièce.

Jack a secoué la tête.

— Ce doit être le tien. Le mien est ici, a-t-il dit en me montrant le mince combiné noir sur le plan de travail en granit.

— Ça ne peut pas être le mien, je l'ai jeté.

Nous avons tourné les yeux vers le sac de Camilla qui se trouvait là où je l'avais négligemment déposé sur le canapé de Jack. Puis nous nous sommes regardés. Je me suis jetée sur le sac, mais Jack a plongé pour me retenir.

— Ne réponds pas, m'a-t-il conseillé.

— Pourquoi ?

J'ai dégagé mon bras qu'il serrait et j'ai fouillé frénétiquement le contenu du sac jusqu'à ce que je trouve, tout au fond, le téléphone qui continuait de sonner et de vibrer. Il n'était pas en très bon état, et sa coque rose bonbon portait des traces de rayures. Numéro masqué, ai-je lu sur l'écran. J'ai ouvert le clapet et regardé Jack d'un air triomphant. À son expression épouvantée, on aurait pu croire que je venais de sauter à pieds joints dans un ravin. Comme d'habitude, sa réaction était disproportionnée. J'ai appuyé sur la touche verte et sans dire un mot j'ai écouté.

— Camilla ? a fait un homme.

Après un bref instant de réflexion, j'ai répondu en tentant d'imiter la jeune femme dont je connaissais la voix pour l'avoir entendue lors de notre bref entretien téléphonique :

— Salut.

Près de moi, Jack secouait la tête comme un forcené. Pendant un instant j'ai même cru qu'il allait tenter de m'arracher l'appareil.

Mais il s'est détourné pour marcher jusqu'au réfrigérateur qu'il a ouvert d'un geste rageur. Il ne contenait rien en dehors d'une bouteille de vodka, d'une carafe d'eau de Seltz et d'un saladier de citrons verts.

— Tu es en retard, a dit l'homme au téléphone.

Il avait un ton bourru et un accent très prononcé. Je n'ai rien répondu. Non par ruse, mais parce que je ne savais pas comment orienter la conversation. J'ai toussoté, histoire de meubler le silence. « Raccroche ce téléphone, t'es dingue ou quoi ? » a silencieusement articulé Jack, son index sur la tempe.

— Je t'écoute, a continué mon interlocuteur.

J'entendais à l'arrière-plan le brouhaha de la circulation et le hurlement d'une sirène.

— J'ai eu un empêchement, ai-je marmonné d'une voix étranglée.

Il y a eu un moment de flottement et j'ai cru qu'il avait raccroché.

— Mais tu vas venir ? a-t-il finalement demandé.

J'ai encore opté pour le silence.

— Bon, j'attendrai, mais ma patience a des limites. Retrouve-moi à Children's Gate. C'est noté ?

— Oui.

— J'espère que tu as les fichiers. Je déteste perdre mon temps.

Pour toute réponse, j'ai mis fin à la communication. Derrière la dureté de son ton, l'homme m'avait semblé aux abois. Camilla détenait quelque chose dont il avait désespérément besoin. Il continuait d'attendre, alors qu'elle était déjà très en retard. J'ai repensé à la jeune femme, gisant dans son sang, et au contact glacé de sa peau.

Jack a fait tinter les glaçons dans son verre en cristal, son regard fixé sur moi.

— Tu peux m'expliquer ? m'a-t-il demandé.

J'étais plantée au milieu de la pièce, serrant le téléphone dans ma main.

— Tu as mon argent ?

Cet appel m'avait rendu toute mon énergie. J'ai attrapé le sac de Camilla et répandu son contenu sur la table basse du salon.

— Il a parlé de fichiers.

Jack s'est assis face à moi. Sous son air renfrogné, j'ai senti que sa curiosité était piquée. Après tout, en tant qu'agent, il vendait de la fiction et plus que quiconque il était friand de bonnes histoires.

Un rouge à lèvres bon marché, un flacon de vernis à ongles à paillettes, un paquet de cigarettes à moitié vide. Ou à moitié plein si on était optimiste.

— Je ne sais pas, ça dépend.

Jack a ramassé le rouge à lèvres, ouvert le bouchon et fait tourner la base du tube jusqu'à ce qu'apparaisse la pointe rose du bâton. Après quoi il a remis le bouchon et reposé le rouge à lèvres sur la table.

Au fond du sac traînaient des billets de un dollar et des tickets de caisse : un salon de manucure, une gargote tex-mex, une librairie. Une petite trousse contenant d'autres articles de maquillage : un crayon à lèvres, du mascara, du blush.

— Tu as mon argent, oui ou non, Jack ?

J'ai ouvert un petit album photo en plastique passablement écorné, comme s'il avait traîné au fond de ce sac pendant des lustres. Un énorme poids m'a aussitôt accablée quand j'ai vu la photo de Camilla en compagnie d'une femme plus âgée, une parente, peut-être sa mère. Une autre jeune femme qui avait le même nez et les mêmes yeux que Camilla, mais un peu moins jolie et les cheveux plus foncés, tenait contre elle un bébé tout fripé et somnolent enveloppé dans une couverture rose. Une petite fille toute mignonne, avec des couettes et une robe chasuble bleue en velours, montrait à l'appareil un sourire édenté. Il y avait aussi une photo d'un homme en qui j'ai reconnu feu Marcus Raine. Il était assis sur un lit, tenant une guitare, et fixait l'objectif avec la mine rayonnante d'un garçon amoureux.

D'autres objets jonchaient encore la table : un sachet de M&M's, un briquet, un petit calepin orné de cœurs. Les rebuts d'une vie, des choses qu'elle avait collectionnées au fil du temps et qu'elle transportait sur elle parce qu'elles étaient importantes à ses yeux. Tous ces objets étaient maintenant en possession d'une femme qu'elle n'avait jamais rencontrée, d'une femme qui s'était tenue au-dessus de son cadavre et qui avait touché sa peau glacée avant de prendre la fuite en emportant ses affaires. Si quelqu'un lui avait raconté ça au moment où elle avait acheté ce sachet de M&M's, qu'aurait-elle pensé ?

C'est alors que je me suis souvenue de l'arme. Je l'ai sortie de ma poche et l'ai déposée sur la table.

— Mais qu'est-ce que tu fiches avec ce truc ? s'est exclamé Jack.

C'était un petit revolver de calibre 38. Je le savais, parce qu'un jour j'avais interrogé un policier qui m'en avait montré un, en tout point identique. Une arme que les flics portaient souvent quand ils n'étaient pas en service, parce que discrète. Petite et légère, elle était parfaite pour la main d'une femme. Mon neveu serait content, lui qui m'avait conseillé de m'armer.

— Il était dans son sac, ai-je expliqué à Jack. Tu ne m'as toujours pas répondu. Est-ce que tu as mon argent ?

— Quel que soit le lieu où elle se rendait, elle y allait armée, a fait observer Jack, décidément pris au jeu.

Il a tendu le bras vers la table et ramassé ce que j'ai d'abord confondu avec un minuscule briquet en argent. Mais, quand l'objet a été dans sa main, j'ai vu qu'il s'agissait d'une clé USB. J'ai voulu m'en saisir, mais Jack a écarté son bras.

— Je n'ai pas perdu une miette de ta conversation et je sais bien ce que tu mijotes.

Il n'y avait pas besoin d'être un génie pour savoir à quoi je pensais en ce moment. Jack a brandi la clé USB au-dessus de sa tête.

— Dis-moi quel but tu poursuis en allant à ce rendez-vous. Explique-moi comment tu reconnaîtras cet homme et ce que tu feras quand tu te retrouveras face à lui.

Je n'avais pas poussé ma réflexion jusque-là. Jack l'a compris en me regardant. Il a levé les yeux au ciel et s'est laissé retomber dans son fauteuil.

— Commençons par voir ce qu'elle a dans le ventre, ai-je suggéré.

— On n'a pas le temps, a dit Jack en se levant. Et peut-être vaut-il mieux ne rien savoir.

Il s'est levé et a sorti d'un placard un blouson de cuir en piteux état. Il l'a enfilé et s'est coiffé d'un bonnet.

Je lui ai tendu ma main ouverte.

— Ce n'est jamais une bonne chose de ne pas savoir, crois-moi.

Il a fait la sourde oreille.

— Tu sais où se trouve Children's Gate ?

Je lui ai décoché un regard dédaigneux. Monsieur je sais tout sur New York. C'était une passion chez lui, à la limite de l'obsession, et, à force de le fréquenter depuis toutes ces années, sa marotte en était devenue agaçante.

— Il y a vingt portes d'entrée dans Central Park, ai-je répondu. Celle-ci se trouve au coin de la 76e Rue et de la Cinquième Avenue.

Il a haussé les sourcils avec un air de surprise feinte et m'a gratifiée d'un hochement de tête plein de déférence.

— Vingt sur vingt, m'a-t-il dit en remontant la fermeture à glissière de son blouson. C'est à deux pas d'ici. Allons-y et réglons cette affaire une fois pour toutes.

J'admirais la facilité avec laquelle il était entré dans l'intrigue, se faisant à la fois complice et coauteur.

— Nous avons le temps de lire le contenu de la clé USB, ai-je insisté. S'il a attendu jusque-là, il peut bien patienter encore un peu.

Jack s'est arrêté dans son élan et j'ai cru qu'il allait m'assener un autre de ses arguments. Mais, contre toute attente, je l'ai vu filer vers son bureau, au bout du couloir. Le temps que je le rattrape, il était déjà assis devant son ordinateur, la clé enfoncée dans le port USB. Jack n'avait pas encore terminé cette pièce. Elle était meublée simplement d'une table de travail à plateau en verre et d'un fauteuil ergonomique noir. Près d'une fine lampe à halogène se trouvait un ordinateur portable d'une minceur incroyable. Du sol au plafond, les murs étaient recouverts d'étagères chargées de livres. Jack était le seul au monde à posséder plus d'exemplaires de mes romans que moi. Il en avait littéralement tapissé ses murs. Éditions originales en anglais, éditions étrangères, grands formats et collections de poche. Toutes mes histoires reliées et traduites dans des langues que je ne comprenais pas, mes millions de mots réunis et vendus dans des volumes propres et nets. Je pouvais lire mon nom dans différentes typographies et différentes couleurs : Isabel Connelly et non Isabel Raine. Je n'avais jamais été éditée sous mon nom de femme mariée. Sur le papier, là où j'étais moi-même, plus réelle, plus vivante que partout ailleurs, je n'avais jamais été Isabel Raine. J'en éprouvais maintenant un curieux soulagement.

— Des photos, m'a dit Jack.

Je suis venue me placer derrière lui. La tête me tournait et pour conserver mon équilibre j'ai placé mes mains sur ses épaules. Sans me regarder, il s'est levé et m'a donné son fauteuil. Les yeux rivés sur l'écran, les doigts sur le clavier, il a fait défiler une soixantaine de photographies en noir et blanc.

Cinq hommes, les mains dans les poches, les épaules rentrées et l'air transi, se tenaient sur ce qui ressemblait à un quai. L'eau derrière eux était grise et houleuse. Quatre d'entre eux portaient de longs manteaux noirs. Le cinquième, vêtu d'un costume léger, serrait ses bras autour de lui, sans doute dans l'espoir de se réchauffer. Sur le cliché suivant, l'un des hommes en manteau avait posé sa large main sur le bras du type en costume. Sur l'image suivante, une arme était apparue. Les photos au grain épais se succédaient ainsi, séparées par un laps de temps de quelques secondes. Je croyais presque entendre le cliquetis de l'obturateur entre deux prises. Sur l'image suivante, le photographe avait zoomé et j'ai sursauté en reconnaissant deux visages, celui de Marcus et celui d'Ivan. C'est Ivan qui tenait l'arme. Marcus avait le bras emprisonné dans celui d'un autre homme.

— C'est Marcus que je vois là ? m'a demandé Jack d'un air incrédule.

Mais je n'avais plus de voix. L'épouvantable cri entendu cette nuit-là a résonné dans ma tête et un frisson glacé a parcouru ma nuque. Jack faisait défiler les photos de plus en plus vite. Marcus posait sa main sur celle de l'homme qui lui tenait le bras, d'une prise rapide il le mettait à genoux et l'abandonnait par terre tandis que l'autre hurlait. L'objectif avait saisi au vol l'ombre du revolver d'Ivan, mais sur l'image suivante l'arme était dans la main de Marcus. Puis à chaque cliché un autre homme se retrouvait à terre jusqu'à ce qu'il ne reste plus que Marcus et Ivan entourés de trois corps ensanglantés. Deux photos les montraient face à face, Marcus tenant le revolver et Ivan le suppliant, les mains jointes devant lui. Sur l'image suivante, Ivan était à terre. Marcus avait commencé à faire rouler les corps jusqu'à l'eau et le quai était couvert de sang. La scène se recentrait ensuite sur Marcus et Ivan. Couché sur le flanc, le colosse se tenait le ventre, les traits crispés par la douleur. Marcus se dressait au-dessus de lui, le canon de son revolver pointé sur la tête de son frère. Puis sur le cliché suivant, il avait baissé son arme et on le voyait s'éloigner, tandis qu'à terre Ivan ouvrait toute grande la bouche dans un cri qui pouvait être de rage ou de douleur.

— Ça va ? Tu tiens le coup ? m'a demandé Jack.

Sans lui répondre, je me suis penchée sur l'ordinateur et j'ai continué à faire défiler les photos. Marcus remontait le quai sans se presser et pour finir disparaissait entre deux entrepôts. Son costume était le même que celui qu'il portait le jour où il m'avait quittée.

— Il a abattu trois hommes, a dit Jack d'un air interdit, et laissé un quatrième pour mort.

L'horreur, la peur, le chagrin. J'ai réussi à m'extraire du flot tumultueux des émotions qui menaçait de m'engloutir.

— Tu sais où ces photos ont été prises ? ai-je demandé à Jack.

Il s'est penché et j'ai senti le parfum de son savon mêlé à l'odeur de vodka de son haleine.

Il a pointé l'écran de son doigt et j'ai reconnu au loin le pont de Verrazano-Narrows.

— Brooklyn, m'a-t-il répondu. Je dirais entre Bensonhurst et Coney Island.

— Tu avais raison, nous aurions mieux fait de ne pas regarder ça, ai-je dit sans le penser vraiment.

— Il faut toujours écouter son agent, a-t-il essayé de plaisanter. Mais j'ai bien entendu dans sa voix la tristesse et la peur aussi.

J'ai copié le contenu de la clé USB sur son ordinateur, après quoi je l'ai débranchée et glissée dans ma poche. Les bras croisés sur sa poitrine, Jack m'a regardée faire. J'ai gagné la porte et je me suis retournée vers lui avant de sortir.

— Reste ici à l'abri et appelle la police si je ne te donne plus de nouvelles.

Il m'a contemplée en soupirant.

— J'espérais que c'était le moment où tu comprendrais qu'on n'était pas dans un de tes romans. Le danger est bien réel et toi, tu es très mal en point. Tu as besoin de te reposer et de me laisser veiller sur toi.

L'offre était tentante et j'ai souri.

— Oui, mais si je faisais ce que tu dis, je ne serais pas moi.

Il a opiné.

— Et si je te laissais partir seule, je ne serais pas moi.

Il m'a aidée à enfiler mon manteau. J'ai rangé les affaires de Camilla dans son sac, avec la clé USB, et j'ai accroché le sac à mon épaule. J'ai laissé le mien sur place, parce que je n'avais aucune envie de perdre mon passeport, mes cartes de crédit et le peu d'argent liquide qui me restait. J'ai glissé l'arme de Camilla dans ma poche, avec la carte de l'inspecteur Crowe, et son téléphone portable dans mon autre poche en notant au passage que la batterie était presque déchargée.

— Alors, tu as mon argent ?

— Pas sur moi, m'a répondu Jack. Mais je l'ai ici, dans la maison. Nous en reparlerons plus tard.

J'ai acquiescé, sorti une dernière fois le revolver de ma poche et vérifié qu'il était chargé, une précaution que je n'avais pas encore prise.

— Tu sais t'en servir au moins ?

— Oui.

Jack m'a dévisagée d'un air sceptique.

— J'ai appris en faisant des recherches pour mes livres.

Il m'a ouvert la porte et nous sommes sortis ensemble dans la nuit.

— Pourquoi tu laisses pas tomber ? Je parle sérieusement, mon vieux. Ça fait deux ans maintenant.

L'inspecteur Crowe était seul dans sa voiture parquée à l'extérieur du poste. Il venait de déposer Jez à l'entrée en disant qu'il allait se garer et qu'il la rejoignait tout de suite pour procéder avec elle à l'interrogatoire d'Erik Book. Comme ils s'en doutaient tous les deux, l'homme avait déjà appelé son avocat et refusait de parler tant que celui-ci ne serait pas arrivé. Ils l'avaient fait monter à bord d'un véhicule de police, escorté par deux agents, non menotté mais pas non plus libre de partir. Book semblait assez déstabilisé pour qu'on parvienne à lui arracher quelques informations. Il avait l'air d'un type raisonnable bien qu'enclin à commettre des erreurs par peur ou pour protéger quelqu'un. Afin de l'inciter à parler, Crowe lui avait servi son laïus habituel :

— Vous n'êtes pas considéré comme un suspect et vous n'avez pas besoin d'avocat. Nous essayons seulement de vous aider.

Il n'y avait pas suffisamment de places disponibles dans la rue longeant le poste pour toutes les voitures du commissariat, aussi alla-t-il se garer au fond du parking situé de l'autre côté de la Première Avenue. Maintenant qu'il disposait d'un peu de temps seul dans la voiture, il fit ce qu'il avait attendu de faire pendant toute la journée : il appela Clara sur son portable.

Elle continuait de penser à lui. Sinon, pourquoi l'aurait-elle appelé la nuit dernière ? Elle n'était peut-être pas aussi heureuse avec Keane qu'elle l'avait imaginé. Mais ses espoirs furent réduits à néant quand il entendit la voix de Sean Keane, l'ordure qui se tapait sa femme.

Crowe regarda devant lui un horizon qui se limitait à une clôture grillagée, un carré de pelouse envahi par les mauvaises herbes et le haut mur de brique de l'immeuble adjacent au parking. Sur sa droite, il vit le terrain de basket où il avait l'habitude de faire quelques paniers avec Keane après le service, histoire de relâcher la pression. Au coin de la rue se trouvait le bar où ils allaient ensuite avaler un hamburger et une bière tout en bavant sur leurs épouses respectives. Du temps où ils étaient encore amis, plus d'une fois Crowe avait pensé avec envie que Keane était un sacré beau mec. Blond, les yeux émeraude bordés de longs cils, la mâchoire virile, une silhouette longiligne et une musculature d'athlète, dès qu'il s'amenait les filles du poste commençaient à minauder.

Les idiotes. Si elles avaient su quel salaud il était, elles auraient moins gloussé.

Crowe était loin de se douter à l'époque que Keane séduirait un jour sa propre femme. En les voyant discuter ensemble à la fête de Noël, il avait bien remarqué la façon qu'elle avait de pencher la tête sur le côté et d'enrouler une mèche de ses cheveux autour de son doigt. Ils s'étaient disputés à ce sujet.

— Tu t'es affichée avec lui à ma soirée, lui avait-il dit. Devant les collègues.

— Ah oui ? Mais peut-être que si t'étais resté avec moi, c'est avec toi que je me serais affichée, avait-elle rétorqué.

— Désolé, mon pote, dit Crowe. Mais ta fiancée n'arrête pas de m'appeler.

Il y eut un silence et Crowe jubila intérieurement.

— L'attrait de la nouveauté est déjà en train de s'écailler, reprit-il. Et sous le vernis c'est la même vieille histoire.

Sean ne lui fit pas le plaisir de réagir à sa provocation, mais, quand il parla, son ton n'était pas franchement serein.

— Laisse tomber, Grady. Le mariage est dans moins d'une semaine.

— Ouais, et dans un an tu te retrouveras sur

un tabouret de bar à baver sur Clara comme tu bavais autrefois sur Angie.

Après une courte pause, il enchaîna :

— À propos, comment va ton fiston ? Est-ce que son cher papa lui manque ?

La communication fut interrompue et Crowe savoura sa revanche. Il était la partie lésée dans cette affaire. Lui était resté fidèle à son serment et rien ne lui plaisait plus que de le leur rappeler. Clara et Sean avaient fait du mal à beaucoup de monde et Crowe espérait sincèrement que ça hantait un peu leurs nuits.

Mais, le premier instant de joie passé, il se retrouva encore plus déprimé qu'avant. Maintenant Clara lui en voudrait d'avoir parlé à Sean de son appel. Elle serait déçue et remontée contre lui. Elle avait cherché à le joindre dans un moment où elle se sentait vulnérable et il s'en était servi contre elle. Si seulement il avait pu retirer ce qu'il venait de dire. Au lieu de la protéger, il l'avait trahie pour le seul plaisir d'avoir le dessus sur Sean.

Une réflexion de Clara lui revint en mémoire : « Tu n'es même pas assez mûr pour être un mari. Tu imagines quel genre de père tu ferais ? »

— Merde, pesta-t-il.

Il faillit envoyer son poing dans le tableau

de bord, mais il avait encore mal à la main à la suite du coup balancé dans le mur après l'appel de Clara.

Quand, enfin calmé, il arriva au poste, Jez en sortait.

— Inutile, lui dit-elle. L'avocat est là. Mais qu'est-ce que t'as fichu pendant tout ce temps ?

— Je cherchais une place.

Piètre excuse, sembla penser Jez, mais, magnanime, elle le gratifia d'une petite tape dans le dos.

— Viens, on sort en boîte. C'est quand la dernière fois que tu t'es éclaté sur une piste de danse ?

— C'était il y a tellement longtemps que j'ai oublié ce que ça fait.

— Bienvenue au club, lui répondit Jez.

18

Avant, quand j'étais nerveuse, j'avais l'habitude de jouer avec mon alliance. Mais désormais, chaque fois que l'ongle de mon pouce touchait mon annulaire, il rencontrait un vide.

À vrai dire, ma bague n'était pas une alliance au sens propre. L'idée même d'une alliance m'était insupportable et s'associait dans mon esprit à la conception traditionnelle qu'on se faisait du mariage. L'anneau de platine orné d'un rubis que Marcus m'avait offert pour marquer nos fiançailles était le seul bijou que j'acceptais de porter. J'adorais son feu et la beauté dépouillée d'une pierre unique, comme un pur joyau extrait de la terre. Chic, sans ostentation. Un bijou réel pour un amour réel. Mais je comprenais à présent que rien n'avait été réel et ma bague, comme le reste, avait disparu.

— Elle est tout ce qui me reste de ma mère

et de mon passé. J'ignore comment elle est entrée en sa possession, mais ma tante me l'a donnée avant mon départ pour les États-Unis. Je l'ai fait ajuster à ta taille. Elle est à toi, maintenant.

J'avais voulu en savoir plus sur sa mère et ce bijou, mais il prétendait que ses souvenirs étaient flous. Il ne se rappelait qu'un visage souriant encadré de belles boucles et un parfum de verveine. Rien de plus. De son père, il ne se rappelait rien. Pour une romancière comme moi, c'était terriblement frustrant d'être ainsi privée des détails de son histoire. J'avais alors imaginé que cette bague avait été offerte à la jeune femme par un galant, pas le père de Marcus, mais un gitan venu de Roumanie, et qu'elle l'avait gardée, cousue dans la doublure de son manteau, à l'abri des regards. Elle ne la sortait jamais de sa cachette, mais éprouvait un grand réconfort à penser au feu passionné de sa pierre couleur de sang qui lui rappelait son ancien amour. Elle devait se réjouir de savoir sa bague au doigt de la femme que son fils avait épousée. Mais je gardais ces rêveries pour moi, car Marcus détestait parler de son passé. Je croyais alors que cette évocation lui était trop douloureuse, mais je comprenais maintenant qu'il évitait le sujet par crainte de s'embrouiller dans ses mensonges.

— À quoi tu penses ? m'a demandé Jack, qui marchait près de moi tandis que nous longions le parc.

— À ma bague. Elle a disparu. Quelqu'un me l'a prise.

— J'avais remarqué. Je suis désolé. J'ai pensé que c'était toi qui l'avais retirée.

Quelqu'un courait derrière nous. Nous avons stoppé net et nous nous sommes retournés d'un même élan. Une jeune femme nous a dépassés. Elle avait le souffle court et portait des écouteurs. Nous avons recommencé à marcher.

— Je me demande comment c'est arrivé, ai-je dit.

Jack n'a pas répondu mais a lentement secoué la tête. Nous avancions vite, d'un pas nerveux, ne sachant vers quoi nous allions, ni ce que nous ferions une fois sur place.

— Tu ne l'appréciais pas et Linda non plus, ai-je continué. Mais est-ce que tu te serais attendu à ça ?

— Linda ne l'aimait pas ? a fait Jack, visiblement ravi.

— Réponds-moi, Jack.

— Non, bien sûr que non. Comment aurais-je pu imaginer une histoire pareille ?

Il a fait quelques grandes enjambées pour se retrouver devant moi, puis il s'est retourné en m'obligeant à m'arrêter. Nous n'étions plus qu'à deux rues de Children's Gate. Jack a tendu sa main devant lui.

— Donne-moi ce revolver, m'a-t-il dit d'un ton d'autorité.

Il était sûr de son fait. C'était lui l'homme et lui qui devait tenir l'arme.

— Non, ai-je répondu en poursuivant mon chemin.

Il m'a attrapé le bras. J'ai eu beau me débattre, il ne m'a pas lâchée. Une immense colère s'est emparée de moi.

— Lâche-moi ! ai-je explosé.

J'ai voulu dégager mon bras, mais il me tenait fermement.

— Lâche-moi !

— Du calme, m'a-t-il dit d'une voix radoucie. Ce n'est que moi.

Je l'ai regardé et aussitôt ma colère est retombée. Un simple contact visuel avait suffi, mais je sentais encore la raideur de mes muscles, la tension dans mes épaules.

— Il nous faut un plan, a suggéré Jack.

— Impossible.

— Pourquoi ?

— Parce que l'un comme l'autre nous ne

nous sommes jamais retrouvés dans une situation pareille.

Nous avons recommencé à marcher. Jack me tenait fermement le bras, comme s'il craignait que je ne tente de m'enfuir.

— Nous devons au moins nous mettre d'accord sur ce qu'il faudra dire.

Mais il était déjà trop tard. Nous venions de repérer notre homme, appuyé au muret d'enceinte. À le voir ainsi, aux aguets, j'ai immédiatement su qu'il attendait Camilla Novak.

Nous nous sommes séparés, mais Jack est resté si près de moi que je sentais presque sa présence dans mon dos. Quand je repense à cette soirée, je mesure notre inconscience. Les New-Yorkais ont une fâcheuse tendance à se prendre pour les maîtres du monde. Nous semblons croire que notre proximité avec les criminels, dont nous lisons les histoires dans les journaux, bien à l'abri dans nos petites vies confortables, fait de nous des êtres familiers de la rue. Nous nous accrochons à la réputation qu'on nous prête partout dans le monde de durs à cuire qui ne s'en laissent pas conter. Notre audace nous pousse même à croire qu'armés d'un revolver nous pouvons aller à la rencontre d'un malfrat dont nous ignorons tout.

J'ai marché droit sur l'inconnu. Il a levé les yeux. Il était petit et chauve. Son visage marqué de cicatrices était rougi par le froid. Son regard était froid et cruel.

— Camilla Novak est morte, ai-je annoncé d'entrée de jeu, ma main sur le revolver. Mais j'ai ce que vous vouliez.

Il m'a contemplée d'un air impassible et s'est écarté du muret. Son regard a filé vers Jack avant de revenir sur la bosse que formait mon arme dans ma poche. Il était en train d'évaluer le danger.

— J'ai quelques questions à vous poser, ai-je poursuivi, pleine d'assurance. Vous aurez les fichiers si vous y répondez.

La tactique était maladroite, j'en conviens. J'avais imaginé tout un tas de scénarios : une bagarre ; une conversation au cours de laquelle j'obtenais facilement ce que je voulais, même si j'ignorais ce que c'était ; je faisais usage de mon arme et il battait en retraite ; au contraire, c'était lui qui m'agressait. Mais je n'avais pas prévu ce qui est arrivé. Il y a eu un instant de flottement, pendant lequel j'ai senti Jack se raidir et me tirer en arrière.

— Qui est Kristof Ragan ? ai-je demandé, le cœur battant, la main tremblante sur la crosse de mon arme. Où puis-je le trouver ?

L'homme a ri.

— Vous trompez. Moi pas parler votre langue.

Pendant un instant je me suis sentie idiote. Mais non, c'était bien la voix rauque que j'avais entendue au téléphone, le même accent.

— Vous en êtes sûr ?

Ni une ni deux, j'ai sorti de ma poche le portable de Camilla, trouvé le numéro de l'inconnu dans le répertoire et établi la communication. Les notes d'une mélodie pop venant de son pantalon l'ont d'abord décontenancé. Mais soudain il s'est élancé, nous a écartés de sa route avec l'énergie d'un demi de mêlée et au passage m'a arraché le sac de Camilla en m'envoyant à terre et en plaquant Jack contre le mur. Puis dans une course effrénée il s'est enfoncé dans le parc. Jack et moi avons échangé un regard éberlué. À peine relevée, j'ai voulu prendre le fugitif en chasse.

— Tu es devenue folle ? a crié Jack derrière moi.

— Il a pris le sac, ai-je répondu, comme si cette excuse justifiait que je mette ma vie en danger.

Sur le moment, ça me semblait d'ailleurs très logique.

J'ai couru dans l'allée bétonnée, longeant

les bancs et les réverbères, mais quand je suis arrivée au premier embranchement l'homme avait disparu. Jack m'a rattrapée. Il tenait dans sa main des morceaux du téléphone de Camilla que j'avais dû lâcher en heurtant le sol. Le découragement qui m'a gagnée m'aurait probablement mise à genoux si mon attention n'avait été attirée par deux détonations déchirant le silence nocturne. J'ai senti Jack me pousser à l'écart de l'allée pour me mettre à l'abri derrière un gros rocher. Deux autres coups de feu ont retenti et l'alarme d'une voiture s'est déclenchée, emplissant l'air de son hurlement lugubre.

Jack et moi sommes restés muets, tapis derrière notre rocher, jusqu'à ce que l'inconnu réapparaisse dans notre champ de vision. Il a fait quelques pas chancelants, puis il est tombé à plat ventre avec un horrible gémissement. Dans mon inconscience, j'ai quitté ma cachette pour aller m'agenouiller près de lui. J'ai posé ma main sur son épaule. Il marmonnait dans une langue que je ne comprenais pas. J'ai rapproché mon oreille de sa bouche sans prêter attention à Jack qui me tirait par le bras.

— Isabel, on va venir. Ce type vient d'être abattu et c'est nous que la police va arrêter, ai-je cru l'entendre dire.

Mais je ne l'écoutais pas, parce que seuls comptaient pour moi les chuchotements d'un mourant.

— Qui est Kristof Ragan ? Où puis-je le trouver ? Je vous en prie.

Je n'avais aucune raison de penser qu'il connaîtrait la réponse à ma question. Sans compter qu'il fallait être horriblement égoïste et faire preuve d'une indifférence que certains qualifieraient d'immorale pour oser interroger un homme qui se vidait de son sang sur le sol froid d'une allée de Central Park. Mais cette question était décisive pour moi et cet inconnu était le seul à qui je puisse la poser. Il a prononcé ses dernières paroles dans un épouvantable gargouillis, et je n'ai pu en comprendre qu'un seul mot. Était-il une réponse à ma question ? Je ne le saurais que plus tard.

— *Praha*, a dit l'homme.

Prague. La ville magique avec ses toits rouge sang, son château dominant l'horizon, ses immeubles massifs et ses sombres places cachées dans le dédale des rues. Elle m'avait fascinée dès la première fois que j'avais arpenté ses chaussées pavées en admirant sa superbe architecture. J'avais rêvé de Kafka dans les cafés qu'il avait autrefois fréquentés. Je m'étais émerveillée du silence de l'aube, le seul moment paisible sur le pont Charles, arceaux de pierre gardés par les statues des suppliciés qui continuaient de gémir à travers les âges. Je l'avais aimée plus encore quand j'y étais retournée avec l'homme que j'allais épouser. Après mon mariage avec Marcus, j'avais cru qu'elle m'appartenait tout entière. Cette ville allait devenir une partie de notre vie et de l'histoire des enfants que j'espérais avoir. Lors de ma prochaine visite, Prague tenterait de m'engloutir dans ses secrets, mais je n'en savais encore rien.

Dans un premier temps, cela m'a paru logique. Marcus était rentré dans son pays, c'était évident. Combien de temps s'était-il écoulé depuis que je l'avais vu chez Camilla ? Deux heures, peut-être trois. Il pouvait très bien se trouver dans un avion, maintenant. Après une escale à Londres ou peut-être à Paris, il serait de retour dans les lieux qui avaient fait de lui ce qu'il était.

C'est en relevant la tête que je l'ai vue, à une trentaine de mètres de l'endroit où je me trouvais agenouillée près de l'inconnu. La femme que je connaissais seulement sous l'initiale S se tenait immobile et m'observait. Je me suis rappelé ce que m'avait dit l'inspecteur Breslow. Elle pensait que les dégâts commis dans mon appartement témoignaient d'une immense colère. S m'enviait et me haïssait. Je le lisais dans ses traits parfaits. Pourquoi ? Parce qu'il m'avait aimée ? Mais elle m'avait tout pris, non ? Mon mari, mon argent et même ma bague.

Elle ressemblait à n'importe quelle New-Yorkaise venue courir dans le parc à une heure un peu trop avancée de la soirée, sauf qu'elle portait le sac de Camilla à son épaule. Elle était vêtue d'un collant en lycra noir et d'une veste courte, blanche avec deux bandes noires courant le long des manches. Un homme en qui j'ai cru reconnaître l'un des faux agents du FBI qui avaient dévasté les bureaux de Marcus se tenait derrière elle. Il avait les cheveux bruns et une silhouette robuste, mais son visage était caché dans l'ombre et je ne distinguais pas ses traits.

Je me suis levée et Jack est venu se placer devant moi. Il ne connaissait pas ces gens et les armes qu'ils avaient certainement sur eux restaient invisibles, mais son instinct lui dictait de me protéger de ces individus qui ne pouvaient être que dangereux.

J'ai serré de toutes mes forces la crosse de mon revolver dans ma poche. Cachée par la silhouette de Jack, je me suis écriée d'une voix qui m'a paru tout à fait pathétique.

— Je suis armée !

S s'est tournée vers son acolyte et tous deux se sont esclaffés. Prise d'une rage puérile en entendant leur rire, j'ai failli sortir le revolver et tirer. Mais ils avaient déjà détalé. Avant de s'éloigner, S s'est retournée vers moi et m'a adressé un salut amical de la main. Puis ils ont été engloutis par les ombres du parc. Je n'ai pas cherché à les prendre en chasse. J'étais vidée, anéantie. Je reconnaissais ma défaite. J'avais parié et j'avais perdu. Jack et moi sommes restés plantés là, tandis qu'au loin hurlaient les sirènes de police.

C'est fou ce qu'une peine de cœur peut nous pousser à faire. C'est fou la colère et le désespoir qui nous envahissent quand on nous arrache notre amour, comme si nous étions en droit de le garder pour toujours. Aucun de nous ne voit l'amour comme un organisme vivant susceptible de se faner comme des fleurs dans un vase. Nous le comparons plus volontiers à une matière minérale, une pierre précieuse qui résistera aux assauts du temps. Quand l'amour meurt, nous nous voyons dépossédés d'un objet de valeur. Nous nous lançons à sa recherche, nous supplions qu'on nous le rende, nous jurons de nous venger de sa perte et nous allons jusqu'à voler pour le récupérer. Nous n'imaginons jamais qu'il puisse se dissiper tel un nuage de vapeur, qu'il ne soit qu'un instant éphémère qui finira par passer, comme passe la vie elle-même.

J'étais animée par une juste colère.

— Il faut que je récupère mon sac et mon argent, ai-je déclaré à Jack.

Il s'est tourné vers moi et m'a saisi les épaules. J'ai posé mes mains sur les siennes. Le hurlement des sirènes se rapprochait de seconde en seconde.

— Tu es mon ami ? ai-je demandé à Jack.

— Isabel…

— Réponds-moi.

— Oui, évidemment.

— Alors donne-moi tes clés, dis-moi où tu as rangé l'argent et laisse-moi m'en aller.

Il a fait non de la tête.

— S'il te plaît, Jack. Je ne peux pas le laisser s'en tirer à si bon compte. Tu peux le comprendre ? Je ne pourrai plus jamais me regarder en face. J'en mourrai.

Incapable de soutenir son regard, j'ai baissé le menton. Je ne voulais pas qu'il puisse voir combien je me sentais honteuse, désespérée et enragée.

— D'accord, a-t-il fini par soupirer. Allons-y.

Le virus que Marcus m'avait transmis était en train de contaminer tout ce qui me touchait et Jack n'était pas immunisé. Mais il avait toujours été mon complice en tout. Il me comprenait mieux que personne et il était donc naturel que nous écrivions ensemble la suite de cette histoire dont nous ignorions encore le dénouement. Nous nous étions colletés ensemble avec de multiples intrigues, discutant des motivations des personnages et de la vraisemblance des situations. Il était évident que Jack voudrait m'aider à démêler celle du roman de ma vie avec Marcus. Et, pour être franche, je n'avais aucune envie d'affronter seule ce au-devant de quoi je comptais me précipiter.

Main dans la main, nous nous sommes enfuis à toutes jambes.

19

Quand il s'agissait de ses enfants, Linda n'avait pas de bouton d'arrêt. Contrairement aux autres parents, Erik et elle ne prenaient jamais une semaine de vacances en tête à tête en laissant Trevor et Emily à leur tante Izzy ou à l'une de leurs grands-mères. Elle ne s'imaginait pas monter à bord d'un avion qui l'emmènerait à des centaines, voire à des milliers de kilomètres d'eux. Margie jugeait ce comportement néfaste. Leur couple en pâtirait, disait-elle. Les enfants finiraient par devenir trop dépendants et incapables de s'assumer. Elle n'avait peut-être pas tort. Linda et Erik traversaient une crise. Trevor avait pleurniché comme un bébé quand elle les avait laissés chez la mère d'Erik quelques heures plus tôt et Emily avait boudé. Mais, pour sa part, Linda pensait que Margie savait au contraire trop bien appuyer sur le bouton d'arrêt et s'était beaucoup trop souvent et trop facilement déconnectée de ses filles. Au point qu'il lui arrivait d'être absente, même quand elle était physiquement là. Izzy ne partageait pas l'opinion de sa sœur sur ce point et avait gardé d'autres souvenirs de leur jeunesse.

Linda ne se rappelait que sa solitude et son sentiment de n'avoir pas été une préoccupation de premier plan pour ses parents. Sa psy pensait que son attitude très protectrice envers ses propres enfants était une forme de compensation. Depuis la naissance d'Emily, il n'y avait jamais eu un matin où elle ne s'était occupée de sa famille dès son réveil. Elle n'avait plus jamais fait de grasses matinées avec Erik, ni de sorties jusqu'aux petites heures du jour. Était-ce inhabituel ? La plupart de leurs amis étaient artistes ou exerçaient une profession libérale et avaient choisi de n'avoir qu'un seul enfant. Ils employaient généralement une nounou à plein-temps ou une jeune fille au pair fraîchement débarquée d'Europe, laquelle dans le meilleur des cas se comportait comme une gamine (à cette différence près qu'il n'y avait pas besoin de lui changer ses couches et qu'elle savait faire la vaisselle) et dans le pire se révélait être une jolie manipulatrice convoitant plus ou moins ouvertement la vie confortable et le mari de sa patronne.

Ses amies aimaient leurs enfants, Linda en était convaincue et elle ne les jugeait pas. Mais il lui semblait qu'Erik et elle étaient les seuls à assumer pleinement leur rôle de parents, les seuls à organiser leur vie privée et professionnelle autour de Trevor et d'Emily en plaçant au second plan leurs propres besoins, au point parfois de les occulter complètement. Quelle attitude était la plus juste ? Honnêtement, elle n'en savait rien. Elle savait seulement qu'elle n'aurait pas pu agir autrement.

Elle se rappelait avoir lu quelque part que l'expression qui se peint sur votre visage quand votre bambin entre dans votre champ de vision est l'un des principaux facteurs contribuant à construire l'estime de sa personne. Or le visage de Linda exprimait une joie intense au spectacle de ses enfants et des progrès qu'ils étaient capables d'accomplir. Leurs premiers pas, leur apprentissage de la propreté, leur réussite scolaire et leur épanouissement personnel lui procuraient des satisfactions bien supérieures à tout ce qu'elle avait connu dans l'existence.

Lorsqu'elle se retournait sur sa propre enfance, elle ne se rappelait que regards fuyants et fronts soucieux. Elle n'était pas personnellement en cause, mais, d'une façon générale, les visages qui l'entouraient étaient moroses et rien de ce qu'elle pouvait faire ne parvenait à les éclairer.

Elle en était là de ses réflexions quand Erik apparut accompagné de John Brace, l'avocat de Margie, le fils de Brace senior. Ce dernier avait été l'avoué de Fred pendant de longues années, mais il était maintenant trop vieux et fragile pour se rendre en pleine nuit auprès d'un client retenu au poste de police. Brace junior ne possédait pas la courtoisie de son père, mais son âpreté était plus adaptée à l'époque. Il avait le teint pâle, des traits durs et un air impassible. Linda l'observa tandis qu'il s'entretenait avec Erik à voix basse. Un jeune loup, pensa-t-elle. Féroce, solitaire et impitoyable. C'était exactement ce qu'il leur fallait en ce moment.

Les deux hommes s'approchèrent et Linda embrassa son mari avec plus de passion que ne le dictaient les convenances en présence d'un étranger. Elle semblait ne plus vouloir le libérer de son étreinte. Brace détourna pudiquement le regard.

— Ça va, lui dit Erik en lui passant affectueusement sa main dans le dos. Je vais bien.

Brace toussota. Tous deux se tournèrent vers lui.

— Je comprends que l'instant soit des plus émouvants, mais nous avons du pain sur la planche. Pour commencer, il faut s'occuper de votre situation financière. Comment pouvons-nous joindre votre sœur et la convaincre de rentrer au bercail ? Ensuite, il est possible qu'Erik soit inculpé. Quelle stratégie de défense allons-nous adopter ? Où pouvons-nous travailler ?

— Il est tard, dit Erik. Nous réglerons ça demain.

— Je ne pense pas que ce soit une bonne idée. Beaucoup de choses peuvent arriver d'ici là. Nous devons nous préparer à toute éventualité.

Erik avait l'air vanné, mais il acquiesça.

— Oui, vous avez raison. Allons à la maison, dit-il.

— Non ! s'exclama aussitôt Linda.

En ressortant de l'hôpital, lorsqu'elle avait fait monter Trevor et Emily dans un taxi, Ben avait disparu. Mais elle ne pouvait pas être sûre qu'il ne rôdait pas autour de leur domicile, prêt à leur fondre dessus dès qu'ils se montreraient.

— Allons plutôt dans un café, suggéra-t-elle. L'Orlin est au coin de la rue. C'est un endroit discret et tranquille. En plus, je meurs de faim.

Erik parut sur le point de proposer un autre endroit, mais il se ravisa.

— Parfait, dit-il en lui prenant la main.

Brace opina d'un air incertain et, après un rapide coup d'œil à sa montre, les guida vers la sortie. Linda apprécia chez lui sa façon de prendre les choses en main tout en restant déférent. Elle était convaincue qu'il viendrait à bout de tous leurs problèmes. Brace senior n'avait pas cette qualité. Il était plus un conseiller avisé qu'un homme d'autorité. Il faisait tout son possible pour vous aider dans les limites de la loi, mais il pliait devant plus fort que lui.

Tous trois ressortirent du poste de police et tournèrent à gauche en direction de la Première Avenue. Tandis qu'ils remontaient le pâté de maisons, Linda repéra du coin de l'œil la Mercedes de Ben garée de l'autre côté de la rue. Son cœur cessa de battre, son estomac se retourna, mais elle continua à avancer comme si de rien n'était.

Elle espérait qu'il se dégonflerait, qu'il resterait en périphérie de sa vie comme une menace qui ne se matérialiserait jamais. Mais soudain elle entendit une portière s'ouvrir et se refermer dans un claquement sonore. Apeurée, elle se serra étroitement contre Erik, sans trouver le courage de se retourner vers l'homme dont les pas résonnaient derrière eux. John et Erik, absorbés dans leur conversation, semblaient n'avoir rien remarqué.

— Il va falloir tout reprendre depuis le début, dit Brace. Comment Marcus Raine vous a présenté les choses, les documents qu'il vous a fournis, les papiers qu'il vous a fait signer. À partir de là nous reconstituerons tout ce qui s'est passé jusqu'à ce soir.

— D'accord, lui répondit Erik. Pas de problème.

— Si je peux me permettre de donner un avis, je crois qu'il serait préférable que nous allions chez vous. J'éprouve quelque réticence à discuter d'affaires privées dans un lieu public. En outre, comme je n'ai pas de secrétaire sous la main, j'aimerais enregistrer notre entretien pour le retranscrire plus tard sur papier.

— Personnellement, je n'y vois pas d'inconvénient. Qu'est-ce que tu en penses, Linda ?

Linda ne l'entendit pas. Elle eut la vague sensation qu'on attendait d'elle une réponse, mais elle était assourdie par le bourdonnement du sang qui affluait à ses oreilles. Ils étaient sur le point de tourner le coin de la rue.

— Linda ! l'appela Ben.

Tous trois s'arrêtèrent net et se retournèrent vers cette voix.

Ben se tenait là, les jambes écartées, les poings sur les hanches. Dans la pénombre de la rue, sa large silhouette était sombre comme une menace. Linda ne distinguait pas ses traits et restait bouche bée, totalement pétrifiée.

Je t'en prie, ne fais pas ça, Ben, aurait-elle voulu dire. Ne me fais pas ça maintenant.

Mais rien ne sortait, ses mots restaient coincés dans sa gorge. Sa vie ressemblait à une tasse de porcelaine fine lâchée au-dessus d'une dalle de marbre. Elle ne pouvait s'en prendre qu'à elle-même. Elle pensa à Emily et à Trevor, ses petits chéris. Par vanité et par bêtise, elle les avait trahis plus encore qu'elle n'avait trahi Erik. Quelle sorte de mère entraînerait le père de ses enfants dans une situation pareille ?

— Qui est-ce ? s'enquit Erik avec sa bonhomie coutumière.

Linda ouvrit la bouche pour parler, mais rien ne vint.

— Ne fais pas semblant de ne pas me connaître, tonna Ben en marchant vers eux.

Erik écarta Linda. D'un mouvement rapide,

John Brace se plaça devant eux, faisant barrage à Ben de sa main levée.

— Je vous prie de reculer, monsieur. Que voulez-vous ?

Avec son crâne rasé, sa large carrure et sa voix autoritaire, Brace semblait plus imposant que jamais et l'attaché-case dans sa main n'altérait aucunement cette impression. Au contraire, l'avocat semblait prêt à s'en servir comme d'un bouclier ou d'une arme.

— Elle ne t'aime pas, Erik, lança Ben de la voix inégale d'un adolescent. C'est moi qu'elle aime.

Il tremblait comme une feuille et Linda eut soudain la révélation que Ben était atteint d'un mal bien réel. Cet homme n'était pas simplement désespéré ou fou d'amour. La vérité lui apparut dans toute son implacable horreur et elle pensa avec effroi à la famille de Ben, à sa charmante épouse et à leurs deux adorables fillettes. Il avança d'un pas et se trouva placé sous la lumière orange d'un lampadaire. Il avait l'air d'un dément, avec ses yeux exorbités, ses mâchoires qu'il serrait et desserrait et son large poitrail agité par le mouvement convulsif de sa respiration.

John Brace déploya ses bras et fit reculer Erik et Linda.

— Il est armé, dit-il d'une voix très calme.

Linda avait été tellement obnubilée par le visage halluciné de Ben qu'elle n'avait pas vu le revolver dans sa main.

C'est alors qu'il leva son bras.

Instinctivement elle se précipita vers lui. Mais aussitôt elle sentit les mains d'Erik et de John Brace se refermer sur elle pour la retenir. Elle les entendit tous deux crier et courir derrière elle quand elle leur échappa et s'arrêta devant Ben. Elle se sentit toute petite et inconsistante face à ce colosse enragé. Elle aurait voulu hurler sur lui, mais elle se contenta de lui poser une main sur le torse et de lui dire à voix basse :

— Nous avons des enfants, Ben. Pense à eux, pense à ce que tu fais à tes filles en ce moment.

Il parut soudain perdre toute contenance. Sa colère se dissipa, laissant sur ses traits l'expression d'un homme profondément abattu. Ses épaules se voûtèrent, son visage s'affaissa.

Ensuite Erik la tira par le bras et il y eut des cris tout autour d'eux. Des policiers en uniforme venaient de surgir de l'intérieur du commissariat et des voitures garées dans la rue. Ils étaient une nuée à accourir de partout.

L'écho de nombreuses voix se répercuta sur

les façades en béton des immeubles qui les entouraient.

— Pas un geste ! Jetez votre arme !

Erik et John Brace entraînèrent Linda à l'écart, tandis qu'elle se débattait et protestait.

— Non ! hurlait-elle.

Parce qu'elle savait. Elle l'avait lu dans le regard de Ben et dans le sourire qui s'était formé sur ses lèvres. Un sourire qui disait au monde entier d'aller se faire foutre. Elle l'avait déjà croisé, ce sourire, et à bien des égards il avait influencé le cours de sa vie. Elle le cherchait sur les visages, sous le mince voile qu'ils portaient tous, et elle venait de le reconnaître chez Ben.

— Non ! s'écria-t-elle.

Elle le vit lever son arme, coincer le canon sous son menton et sans une hésitation appuyer sur la détente. Et puis tout disparut dans une épouvantable explosion de bruit et de lumière, dans un horrible giclement rouge.

20

Un suicide, une fausse couche, une disparition soudaine. Autant de coupures, d'interruptions, de variations sur un thème qui était celui de toute ma vie.

Pendant que nous attendions pour embarquer à bord de l'avion, l'espace d'une seconde, ma photo est apparue sur un téléviseur suspendu en hauteur. Pourtant personne ne m'a regardée. Le volume était réglé au minimum, mais une légende défilait au bas de l'écran. « Le mystère s'épaissit : les trois meurtres de Manhattan seraient liés à la disparition du mari de la romancière à succès. » La nouvelle ne faisait visiblement pas partie des gros titres. L'histoire n'avait pas occupé l'écran plus de trente secondes.

Sur cette photo j'avais cinq ans de moins et autant de kilos de plus que maintenant, mais elle aurait sans doute permis de me reconnaître si je n'avais rassemblé mes cheveux en un chignon bas, coiffé un bonnet de laine gris qui dissimulait mon bandage et chaussé des lunettes rondes cerclées de métal qui m'avaient été prescrites mais que je ne portais jamais.

Toutefois mon déguisement n'y était peut-être pour rien. Marcus aimait à dire que les gens ne savent plus regarder. Des écouteurs dans les oreilles, ils fixent des écrans minuscules dans le creux de leur main ou bien parlent au téléphone, l'œil vide et l'air absent.

J'avais beau savoir que je ne faisais pas officiellement partie des suspects, je m'attendais à voir débarquer la police à chaque instant. Mon nom figurait peut-être sur une liste d'individus sous surveillance qui n'étaient pas autorisés à quitter le pays. J'avais craint d'être arrêtée à l'enregistrement, puis au passage du contrôle de sécurité, mais nous avions franchi le portique sans encombre, alors qu'une jeune maman avait été obligée de vider tous ses bagages, puis de porter un bébé en pleurs à travers un de ces corridors de sécurité qui soufflent de l'air à petits jets secs. Son bambin hurlait de terreur et quand nous étions passés devant eux je n'avais pas pu m'empêcher de penser à ma sœur et à ses enfants.

Les avions, un autre thème récurrent dans ma vie. Après la mort de mon père, j'avais passé de longues heures couchée dans l'herbe derrière la maison à contempler le ciel. J'étais obsédée par les concepts catholiques du paradis censé se situer au-dessus de nos têtes et de l'enfer sous nos pieds. Le suicide était considéré comme un péché puni par la damnation éternelle et j'essayais d'imaginer les souffrances interminables de mon père. Je ne pouvais accepter l'idée qu'il soit puni d'avoir été trop faible, trop triste et trop effrayé pour continuer à vivre. Ça ne me semblait pas logique, pas plus que l'idée de le voir monter au ciel au son des harpes. Tout cela paraissait un peu niais, même à mon jeune esprit. J'y voyais une invention des hommes et une vaine tentative pour expliquer l'inexplicable.

C'est à cette époque que j'ai commencé à remarquer les avions. Le sillon blanc de leur vol silencieux m'emplissait d'une irrépressible envie. J'imaginais leurs passagers en partance pour quelque fabuleuse destination. Ils étaient maîtres de leur vie, épargnés par le chagrin et la tragédie. La douleur qui m'étreignait leur était étrangère. Alors j'éprouvais le désir d'être là-haut, avec eux, loin de ma vie, d'être une autre, ailleurs. C'était une souffrance physique, l'expression d'un grand vide intérieur.

— Où que tu ailles, tu te retrouveras face à toi-même.

Encore une perle de sagesse venant de Fred, qui m'avait rejointe dehors et s'était assis près de moi dans l'herbe mouillée. Montrant du doigt un avion, je lui avais confié que c'était là que je voulais être.

— On ne peut pas y échapper, m'avait-il dit. Tu auras beau tout essayer, la drogue, l'alcool ou n'importe quel autre poison, tu finiras toujours par te réveiller face à toi-même.

— Mon père a bien réussi, lui.

Fred m'avait considérée d'un air grave.

— Le suicide n'est pas une fuite, c'est une fin.

— Comment tu peux le savoir ?

Il était resté silencieux un long moment et j'avais pensé qu'il n'allait pas me répondre. Enfin, il m'avait dit :

— C'est vrai, je n'en sais rien. Je peux seulement t'affirmer qu'un acte qui vous ôte la vie et l'espoir en ne laissant derrière lui que le chagrin et le ressentiment ne peut pas être une bonne solution.

Je n'avais rien ajouté. Je ne trouvais pas les mots pour lui faire comprendre que sa réponse ne me satisfaisait pas. Le suicide était peut-être l'ultime porte de sortie pour qui comprenait qu'il ne pourrait jamais échapper à lui-même et que la vie dans ces conditions était insupportable. Choisir cette fin était peut-être la seule issue possible.

— Que dirais-tu d'une glace ? m'avait alors proposé Fred.

— D'accord.

C'était peut-être le même genre de désir qui habitait mon mari. Le désir lancinant d'être n'importe qui, n'importe où. Sa solution avait été de se glisser dans la peau d'un autre, de lui prendre son nom et son histoire. Une solution moins radicale que le suicide et, qui sait, peut-être l'expression d'un espoir qu'il existe sous d'autres cieux un ailleurs plus beau qu'ici.

Quelques heures plus tôt, nous étions repassés à l'appartement de Jack pour y récupérer une enveloppe pleine de billets de banque cachée sous son matelas. Jack ne savait pas plus que moi ce que serait notre prochaine étape.

— Tu ne sais même pas s'il répondait à ta question. Ce type était mourant. Si ça se trouve, il ne t'entendait pas.

Mais ce n'était pas si simple. Quand l'homme avait prononcé le nom de Prague, c'était comme une confirmation de ce que j'avais su depuis le début. Or Jack était plus que sceptique et je ne pouvais pas lui donner tort. Personne de sensé n'aurait pu croire à mes intuitions. Je devais donc lui fournir des arguments convaincants.

— Marcus ne restera pas aux États-Unis maintenant qu'il a exécuté son coup. Il va rentrer au bercail.

— Tu n'en sais rien.

— Il peut reprendre son ancien nom et quitter le pays en tant que Kristof Ragan. La police ne connaît pas sa véritable identité. Il s'évanouira dans la nature et on ne le retrouvera jamais. Quels sont les traités d'extradition entre la République tchèque et les États-Unis ?

Jack m'avait considérée d'un air perplexe.

— Comment veux-tu que je le sache ?

Il était également vrai que je n'avais pas d'autre idée d'un endroit où Marcus pourrait s'être enfui. M'envoler pour Prague était sans doute une décision désespérée de ma part, mais sur le moment je n'avais pas vu les choses de cette façon.

Puisqu'il n'y avait plus d'urgence, ni aucun motif d'inquiétude, j'avais laissé la fatigue me submerger. Je m'étais allongée sur le lit moelleux pendant que Jack jetait pêle-mêle des affaires dans un grand sac de voyage. Un jean, des sous-vêtements, une tenue de rechange que j'avais laissée une nuit où j'avais dormi chez lui après une soirée tardive et la paire de chaussures de sport que j'utilisais quand nous courions ensemble à Central Park. Mes yeux s'étaient fermés et j'avais vu le visage agonisant de l'inconnu dans une allée du parc, mon appartement dévasté. Jack était sorti un instant de la chambre avant de revenir avec un nécessaire de rasage.

— Je t'ai pris une brosse à dents, m'avait-il dit.

— On ne part pas en vacances.

— On ne peut pas partir à l'étranger sans aucun bagage, ç'aurait l'air suspect.

Jack avait un esprit pragmatique et je redoutais sa lecture impitoyable de mes manuscrits. « Ça ne marche pas, me disait-il. Explique-moi comment elle se rend là-bas. » Ou encore : « Comment arrive-t-il à la retrouver dans cette foule ? Qu'est-ce qui l'a poussée à agir comme elle l'a fait ? C'est pas logique. »

Jack était un défenseur du récit linéaire, d'un enchaînement logique des événements, de motivations tellement claires qu'elles ne suscitaient plus aucune question. Moi, j'étais pour les bonds inattendus dans le temps. L'aspect purement pratique des choses, savoir par exemple comment la fenêtre s'était trouvée ouverte ou quel type de véhicule avait servi à transporter mon personnage, m'ennuyait au plus haut point.

Ce qui m'intéressait, c'était l'essence même des personnages et de leurs actes. Je me moquais de raconter comment le vase avait pu se retrouver par terre. Avait-il été jeté ? renversé ? Je voulais seulement parler des éclats de verre, de leurs arêtes tranchantes brillant sur le sol. Parce que c'est ainsi que va la vie. Nous n'agissons pas toujours avec logique. Tout ne peut pas toujours être expliqué. Parfois, il arrive que nous ne sachions pas comment le vase a atterri par terre, nous savons seulement qu'il est irrémédiablement brisé.

— Laisse-moi te poser une question.

Jack avait fermé le sac de voyage et l'avait porté jusqu'à la porte. Puis il était venu s'asseoir au pied du lit.

— Qu'est-ce que tu veux exactement ?

— Nous en avons déjà parlé, avais-je rétorqué. Tu sais très bien ce que je veux.

— La justice ? Ou bien la vengeance ? Quand tu l'auras retrouvé, si toutefois tu y parviens, comment comptes-tu t'y prendre pour obtenir de lui ce que tu attends ?

J'avais fixé le plafond sans mot dire. Je ne cherchais pas de réponse. Ça, c'était le domaine de Jack. « Regarde la réalité en face », avait-il l'habitude de me répéter.

— À moins que tu cherches tout simplement à comprendre. C'est ça ?

Je n'avais toujours pas envie de répondre.

— Je suis ton ami et je suis avec toi. Je vais acheter les billets et je monterai dans cet avion avec toi. Mais je veux être sûr que ce soit pour de bonnes raisons.

— C'est quoi, une bonne raison, d'après toi ?

— Une raison qui en vaille la peine, même si les choses tournent mal, et qui justifie de tout risquer comme tu t'apprêtes à le faire.

J'avais contemplé son profil et l'arête de son nez busqué. Soudain, il m'avait paru très fatigué. J'avais promené mon regard autour de moi et noté que la chambre, comme le bureau, était arrangée dans un style minimaliste. Un lit habillé d'une parure luxueuse, des murs blancs, du parquet au sol. Où rangeait-il donc toutes ses affaires ? Ses magazines, son linge sale, ses albums photo et ses factures impayées ? À l'université de New York, du temps où nous étions étudiants, sa chambre était un vrai capharnaüm. Comment s'était-il transformé en adepte du dépouillement ?

— Mon père n'a pas laissé de lettre.

Jack était bien sûr au courant, mais nous n'avions jamais parlé de cet épisode de ma vie qui ne cessait de revenir dans chacun de mes romans. En lecteur attentif, Jack comprenait la problématique entourant la mort de mon père mieux que quiconque, y compris moi-même. Il lisait en moi comme dans un livre ouvert.

— D'accord, je crois que j'ai saisi.

— Tu n'es pas obligé de m'accompagner.

— Je sais.

Il s'était dirigé vers la porte tandis que, péniblement, je m'extirpais du lit.

— Mais tu dois faire une chose avant de partir et ce n'est pas négociable, avait-il ajouté. Deux choses, en réalité.

— Quoi donc ?

— Pour commencer, je veux que tu appelles ta sœur. Ensuite, tu mettras noir sur blanc tout ce que tu as caché à cet inspecteur et tu le lui enverras par mail. Il doit savoir que tu es de son côté, ça pourrait l'inciter à t'aider à obtenir les réponses que tu cherches.

Il était inutile de discuter. J'avais compris à son expression qu'il serait inflexible. Du reste, j'étais encore capable de reconnaître une bonne idée et j'avais donc fait ce qu'il m'avait demandé. J'avais appelé ma sœur et, surprise de tomber sur son répondeur, je lui avais laissé un message. Après quoi j'avais rédigé un mail à l'inspecteur Crowe, dans lequel je lui faisais part de tout ce que j'avais appris, y compris le véritable nom de mon mari et le mail que j'avais reçu de Camilla. Cela fait, que ce soit judicieux ou non, que ce soit pour de bonnes ou de mauvaises raisons, Jack et moi étions partis pour l'aéroport.

Je gigotais dans mon siège, incapable de me détendre. Les prochaines heures allaient me paraître interminables, un fleuve infranchissable. Je m'attendais à chaque seconde à ce que notre ravissante hôtesse de l'air pose sur moi un regard soupçonneux puis se rue sur son téléphone pour appeler des renforts. En un sens, j'avais peut-être envie que cela arrive. Mais la jeune femme a conservé son beau sourire et m'a servi une coupe de champagne, que j'ai vidée en deux gorgées.

— Mollo, m'a conseillé Jack. Tu es déjà assez zinzin avec le coup que tu as reçu à la tête.

J'ai levé ma coupe, l'hôtesse l'a remplie et, derechef, je l'ai vidée d'un trait. Jack a renoncé à me faire la morale. Il s'est renversé contre le dossier de son siège en fermant les yeux.

Les seuls éléments dont je disposais étaient la véritable identité de mon mari, le nom d'une ville à l'extérieur de Prague et le vague pressentiment que c'était peut-être là qu'il s'était réfugié. Mon esprit vagabondait du dernier baiser que nous avions échangé à l'horrible cri entendu au téléphone, puis de la photo de S sur le site Internet aux derniers mots murmurés par un homme à l'agonie. Peu à peu, j'ai cessé de nager dans les eaux sombres de ma mémoire. Les deux coupes de champagne aidant, je me suis enfoncée dans un sommeil troublé et j'ai rêvé de mon père.

TROISIÈME PARTIE

LA DELIVRANCE

« Imagine un tunnel de pierre,
Un passage muré, sombre, sinueux,
Traverse-le sans ciller. »

James Ragan,
« Crossing the Charles Bridge »,
extrait du recueil *The Hunger Wall*.

21

Plongés tous deux dans leurs pensées, ils roulèrent vers le Queens en silence. Grady Crowe se repassait en boucle sa conversation avec Sean, et l'espoir dans son esprit le disputait au découragement. Son appel avait peut-être provoqué des remous et s'il y avait de l'eau dans le gaz entre eux, les choses pouvaient finalement tourner à son avantage. D'un autre côté, Clara allait peut-être lui en vouloir de s'être conduit comme un sale gosse et l'instant de faiblesse qui l'avait poussée à l'appeler risquait d'être balayé par sa colère.

Ils venaient de sortir d'un bouchon dans le Queens Midtown Tunnel, fait inexplicable à cette heure de la journée, et roulaient à présent le long de Queens Boulevard, un axe prioritaire à douze, et jusqu'à seize voies à certains endroits, plus connu sous son surnom de « boulevard des Os-Brisés », à cause du nombre très élevé de décès de piétons qu'on y relevait. Il était l'une des artères les plus longues du Queens et prétendait rivaliser avec le Grand Concourse. Mais aux yeux de Grady il était loin de posséder le charme de ce fameux boulevard du Bronx, avec ses superbes immeubles aux façades décrépies et comme chagrinées de voir se détériorer ce qui avait été autrefois un quartier magnifique, conçu sur le modèle des promenades européennes. Queens Boulevard n'était qu'un centre urbain animé, bordé de hauts immeubles résidentiels, d'enseignes de la grande distribution et de commerces indépendants. C'était encore New York, mais avec une énergie différente, un lieu particulier, à l'écart du luxe clinquant de Manhattan. En un mot, c'était le Queens. Ils passèrent devant un armurier, un magasin d'alcools, une enfilade de fast-foods et une cantine cubaine.

Grady gara la Chevrolet Caprice en face d'un immense entrepôt correspondant à l'adresse trouvée sur Internet. Il s'était attendu à un endroit tape-à-l'œil, avec enseigne au néon et file d'attente à l'entrée, voire à un club réservé aux hommes, attirant les voitures louches garées le long du trottoir et un échantillon de toute la faune qui pullule dans ce genre de quartier : des bandes d'étudiants en goguette, braillards et arrogants ; des habitants des beaux quartiers débarquant en limousine pour s'encanailler loin de madame ; sans oublier les pervers, traînant les mains dans les poches, furtifs et mal attifés.

Mais le quartier était calme. Les commerces — une boutique de photocopie, une animalerie, un magasin de confection pour hommes de forte corpulence — avaient baissé leurs rideaux pour la nuit. Plusieurs taxis s'arrêtèrent pour débarquer de superbes créatures sur leur trente et un, puis un homme d'âge mûr dans un manteau de laine noir et enfin deux jeunes types en costume-cravate avec sacoche d'ordinateur portable en bandoulière. Tout ce petit monde disparut derrière une porte d'apparence banale, ouverte de l'intérieur par une personne qui restait invisible de la rue.

— Cette fille faisait partie du monde de la nuit, constata Jez.

— Qu'est-ce qui te fait dire ça ?

— Je n'imagine pas une femme venir dans un endroit pareil à moins d'être strip-teaseuse ou call-girl. Camilla n'avait pas d'emploi selon ses relevés bancaires, mais elle vivait à SoHo, dans un studio coquet. À ton avis, ça va chercher dans les combien, le loyer d'un appart dans ce quartier ? Deux mille dollars par mois, au bas mot.

— L'argent venait peut-être de notre faux Marcus.

Jez opina.

— Peut-être, mais tu vois une autre raison pour qu'une fille fréquente ce style de boîte ?

— Elle venait peut-être y rencontrer quelqu'un.

— Ouais, un micheton.

— C'est possible, admit Grady.

— Allons jeter un coup d'œil à l'intérieur et poser quelques questions, suggéra Jez.

Grady sentit vibrer son téléphone. Il le sortit de sa poche et vit qu'il avait reçu un SMS d'Isabel Connelly. Il faillit ne pas reconnaître son nom, habitué qu'il était à l'appeler Mme Raine. « Quelques infos », disait le titre du message.

— Ben, ça alors ! s'exclama-t-il.

— Quoi ?

Il plaça son portable entre Jez et lui pour qu'ils puissent lire le message en même temps.

Grady savait par expérience que vivre dans la clandestinité n'est pas à la portée de n'importe qui. Certes il y a les exceptions, les individus comme Kristof Ragan qui savent se glisser hors de leur peau et s'enfermer quelque temps dans un cocon pour réapparaître sous une autre apparence. Mais le commun des mortels a du mal à s'arracher aux lieux et aux gens qui lui sont familiers. L'individu lambda a parfois assez de jugeote pour ne pas remettre les pieds à son domicile, mais il s'en va crécher chez un vieux copain ou sur le canapé de sa tante. Au bout de quelques jours, il retourne hanter son bar habituel en s'imaginant que personne ne le recherche plus.

Voilà pourquoi il ne fut guère surpris de voir Charlie Shane glisser un billet de un dollar dans le string d'une blonde qui lui agitait sous le nez les bijoux de pacotille ornant ses seins carénés comme des obus. Jez et Grady étaient sur le point de sortir. Ils avaient fait le tour de la boîte en montrant les photos de Camilla Novak et de Marcus Raine et n'avaient rencontré que des visages fermés, qui faisaient non de la tête avec des regards fuyants. Pendant tout ce temps, ils avaient été suivis sans beaucoup de discrétion par deux gorilles.

Nerveuse, Jez lui tapota l'épaule pour attirer son attention. Grady se pencha pour entendre ce qu'elle lui criait par-dessus la musique.

— On devrait filer d'ici, appeler des renforts et faire fermer ce bouge pendant quelques semaines. Ça les rendrait sûrement plus coopératifs.

Sur un podium en forme de T, des femmes grandes et petites, minces et pulpeuses, exhibaient leur anatomie sur le rythme hypnotique d'une musique techno. Elles avaient le sourire plaqué aux lèvres, mais le regard vide. Avec leur teint de rose et leur bouche enfantine, certaines semblaient beaucoup trop jeunes pour se trouver là.

Grady avait toujours détesté ces clubs. Comme n'importe quel homme, il ne restait pas de marbre devant le spectacle d'une femme agitant sa nudité en musique, mais il devait chaque fois lutter contre un désir impérieux de monter sur scène avec des peignoirs, de rhabiller ces filles et de les raccompagner chez leurs mamans. Les mamans en question n'étaient probablement pas des saintes, car on ne finissait pas strip-teaseuse sans un lourd héritage familial.

En regardant une rouquine se tortiller pour échapper aux mains qui voulaient l'attraper, Grady repensa à Clara. Depuis combien de temps n'avaient-ils plus fait l'amour ? D'après Sean, deux ans s'étaient écoulés depuis qu'elle avait quitté le domicile conjugal, à quoi il fallait ajouter un an depuis leur séparation légale.

Il ne pouvait pas compter la fois où ils avaient couché ensemble pour célébrer leur rupture, cette dernière heure pleine de tristesse qu'ils avaient passée ensemble en quittant le bureau du juge. Il avait convaincu Clara de prendre un café avec lui. Elle l'avait donc invité au nouvel appartement qu'elle partageait avec Sean, un deux pièces spacieux, non loin de Times Square, avec terrasse et vue dégagée, dont Grady se demandait comment ils payaient le loyer. Il s'était délecté de posséder Clara une dernière fois dans le lit qu'elle partageait avec son nouveau compagnon. S'il avait pu, il aurait pissé sur les draps pour marquer son territoire. Sitôt leur étreinte passée, Clara l'avait fichu dehors. À la passion, suivie d'un bref épisode nostalgique, avait fait place la colère dès que s'étaient dissipées les brumes du plaisir.

— Je n'arrive pas à croire que j'aie pu te laisser me manipuler comme ça, alors qu'on est divorcés.

— Il n'existe pas de divorce aux yeux de Dieu. Tu es encore ma femme, avait-il rétorqué en plaisantant, mais seulement à moitié.

— Tire-toi, Grady.

— Allez, Clara. Tu sais bien qu'il reste quelque chose entre nous. Ne fais pas ça.

Elle avait marché, toute nue, jusqu'à son

sac, balançant de façon charmante son petit cul parfait. Elle en avait sorti une poignée de documents qu'elle lui avait brandis, oubliant qu'elle montrait aussi son ventre plat et ses jolis seins en forme de larme.

— C'est signé, scellé, délivré.

Reconnaissant les paroles d'une chanson de Stevie Wonder, il avait ajouté : « Je suis à toi », mais sa plaisanterie était tombée à plat.

— Va-t'en.

Il allait répondre à Jez qu'il était d'accord pour faire fermer la boîte quand il aperçut Charlie Shane, ce vieux cochon, le ventre collé au podium. Il le désigna à son équipière. Celle-ci sourit et posa la main sur son arme. Elle n'en aurait pas besoin. Jez était capable de maîtriser d'un seul bras un homme du gabarit de Shane. Mais Grady savait qu'elle se sentait plus en sécurité quand elle posait la main sur la crosse de son pistolet.

Ils l'approchèrent par-derrière, traversant la meute salivante des pauvres types qui se pressaient devant la scène. Ils lui posèrent chacun une main sur l'épaule et Shane détourna son regard du spectacle. Le premier instant de surprise passé, il les repoussa violemment, envoyant Jez heurter la scène. Elle se cogna la tête, mais se releva aussitôt et s'élança avec Crowe à la poursuite de Shane. Dans la foule, quelqu'un se mit à crier en apercevant le pistolet que Grady venait de dégainer. L'État de New York ne lui donnait certes pas le droit de tirer sur un suspect en fuite, mais la vue d'une arme avait tendance à stopper les gens dans leur course.

Cette fois, elle eut l'effet inverse. Jetant un regard paniqué derrière lui et voyant le pistolet, Shane détala deux fois plus vite. Grady tendit le bras. Il était à deux doigts de saisir Shane par le col quand il fut soudain précipité en avant. Il tomba à quatre pattes et dans sa chute laissa échapper son Glock, qui alla se perdre entre les pieds des gens. On lui avait fait un croche-pied et, en regardant derrière lui, il vit la mine réjouie d'un des videurs.

Il ramassa son arme et s'apprêtait à se relever quand Jez le bouscula. Levant les yeux vers la porte, il eut juste le temps de voir Shane s'enfuir avec Jez sur ses talons. D'un bond, il se remit debout et fila vers la sortie au moment même où son équipière disparaissait dans une ruelle.

Elle filait comme une flèche, mais Grady était déjà à bout de souffle. Heureusement, il n'eut pas à courir bien longtemps. Quand il parvint à les rattraper, Shane était couché face contre terre dans la boue, crachant et hurlant tout ce qu'il savait. Jez le maintenait au sol en lui tordant le poignet dans le dos.

— Sombre idiot, vociféra-t-elle, le visage cramoisi.

Elle lui tira sur le bras, lui arrachant un piaillement.

— C'est bon, Jez, tu peux le lâcher, dit Grady quand il les eut rejoints.

Il décrocha les menottes de son ceinturon et les passa à Shane. Ensuite, il aida son équipière à se remettre debout tout en maintenant son pied fermement appuyé sur le dos du fugitif. Puis il appela des renforts. Maintenant c'était sûr, cette boîte minable devrait fermer pendant quelques heures.

Jez avait un œil tout rouge et la joue salement écorchée. La peau commençait déjà à bleuir. Elle allait avoir un sacré coquard.

— Il m'a frappée, lâcha Jez, incrédule. Ce vieux croulant a réussi à me frapper !

— C'est bon, Superwoman. Respire un grand coup.

— J'y crois pas. J'ai tourné le coin de la rue et il était planté là à m'attendre. J'ai couru droit sur son poing.

— Mais il est par terre dans une flaque de

pisse, maintenant. C'est toi qui as gagné.

Jez hocha le menton. Les mains sur les hanches, elle marcha en rond, le temps de reprendre son souffle.

— Je veux un avocat, bordel ! brailla Shane quand Grady l'informa de ses droits. C'est un abus de pouvoir !

— Ferme-la un peu, lui conseilla Grady tout en lui appuyant sa chaussure dans le dos. Fais-nous des vacances, tu veux ?

Le hurlement des sirènes se fit soudain entendre, couvrant les jérémiades de Shane, qui criait à l'injustice et à la violation de ses droits constitutionnels.

Après avoir macéré dans son jus pendant deux bonnes heures, Shane était revenu à de meilleures dispositions. Jez et Grady l'avaient installé dans une salle d'interrogatoire, attaché par ses menottes au pied de la table, en lui promettant de lui trouver un avocat commis d'office. Après quoi ils avaient vaqué à leurs occupations. Il fallait soigner la blessure de Jez, remplir la paperasse, vérifier les informations transmises par Isabel Raine, consulter le casier de Shane et aussi échafauder de nouvelles théories. Quand ils retournèrent dans la salle où ils l'avaient laissé croupir, Shane n'était plus le même homme. Totalement dégrisé, il n'était plus qu'un vieillard usé qui s'était fourré dans le pétrin.

— Où est mon avocat ? s'enquit-il dès qu'ils entrèrent, sans détacher son regard de ses deux mains croisées devant lui.

— Il arrive, mentit Grady. Si c'est comme ça que tu veux prendre les choses. Seulement, laisse-moi te dire un truc : obstruction au bon fonctionnement de la justice, refus d'obtempérer, voie de fait sur la personne d'un fonctionnaire de police, nous avons largement de quoi te garder ici un petit moment, mais tu ne nous intéresses pas.

Shane resta coi et ne leva pas les yeux, mais Grady sentit qu'il était tout ouïe.

— Nous, on s'intéresse à Marcus Raine.

Grady crut voir Shane sursauter en entendant ce nom.

— Est-ce que tu savais, Charlie, que des caméras de surveillance filment le hall de l'immeuble où tu travailles ? bluffa Jez. Tu as laissé entrer les types qui ont mis à sac l'appartement des Raine. Tu nous dis qui ils sont et tu pourras reluquer le cul d'une mineure avant que la nuit soit finie.

Sans sa belle livrée et sa casquette, avec son menton mal rasé et les relents d'alcool rance et de tabac froid qui se dégageaient de sa personne, Shane semblait avoir pris au moins quinze ans depuis que Grady l'avait vu au domicile des Raine. Il avait le nez couperosé, les mains couvertes de plaques rouges, la peau du crâne qui pelait. Sous la table, son genou tressautait comme un marteau-piqueur. Ce type crevait de trouille. C'était tout à leur avantage. Grady avait concocté une petite histoire à partir des informations que venait de lui transmettre Isabel Raine. En partie véridique, en partie inventée, ainsi qu'il seyait à toute bonne histoire. Il restait à voir où elle pouvait les mener.

— À ce point de notre enquête, nous savons déjà pas mal de choses, Charlie. Nous savons que Marcus Raine s'appelle en réalité Kristof Ragan et nous pensons qu'il a tué le vrai Marcus Raine pour lui voler son argent et son identité. Nous savons qu'il a un frère, Ivan Ragan, un homme au casier judiciaire chargé qui travaille pour des mafieux tchèques et russes. Nous pensons qu'Ivan a aidé son frère à commettre un crime. D'après nos recherches, l'homme a été arrêté une semaine après la disparition de Marcus pour des faits qui n'avaient rien à voir avec cette affaire. Emprisonné pour détention illégale d'armes à feu, il vient d'être remis en liberté. Entre-temps quelqu'un a compris que l'homme qui se faisait passer pour Marcus Raine n'était pas celui qu'il prétendait être. Kristof Ragan a donc commencé à préparer sa sortie. Il a vidé ses comptes en banque, organisé un cambriolage dans ses bureaux pour toucher l'argent de l'assurance et dépouillé son beau-frère de ses économies. Cela fait, il a pris la tangente pendant que des complices procédaient à un ultime nettoyage en dévastant ses locaux professionnels et son domicile et en éliminant les éventuels témoins. Nous avons dénombré quatre morts à ce jour. Ces gens ont détruit toutes les preuves contre Raine. Et ils l'ont fait avec votre complicité.

Shane gardait la tête baissée, refusant tout contact visuel. Mais Grady nota le filet de sueur qui courait le long de sa tempe. Ils avaient réussi à mettre la main sur de vieilles photos : une d'Ivan Ragan diffusée par Interpol et une autre de la femme qu'Isabel Raine connaissait seulement sous l'initiale S, copiée à partir du site Web de Services Unlimited.

Jez les passa à Grady, qui les étala sous le nez de Shane. Mais le suspect s'obstina dans son silence.

— De deux choses l'une, Charlie : soit tu t'es contenté de toucher un gros pourboire pour laisser entrer les nettoyeurs, auquel cas tu vas saisir la perche qu'on te tend et passer à table, soit tu en sais tellement que tu as plus peur d'eux que de nous, auquel cas on est coincés et je vais devoir t'inculper d'association de malfaiteurs.

Shane sursauta et leva les yeux. Grady réprima un sourire. Il ignorait jusqu'à quel point son histoire était vraie, mais il en était assez fier.

— Je sais rien, dit Shane. M. Raine m'a demandé de laisser entrer chez lui quelques amis. Ils devaient récupérer des dossiers et les rapporter à son bureau. Il m'a filé cent dollars pour ma peine et m'a dit que je ne devais jamais rien raconter à personne. Comment j'aurais pu savoir que c'étaient des malfrats ? Je suis un simple concierge et je fais ce qu'on me dit.

— Il t'a filé un pourboire de cent dollars en te demandant de te taire, et ça ne t'a pas mis la puce à l'oreille ?

Shane haussa les épaules.

— Tu connaissais les types que tu as laissés entrer ?

— Bien sûr que non.

— Tu pourrais les décrire ? Tu les reconnaîtrais si tu les voyais ?

— Mais vous avez une vidéo, non ? Celle

de la caméra de surveillance dans le hall de l'immeuble ?

Il eut un sourire narquois. Le bonhomme n'était pas dupe, mais Grady n'espérait pas qu'il goberait leur histoire de caméra, il avait juste voulu semer le doute dans son esprit.

Jusque-là, Jez était restée silencieuse dans un coin de la pièce. En deux enjambées, elle se rapprocha de la table.

— Ça suffit, lâcha-t-elle.

Elle était très remontée et ne cherchait qu'un prétexte pour coffrer Shane. Au moment où il croyait qu'il allait devoir intervenir, Grady la vit s'éloigner et se diriger vers la porte.

— Assez bavardé, on a de la paperasse à finir.

— Attendez ! s'exclama le suspect.

Jez s'arrêta devant la porte mais ne se retourna pas.

— Commence par nous expliquer comment tu as connu Camilla Novak, demanda-t-elle.

Grady plaça la photo de la jeune femme devant Shane. Celui-ci secoua la tête.

— Nous l'avons retrouvée morte dans son appartement aujourd'hui, dit-il. Elle avait sur le dos de la main le tampon du Topaz Room où nous t'avons cueilli tout à l'heure. Or tu étais concierge dans l'immeuble de l'homme que nous soupçonnons d'avoir assassiné le petit ami de cette fille pour lui voler son identité. Tu la connaissais, avoue.

Voyant qu'il ne se décidait pas à parler, Jez ouvrit la porte.

— Je la connaissais, c'est vrai, s'empressa de déclarer Shane.

— À la bonne heure.

Jez referma la porte et se retourna vers lui.

— Il y a quelque temps de ça, peut-être deux mois, un soir où je remplaçais Teaford, j'ai entendu des éclats de voix dans la rue. Il était plus de minuit. C'était une femme qui criait.

Shane poussa un soupir et se massa les tempes.

— J'ai quitté mon poste et je suis sorti. C'est alors que j'ai vu Mlle Novak qui hurlait sur M. Raine.

— Qu'est-ce qu'elle disait ?

— Elle disait : « Tu l'aimes, avoue que tu l'aimes. Tu ne devais pas tomber amoureux d'elle. »

— Et que faisait M. Raine ?

— Il parlait tout doucement, il essayait de la calmer. Mais elle continuait de crier : « Je l'ai trahi pour toi. Je pensais que nous serions réunis. Je me suis sali les mains pour rien. » Ou quelque chose dans ce goût-là. Je ne me rappelle pas ses paroles exactes.

Son genou continuait de trembler et son front de suer à grande eau.

— M. Raine lui a dit : « Sois patiente, il n'y en a plus pour longtemps. » Alors il a voulu entrer dans l'immeuble, mais la fille lui a attrapé le bras et a crié : « Menteur ! Je vais tout leur raconter. Tout ! » M. Raine l'a giflée si fort qu'elle a été projetée en arrière. À ce moment-là, M. Raine m'a vu. « Appelez la police si elle essaie de me suivre », qu'il m'a dit. Moi, j'étais soufflé. « Je peux compter sur votre discrétion, Charlie ? » Et là-dessus il a abandonné la fille en larmes dans la rue.

— Qu'est-ce que tu as fait ? demanda Jez.

— Je pouvais pas la laisser dans cet état. Quand il est monté, je l'ai fait entrer dans le hall. Je lui ai donné de la glace pour sa lèvre et je lui ai demandé si elle voulait que j'appelle un taxi.

— Où tu l'avais trouvée, cette glace ?

— Quoi ? s'exclama Shane.

La question devait lui sembler idiote, mais Grady comprenait bien pourquoi Jez l'avait posée. Les mensonges se cachent souvent dans les détails que les gens vous balancent pour rendre leur histoire plus vraisemblable.

— Dans la glacière dont je me sers pour

transporter mon repas.

Jez hocha la tête. La réponse la satisfaisait. Shane fixait le mur devant lui.

— Elle m'a semblé très fragile et un peu instable. J'ai eu pitié d'elle. Nous avons bavardé un petit moment. Je lui ai demandé la raison de leur dispute et qui elle avait trahi. Elle m'a répondu qu'elle s'était trahie elle-même si souvent qu'elle avait fini par ne plus savoir qui elle était ni ce qu'elle voulait. Alors je lui ai dit qu'elle n'était pas différente de nous tous et que nous nous trahissions tous d'une façon ou d'une autre. Mais elle m'a fait : « Vous ne comprenez pas. Un homme m'aimait d'un amour sincère et je l'ai trahi pour une vie meilleure que je croyais à ma portée. » Elle a pas voulu m'en dire plus.

Après une courte pause, Shane poursuivit :

— Elle était belle, vous savez. Mais insaisissable à la manière d'un petit oiseau ou d'un papillon. On pouvait pas la toucher, juste la regarder.

— Pourtant tu l'as touchée, insista Jez.

Elle était retournée dans son coin, si bien que son visage était en partie caché dans l'ombre.

— Beaucoup de gens l'ont touchée. Cette fille était une call-girl, ou je me trompe ?

Il opina avec réticence.

— Nous avions un arrangement.

— Je vois, tu gardais un œil sur Raine et en échange, qu'est-ce qu'elle te donnait ?

Il haussa les épaules d'un air piteux.

— Elle-même, une fois. Sinon des entrées au Topaz Room. D'autres filles, là-bas aussi.

— Mais pourquoi t'a-t-elle demandé de surveiller M. Raine ? Qu'est-ce qu'elle cherchait, au juste ?

— Elle voulait savoir par exemple si Raine et sa femme sortaient souvent, s'ils avaient l'air heureux, s'il lui offrait des fleurs. Elle voulait savoir s'il lui arrivait de rentrer tard le soir ou de ramener des filles à l'appartement quand Mme Raine partait en voyage. Ce genre de trucs, vous voyez, des trucs de bonne femme jalouse.

— Et Raine ? Est-ce qu'il t'a reparlé de l'incident ?

— Oui, le lendemain matin, quand il partait pour son travail. Il m'a filé cent dollars en insistant pour que je la boucle. J'ai accepté, bien sûr. Alors il a dit qu'il continuerait à récompenser ma discrétion. Et il a tenu parole. Il m'a remercié avec de l'argent, une bonne bouteille de whisky un jour et une autre fois des billets pour un spectacle.

— Autrement dit, tu mangeais à tous les râteliers.

Shane s'offusqua.

— Non, je leur rendais service, sans que personne soit lésé.

— En bon concierge que tu es.

— Parfaitement, monsieur, se défendit-il.

Mais son menton retombait déjà sur sa poitrine et ses épaules s'affaissaient.

— Parle-moi de cette femme, demanda Grady en tapotant du doigt la photo de S.

— Elle faisait partie des gens que j'ai laissés entrer dans l'appartement. Ils étaient quatre, en tout. Deux hommes et deux femmes. Je les ai fait passer par l'entrée de service qui se trouve à l'arrière de l'immeuble. Ils sont arrivés avec de grands sacs vides et les sacs étaient pleins quand ils sont ressortis. Je n'ai pas posé de questions ni échangé le moindre mot avec eux. Je n'étais pas au courant pour les meurtres jusqu'à ce que vous veniez m'interroger. C'est à ce moment-là que j'ai compris ce que j'avais fait et que j'ai eu la trouille. Alors je me suis enfui.

Grady désigna la photo d'Ivan Ragan.

— Et lui, est-ce qu'il faisait partie du groupe ?

Shane fit non de la tête.

— Jamais vu.

Isabel Raine leur avait communiqué beaucoup d'informations : des photos provenant d'une clé USB retrouvée dans le sac de Camilla, l'adresse de sites Internet et plusieurs noms. Elle avait même réussi à relier entre eux certains de ces éléments. Décidément, les romanciers feraient de sacrés bons flics.

— Alors, Shane, qu'est-ce que t'as encore à nous raconter ?

Mais le concierge avait tout dit.

— Je suis payé pour faire mon travail. Je tiens la porte aux gens, aux Raine et aux autres. Je ne pose pas de questions et je ne juge personne.

Grady observa longuement ce curieux spécimen. Lui-même ne pouvait pas s'empêcher de poser des questions et de chercher des réponses. Analyser, extrapoler, établir des liens, c'était son travail et toute sa vie. Mais il avait peut-être tout faux.

— Si vous voulez mon avis, cette Camilla était une chic fille, déclara Shane. Elle avait fait des erreurs et s'était fourrée dans le pétrin, mais elle avait pas un mauvais fond.

« Il pense tout haut », se dit Grady en l'écoutant. Shane était épuisé et sombrait dans l'état dépressif successif à une forte consommation d'alcool.

— Oui, mais ça ne suffit pas toujours, lâcha Jez avec une note de regret dans la voix.

Elle était en train de contempler ses pieds et Grady se dit qu'elle avait besoin d'une nouvelle paire de chaussures.

— Alors, qu'est-ce que tu penses de tout ça ? demanda-t-il.

Ils étaient de retour à leurs bureaux, installés face à face à l'étage réservé à la criminelle. Il se faisait tard et presque tous leurs collègues étaient déjà partis. Ils étaient vannés, mais l'excitation de la soirée ne s'était pas encore dissipée.

Le bureau de Jez était un modèle d'ordre. Quelques photos de son fils exposées près des piles de dossiers bien nettes et rien d'autre. Celui de Grady était tout le contraire. Des tas de documents à trier, une boîte de stylos renversée, le papier d'emballage froissé d'un repas qu'il avait consommé sur place, une tasse décatie au fond de laquelle un reste de café commençait à se solidifier et à puer le moisi. Plutôt que de la laver, Grady balança la tasse à la poubelle et dégagea sur sa table assez d'espace pour y poser ses coudes.

Jez avait sous les yeux la page imprimée du message que leur avait adressé Isabel Raine et lisait sans regarder son collègue.

— Camilla Novak et Kristof Ragan, si tel est bien son véritable nom, ont organisé ensemble l'assassinat de Marcus Raine dans le but de lui voler son argent.

C'était leur façon de procéder. Ils échafaudaient des théories et les testaient pour voir si elles tenaient la route.

— Dans ce cas, comment Ragan s'est-il retrouvé marié à Isabel Connelly et à la tête d'une entreprise parfaitement légale en laissant Camilla Novak en larmes, au pied de son immeuble de standing ?

Jez réfléchit un moment tout en tapotant son stylo sur le plateau de son bureau.

— Ce type était un escroc et sa prochaine victime était Isabel Connelly. Il a convaincu Novak de patienter en lui promettant monts et merveilles quand il en aurait terminé avec Connelly et sa famille. Peut-être qu'il l'entretenait et continuait à la voir pour mieux la faire lanterner. Mais Novak a fini par en avoir marre d'attendre.

Grady considéra cette nouvelle théorie.

— Camilla a donc commencé à envoyer des messages à Isabel Raine, mettant à exécution la menace lancée à Marcus quand ils s'étaient disputés.

— Il n'était pas prévu dans leur plan qu'il tombe amoureux d'Isabel, mais c'est arrivé. Il s'est épris d'elle et de la vie qu'ils avaient bâtie ensemble, ajouta Jez.

— Il n'avait pas envie de la quitter.

— Et son frère, Ivan Ragan, quel rôle a-t-il joué ?

Grady avait déjà sa petite idée sur la question.

— Récapitulons : Ivan et Kristof Ragan débarquent en même temps aux États-Unis. Kristof est le gentil. Il s'inscrit à l'université et décroche un boulot chez Red Gravity. Là, il fait la connaissance de Marcus Raine et se dit qu'il aimerait bien avoir ce qui lui appartient, la fille et l'argent. Il s'assure le concours de son frère. Ivan, qui a déjà un passé de délinquant, se charge du sale boulot. Pour une part du butin, il accepte de tuer Raine et de faire disparaître son corps.

— Mais Kristof n'a pas envie de partager le magot, reprit Jez.

En fouillant dans ses dossiers, elle retrouva un procès-verbal d'arrestation d'un dénommé Ivan Ragan et le passa à Grady.

— Ivan Ragan a été appréhendé à la suite d'une dénonciation anonyme. L'indicateur prétendait qu'il détenait chez lui assez d'armes pour équiper toute une armée.

— Si je comprends bien, Kristof Ragan a balancé son frère pour avoir le champ libre.

— Pourquoi ne pas l'avoir éliminé ? Pourquoi prendre le risque qu'Ivan utilise ce qu'il savait en échange de sa libération ?

Grady haussa les épaules.

— Peut-être hésitait-il à tuer son propre frère. Il croyait sûrement qu'Ivan ne le trahirait pas et qu'il ne soupçonnerait jamais que c'était lui qui l'avait balancé aux flics.

— Mais il devait bien savoir qu'Ivan finirait par sortir et qu'à ce moment-là il devrait lui verser sa part.

— Il s'imaginait sans doute qu'il serait déjà loin. Il ne s'attendait pas à tomber amoureux d'Isabel. Ça ne faisait pas partie de son plan et ça explique pourquoi il s'est attardé si longtemps.

Grady baissa les yeux et regarda la série de photos montrant Ivan et Kristof sur un quai, en compagnie de trois hommes non identifiés.

— Ivan a découvert que son frère l'avait dénoncé, dit-il.

— Ça m'en a tout l'air.

Jez contempla son propre jeu de photos et secoua la tête d'un air désabusé.

Grady songea à Kristof Ragan, qui avait

trompé, manipulé, volé et tué, qui avait vendu son propre frère, puis lui avait tiré dessus et l'avait laissé pour mort.

— Tout ça pour du fric, dit-il.

— Eh oui, lui répondit Jez. L'argent fait tourner le monde.

— Quand même, de là à renoncer à tous ses principes, à trahir ceux qu'on aime, à tuer.

— Je ne suis pas sûre que l'argent soit la seule raison.

— Alors, quoi d'autre ?

Jez baissa les yeux et pianota sur son bureau.

— Une idée de la valeur que l'argent confère à votre vie.

— C'est quand même difficile à comprendre, lâcha Grady avec une moue sceptique.

— Tu crois ? Avant la naissance de Benjy, l'argent était le cadet de mes soucis. Tant que j'avais de quoi payer les factures, en mettre un peu de côté et m'offrir quelques extras, je n'avais besoin de rien de plus. Je voyais tous ces maquereaux et ces dealers. Avec leur fric ils pouvaient tout s'offrir. De grosses bagnoles, des vêtements de marque, d'énormes télévisions à écran plat et des salons en cuir, mais à mes yeux ils restaient de la racaille, des moins que rien.

— Qu'est-ce qui a changé ?

— Ce qui a changé, c'est l'école privée de Benjy, les sommes qu'il faut économiser pour payer l'université et les soins médicaux, mais aussi l'essence de la voiture et les notes du supermarché qui n'arrêtent pas d'augmenter. Maintenant que Benjy fréquente cette école de riches, il côtoie des gosses qui se paient des chaussures de sport à deux cents dollars. L'autre jour il m'a réclamé un tee-shirt à cent cinquante dollars. Je voudrais pouvoir lui offrir tout ce dont il a envie, mais je n'en ai pas les moyens.

Grady n'avait jamais entendu Jez parler de cette façon. Il avait toujours vu en elle une femme qui avait les pieds sur terre, pas le genre à s'inquiéter de payer à son gamin un jean de couturier.

— Mais il n'a pas besoin de toutes ces choses, fit-il observer. Je ne les ai pas eues quand j'étais gosse. C'est vrai qu'à l'époque je trouvais que ça craignait, mais je ne m'en suis que mieux porté par la suite. Et puis, ils ne sont pas censés porter des uniformes, dans ces boîtes privées ?

— Si, bien sûr. Mais il y a les événements organisés en dehors des heures de cours, les fêtes. Ces gosses sont ses copains. Ils vivent dans des baraques gigantesques et ne portent que des vêtements de grandes marques. Ça m'ennuie de lui donner moins que ce qu'ils ont, mais je n'ai pas le choix. Je ne veux pas m'endetter ni sacrifier son avenir. Maintenant que Noël approche, il me réclame la toute dernière console de jeux et un vélo largement au-dessus de mes moyens.

Jez était triste, Crowe le devina à la ligne incurvée de sa bouche. Ce problème hantait visiblement ses nuits. Dans un monde parfait, les gens bien ne devraient jamais se prendre la tête pour des questions d'argent, pensa-t-il.

— En attendant, je parie qu'aucun de ces mômes n'a une superwoman pour maman.

— C'est vrai, reconnut Jez avec un petit sourire. Je suis plutôt fortiche.

— Oh oui, tu pourrais coller au tapis toutes les autres mères.

— Merci, Grady.

Elle contempla le bout de ses doigts et fit claquer son pouce droit contre son ongle verni de rose, un tic qui revenait dès qu'elle se sentait mal à l'aise.

— Tout ça pour dire que je n'ai pas de mal à comprendre pourquoi Kristof Ragan appréciait sa nouvelle existence avec Isabel Raine. Il n'y avait pas que l'argent, il y avait aussi le style de vie. Sans les menaces de Camilla Novak, il ne serait sans doute pas parti et à l'heure qu'il est il continuerait de diriger sa société. Il donnait peut-être un coup de canif dans le contrat de temps en temps, mais je crois qu'au fond il aimait leur image de couple urbain qui a réussi.

Grady commençait à mieux comprendre. Finalement, Kristof Ragan vivait la vie dont il avait rêvé. Pourquoi l'aurait-il abandonnée pour une Camilla Novak ? Certes elle était belle et il l'avait désirée autrefois, mais Isabel Connelly était d'une autre classe, elle était son billet d'entrée dans le grand monde.

— Dans ce cas, qui sont ces gens qui ont mis à sac ses bureaux et son domicile ? fit remarquer Jez.

Elle feuilleta le dossier et s'arrêta sur les clichés de la scène de crime.

— Des relations de son frère, qui sait.

Jez brandit l'une des photos envoyées par Isabel Raine. On y voyait Kristof Ragan sur un quai de Brooklyn entouré de types patibulaires en manteau noir.

— Mon petit doigt me dit que les anciennes relations de son frangin n'avaient plus envie de bosser avec lui.

— Possible, fit Grady.

Tout autre que lui serait mort, pourtant Kristof Ragan vivait encore. Grady fit défiler les photos reconstituant le fil des événements.

— Ce type a été formé aux techniques de combat, dit-il. On ne met pas quatre hommes à terre comme ça sans être sérieusement entraîné.

— Oui, mais la vraie question est de savoir qui a pris ces photos. Qui a assisté à la scène en dehors des protagonistes ?

Quelque part retentit la sonnerie d'un téléphone. À quelques portes de là, dans le couloir, une télé retransmettait un match et Grady entendit des acclamations.

— Et comment sont-elles tombées entre les mains de Camilla Novak ? À qui voulait-elle les remettre et pourquoi ? continua Jez en notant ses questions au fur et à mesure sur un bloc-notes.

— La victime de Central Park n'a pas encore été identifiée. Je viens de vérifier auprès de la morgue.

— Et qui est cette fille ? demanda Jez en soulevant une photo de S.

— Aucune idée, mais je suis content que ce ne soit pas ma copine. Je ne saurais jamais si elle veut me faire un câlin ou me trucider dans mon sommeil.

Jez rit et Grady s'esclaffa à son tour. Tous deux partirent d'un fou rire irrépressible, contrecoup de la fatigue. Ils avaient trop travaillé, ils n'en pouvaient plus.

Quand ils eurent repris leur souffle, Grady envoya un mail à Interpol et à ses contacts au FBI pour demander leur assistance, et joignit à l'envoi la photographie de S ainsi que celles des deux frères Ragan prises sur le quai. Puis ils se partagèrent les documents à étudier. Les relevés bancaires pour lui, la liste des appels passés sur les portables pour elle.

— Je vais emporter tout ça à la maison, dit Jez. Dormir un peu et envoyer mon bébé à l'école.

— Il a dix ans, ce n'est plus un bébé.

Jez sourit.

— On dirait mon ex. Pour moi, il sera toujours mon bébé. Peu importe qu'il ait dix ou même seize ans. Pour une maman, son enfant reste toujours un bébé.

— C'est vrai, admit Grady en songeant à sa propre mère.

Ils éteignirent les lampes et se dirigèrent ensemble vers la sortie.

— Tu crois que Shane nous a raconté tout ce qu'il savait ? demanda Jez.

— Je n'en suis pas sûr, rétorqua Grady en

lui tenant la porte. Mais je peux te dire que ton œil est moins mal en point qu'on aurait pu le craindre.

L'œil de Jez avait effectivement dégonflé. Au lieu de tourner au coquard, le bleu était même en train de s'estomper.

— J'ai pris des coups pires que ça pendant mes entraînements.

— T'es drôlement fortiche, tu sais.

Jez rit encore et Grady fut content. Il ne savait pas pourquoi, mais il aimait la faire rire.

22

La nuit, les garçons les plus jeunes pleuraient. Ils s'efforçaient de le faire discrètement, mais il y avait toujours quelqu'un pour les entendre. Et au matin, ceux qui avaient chialé étaient ridiculisés sans pitié et rossés quand ils osaient se rebiffer. Kristof pleurait, pas Ivan. Pourtant personne n'osait lever la main sur lui, à cause de la carrure et du caractère de son frère aîné. Kristof comme Ivan ne participaient pas aux humiliations infligées aux plus jeunes.

Il lui arrivait encore de se réveiller au milieu de la nuit et de croire entendre les gémissements étouffés d'un enfant. Un gouffre de solitude et de désespoir s'ouvrait alors en lui. Il était revenu là-bas, il était redevenu le petit garçon qui pleurait après sa mère. Ivan avait été pour lui un frère attentionné qui, la nuit, le laissait le rejoindre dans son lit et prenait soin de se réveiller avant les autres pour l'obliger à regagner sa place dans le dortoir. Mais avec le temps le petit avait fini par ne plus pleurer ni avoir besoin du réconfort de son aîné.

Ce matin-là, à son réveil, il avait encore dans la tête les cris de douleur d'Ivan. « Tu m'as trahi, avait-il hurlé sur ce quai où il se vidait de son sang. Toi, mon propre frère ! »

Les autres, il les avait abattus sans ciller, puis les avait balancés à l'eau encore vivants. Mais s'il avait tiré sur Ivan c'était seulement pour le blesser, en guise d'avertissement. Il devait survivre, pour avoir le temps de réfléchir à ce qu'il avait fait et revenir à la raison.

— Tu me dois du pognon, Kristof, lui avait dit son frère quand ils étaient montés en voiture.

Il ne s'était pas écoulé plus d'une semaine depuis ce matin-là, pourtant il lui semblait que c'était arrivé il y a des mois. En quittant Manhattan, ils avaient pris le pont de Brooklyn. Kristof pensait à Isabel et à la vie qu'il laissait derrière lui. Il la revoyait telle qu'il l'avait vue pour la dernière fois, au pied de leur immeuble, prête à partir pour son jogging matinal, bien déterminée à faire fondre les calories absorbées avec le croissant du petit déjeuner. Il avait presque souri à ce souvenir.

— Je sais, Ivan, avait-il répondu. Je l'ai mis de côté en attendant ta sortie de taule.

— Tu es plein d'attentions, avait lâché Ivan en tchèque.

Il fixait la route devant lui d'un air lugubre. Dehors, des nuages gris amoncelés à l'horizon annonçaient la neige.

Ivan avait allumé la radio. Amateur de musique classique, il était tombé sur un concerto pour violon que Kristof ne connaissait pas et avait gardé le volume réglé au minimum.

— Tu sais, j'ai eu pas mal de temps pour gamberger et pour me demander qui avait pu tuyauter les flics au sujet des armes.

Ces armes étaient entreposées dans l'appartement qu'ils partageaient. Kristof avait pris la précaution de déménager ses affaires et de trouver un autre endroit où crécher avant d'appeler la police. Il savait qu'Ivan ne dirait jamais aux flics que son frère habitait avec lui. Il n'y avait pas de bail et son nom n'apparaissait nulle part, pas même sur la facture d'électricité.

Kristof avait senti les battements de son cœur s'accélérer.

— Et alors ?

— Alors, j'ai jamais réussi à trancher la question.

— Où tu m'emmènes ?

Ivan avait ignoré sa question.

— Mais voilà que, deux jours avant ma libération, je reçois une visite.

Kristof savait qui avait rendu visite à son frère, mais avait jugé plus prudent de se taire.

— Camilla Novak, tu te rappelles ? Cette fille qui te rendait dingue. D'après elle, c'est toi qui m'aurais balancé. Elle m'a aussi dit que tu n'avais pas été réglo avec elle non plus. Nous, on s'est tapé tout le boulot. Elle, en te laissant accéder à son domicile, à ses comptes, à ses mots de passe, à son identité. Moi, en éliminant Raine et en faisant disparaître son corps. Et toi tu t'es tiré avec tout le pognon.

Kristof avait essayé de sourire.

— Ivan, tu peux pas la croire. Cette fille m'en veut parce que je l'ai jetée. Tu sais comment je suis avec les femmes, je m'ennuie très vite.

— Alors si c'est pas toi, qui c'est ?

— Comment je le saurais ? Je regrette beaucoup ce qui t'est arrivé, mais je suis en mesure de t'aider, maintenant. On a un gros paquet de fric et ce qui est à moi est à toi. Tu es mon frère.

Sur ce, il lui avait envoyé une tape sur l'épaule, mais Ivan n'avait même pas daigné tourner la tête. Kristof avait alors compris qu'il était trop tard. Son frère n'écoutait plus que sa rage.

— Où on va ? avait-il répété.

— Voir des gens qui ont deux mots à te dire.

— Qui ça ?

— Des amis à moi.

Kristof avait réfléchi à toute allure. Il devait trouver un moyen de se sortir de ce pétrin. Les portières de la voiture étaient condamnées. Sans arme, face à Ivan qui était dix fois plus fort que lui, il n'avait pas d'autre choix que de jouer le jeu.

— J'ai toujours veillé sur toi. Je t'aimais, avait dit Ivan avec une expression de profonde tristesse.

— Je sais, avait répondu Kristof en regardant défiler derrière la vitre un paysage de béton sous un ciel gris métallique.

Ivan avait agi en un éclair. Kristof n'avait pas eu le temps de le voir prendre son arme que déjà la crosse s'abattait sur sa nuque. Quand il avait repris connaissance, il était couché face contre terre sur un sol dur et froid, entouré d'Ivan et de ses amis en manteau noir. Le comité d'accueil n'était pas sympathique et la petite fête avait mal tourné.

Kristof se repassait le film de cette rencontre sur les quais, tandis qu'il arpentait les vieux pavés inégaux du pont Charles. S'il avait réussi à s'en tirer, c'était uniquement grâce à ce que lui avait appris Sara. Ils savaient tous deux qu'un jour viendrait où il devrait se sortir seul d'un mauvais pas. Aussi avaient-ils tout planifié ensemble.

Le souvenir des heures pénibles où il avait été retenu prisonnier dans un entrepôt, puis du dénouement tragique sur le quai le poussa à jeter un coup d'œil par-dessus son épaule.

Le pont grouillait de touristes. Ceux qui n'étaient pas occupés à prendre en photo saint François Borgia, saint Jean Baptiste, sainte Anne ou encore saint Joseph étaient penchés par-dessus le parapet, d'où ils admiraient les cygnes barbotant dans les eaux grises de la Vltava. Le pont se dressait là depuis 1357. Aujourd'hui, il était envahi par des gens qui buvaient des sodas à la paille, en écoutant de la musique sur leurs iPod. Kristof ne ressentait à leur égard aucune animosité. En fait, il préférait les foules. Il était plus facile d'y passer inaperçu.

Il passa devant la tour du pont de la Vieille-Ville, magnifique spécimen d'architecture gothique pointant vers le ciel sa haute toiture à quatre pans. Assis à son pied, des promeneurs, bravant le froid, dégustaient des glaces en cornet. Dans les vitrines des boutiques alignées le long de la rue étaient exposés des jouets en bois, du cristal de Bohême, des tee-shirts, des pellicules photo et des friandises.

Il tourna à gauche, passa devant le magasin d'une fameuse chaîne spécialisée dans la vente de bagels et se retrouva seul dans une ruelle, à l'écart de l'artère principale. À sa droite, une cour était fermée par un haut portail en fer forgé, à sa gauche, dans une allée sombre, une chaussure de femme gisait dans une flaque d'eau boueuse. L'endroit était silencieux, il n'était pourtant qu'à cent mètres de la rue grouillante de monde qu'il venait de quitter. À Prague, il suffisait de tourner le coin d'une rue pour se retrouver plongé dans l'histoire, comme si l'on franchissait une porte ouvrant sur un autre temps et un autre lieu.

Kristof était chez lui, en sécurité. Toutes les menaces qui pesaient sur lui étaient neutralisées ou repoussées dans le passé. Prague accueillait l'un de ses fils prodigues. La ville l'enlaçait dans ses bras de grès, et il pouvait se fondre dans son mystère. Elle le cacherait dans son giron sans chercher à savoir ce qu'il avait pu faire dans d'autres parties du monde. Ici, il n'avait plus de comptes à rendre. Prague était la mère qu'il n'avait jamais eue.

Il s'engagea sous le porche obscur d'un immeuble où le grand Beethoven avait composé sa musique quand il avait séjourné à Prague. À l'époque, l'immeuble abritait l'auberge de la Licorne. Kristof aimait cette histoire, même s'il doutait de sa véracité. Depuis lors, l'endroit avait été reconverti en appartements de standing. La spéculation immobilière n'avait pas épargné sa ville. Kristof y avait acheté cet appartement sur plan en 2003 et à présent il valait une fortune. Il y avait des moyens légaux de faire de l'argent. Mais pour ça, bien sûr, il fallait déjà s'être constitué un capital.

Il déverrouilla la lourde porte en bois et entra dans les lieux. La pièce principale était meublée d'un futon et d'un téléviseur à écran plat qui recevait plus d'une centaine de chaînes du monde entier. La chambre était aménagée sobrement : un lit et un bureau sur lequel était posé son ordinateur portable. Une odeur de peinture et de linge frais flottait dans l'air.

Il alla jusqu'à la cuisine et se prépara un expresso. Il repensa alors au dernier café qu'il avait bu avec Isabel. Il chercha en lui la douleur et la tristesse qu'il avait ressenties quand il avait été arraché à cette vie, mais il n'en restait plus aucune trace. Il finit par douter. Avait-il réellement éprouvé ces sentiments ou bien les avait-il utilisés pour le rôle qu'il avait si bien joué ? Au fond, que signifiait aimer ? L'amour devait-il durer éternellement pour vraiment exister ?

Il prit sa tasse et retourna au salon. Installé sur le futon, il alluma la télé et se brancha sur CNN. Il n'eut pas à attendre longtemps. Au bout de dix minutes d'une litanie de mauvaises nouvelles sur le front du marché des crédits immobiliers, suivie par un reportage sur le dernier régime à la mode, il vit surgir à l'écran le portrait d'Isabel. Il augmenta le volume.

« Les inspecteurs chargés de l'enquête ont relié la disparition non élucidée de Marcus Raine, dont la police pense maintenant qu'il a été assassiné, à une récente vague de crimes, et notamment au meurtre de Camilla Novak, une jeune femme qui aurait été la compagne de l'homme porté disparu en 1999. »

Il vit ensuite apparaître son propre visage. Il ne s'en inquiéta pas. Sa barbe poussait vite et il s'était arrangé pour prendre du poids. Dans quelques jours il serait assez transformé pour se fondre dans la masse. D'ici là, il se ferait discret.

« Selon les autorités, cet homme dénommé Kristof Ragan est un ressortissant tchèque entré aux États-Unis en 1990 avec un visa d'étudiant. Après obtention d'un diplôme d'informatique au Hunter College en 1994, il entre dans la clandestinité, en violation de la législation sur le séjour des étrangers, puis réapparaît quelques années plus tard sous une autre identité et épouse la célèbre romancière Isabel Connelly. »

Ce communiqué le contraria. Il se demanda comment ils avaient pu connaître son véritable nom et les détails de sa biographie. Certes, il vivait maintenant sous une autre identité, mais tout risque n'était pas écarté. Qui connaissait la vérité à son sujet ? Sara ne le trahirait pas, il en était sûr. Restait Ivan. Il regretta sa décision d'avoir épargné son frère. Encore une faiblesse, encore une erreur commise par amour ou quelque chose qui y ressemblait.

« Isabel Connelly est également recherchée dans le cadre de cette enquête, et la police ignore où elle se trouve actuellement. “ Nous demandons instamment à Mme Connelly de se rendre aux autorités ” », déclara un inspecteur devant la caméra.

Élégant et plutôt bel homme, il portait son insigne pendu autour du cou.

« “ Kristof Ragan est un individu très dangereux. ” »

La présentatrice aux traits lisses plongea son regard dans l'objectif et déclara :

« Une histoire mêlant le meurtre, l'usurpation d'identité et le détournement d'un million de dollars. La réalité dans cette affaire semble décidément dépasser la fiction. »

Il éprouva un étrange malaise au creux de l'estomac. Sara l'avait mis en garde :

— Tu as épargné Camilla et regarde où ça t'a mené. Ce sera la même chose avec celle-là. Elle va nous donner du fil à retordre, je te préviens.

— Non, elle se tiendra tranquille, avait-il répondu sans conviction. Elle a trop d'attaches, entre son travail et sa famille. Une menace contre ses proches et elle rentrera dans le rang. Elle a trop à perdre pour se lancer sur mes traces.

— Hum, avait fait Sara d'un air sceptique. Je l'ai vue et je sais que rien n'arrêtera cette femme.

— Si ça arrive, je m'occuperai de régler le problème.

Encore une erreur qu'il allait devoir corriger.

Son téléphone se mit à sonner dans sa poche. C'était un modèle jetable qu'il avait acheté à l'aéroport. Une seule personne en connaissait le numéro. Surpris, il décrocha sans attendre.

— Je ne m'attendais pas à ce que tu appelles, dit-il sans préambule.

Il y eut un silence et le bruit d'une respiration au bout du fil. Il aurait presque pu sentir le parfum mentholé de son haleine.

— Je ne m'y attendais pas non plus, finit-elle par dire.

Elle avait une voix charmante, teintée d'un léger accent britannique qui en disait long sur ses origines et sa position sociale.

— Quand tu m'as dit que tu n'avais pas le temps de jouer, ça m'a plu. Parce que moi non plus je n'ai pas envie de jouer.

— Est-ce que je te vois ce soir, alors ? demanda-t-il, jouant l'émotion à la perfection.

— Oui, dit-elle dans un souffle. Oui, j'en serais ravie.

23

Dans son studio de l'East Village, la police trouva les preuves de l'attachement obsessionnel qu'avait nourri Ben Jameson pour Linda Book. Des piles de coupures de journaux, des portraits illustrant des interviews et de nombreuses autres photos qu'il avait prises quand Linda faisait des courses avec ses enfants, dînait en compagnie de son mari ou assistait à son cours de yoga. Il l'avait suivie partout et avait même tenu un journal dans lequel il avait raconté leur aventure imaginaire.

Il était marié et père de deux petites filles, mais vivait séparé de sa famille depuis plusieurs années. Il n'avait plus le droit de voir ses filles que pendant quelques heures et sous surveillance. Son ex-femme l'accusait de mauvais traitements et l'avait quitté après qu'il l'eut envoyée à l'hôpital avec le nez cassé et une commotion cérébrale. Elle l'aimait toujours, mais elle était terrifiée par ses accès de rage et par les épisodes de dépression dans lesquels il s'enfonçait parfois pendant des semaines, voire des mois entiers.

Quand il était sous traitement, Ben était le plus gentil des hommes, un époux tendre et romantique. Mais sans soins il pouvait se transformer en monstre. Depuis un an, la situation s'était améliorée. Ben prenait ses médicaments. Il semblait stable et presque heureux. Ses visites à ses filles étaient des moments agréables et paisibles. Mais son obsession pour Linda Book le perturbait et dès qu'il avait interrompu son traitement, il s'était trouvé entraîné dans une spirale fatale.

— Nous nous sommes rencontrés au vernissage de mon expo, expliqua Linda à Erik. Tu t'en souviens, je m'étais accrochée avec lui à propos d'une mauvaise critique à mon sujet. Sur le moment, j'avais presque trouvé ça drôle. Quelques jours plus tard, il m'a rappelée pour me présenter ses excuses. Nous avons pris un café ensemble. Pour moi, il s'agissait juste de développer mon réseau relationnel. Mais ensuite il s'est mis à m'appeler constamment. Une semaine plus tard, je l'ai rencontré par hasard à la sortie de mon cours de yoga. Il a prétendu qu'il se trouvait dans le coin pour interviewer un artiste. Mais c'est ce jour-là que pour la première fois j'ai pensé que quelque chose ne tournait pas rond chez lui.

— Pourquoi tu ne m'en as pas parlé ?

— Parce que je ne voulais inquiéter personne.

— Ça faisait combien de temps que ça durait ?

— Six mois, mais par intermittence.

— Enfin, Linda, tu aurais dû m'en parler.

— Il y a déjà tellement de stress dans notre vie ces derniers temps. Je ne voulais pas te mettre ça en plus sur le dos. J'ai pensé que si je l'ignorais il finirait par se lasser. Il a toujours été très correct avec moi. Il n'avait rien d'un dingue. Je ne sais pas, en un sens j'étais peut-être flattée qu'il s'intéresse à moi.

Erik avait le front dans les mains et ne disait plus rien.

— Je suis désolée.

Elle s'en voulait de lui mentir ne serait-ce que par omission, mais elle ne pouvait se résoudre à lui avouer la vérité et à ôter encore une autre brique aux fondations de son mariage. Ben était mort. Le caractère obsessionnel de son attachement pour elle était étayé par de nombreuses preuves. Personne ne semblait soupçonner l'existence d'une liaison entre eux. Elle ne lui avait jamais laissé de messages sur son téléphone, ni adressé le moindre mail. Si la police allait jusque-là, le relevé des appels passés sur son portable montrerait que Ben l'avait contactée très souvent, mais qu'elle-même ne l'avait joint que rarement. Elle n'avait fait que répondre à ses appels, diraitelle. Sans le considérer réellement comme un ami, elle le trouvait sympathique et ne voulait pas se montrer grossière. Après tout, cet homme était un critique d'art très influent. Linda savait aussi que dans les SMS qu'elle lui avait envoyés elle avait toujours veillé à ne rien dire de compromettant.

— Tu as couché avec lui ? Vous avez eu une aventure ?

Elle ne s'attendait pas à ce qu'Erik lui pose la question de but en blanc. Elle voulut feindre l'indignation, mais sans succès. Elle n'arrivait même plus à parler.

— Hier soir au téléphone tu m'as dit que tu avais commis des erreurs toi aussi. Tu t'en souviens ?

Elle opina. Ils étaient seuls pour la première fois depuis l'« incident », comme certains l'appelaient pudiquement. Cet homme s'était fait exploser la cervelle sous ses yeux et elle ne se souvenait que de ses propres cris. Personne ne devrait être obligé de vivre un moment pareil deux fois dans sa vie. Son psychisme le savait et lui accordait ce répit. L'incident, depuis l'instant où elle avait entendu Ben l'appeler dans la rue, n'était plus dans sa mémoire qu'une vision floue en noir et rouge.

John Brace avait fini par partir. Trevor et Emily se trouvaient toujours chez la mère d'Erik et y resteraient encore deux jours, jusqu'à ce que tout se soit calmé. Fred était rentré chez lui. Margie veillerait sur lui avec l'aide d'une infirmière. Quant à Izzy, elle s'était évanouie dans la nature.

Sa sœur avait laissé un message pour dire qu'il ne fallait pas s'inquiéter pour elle. « Linda, je vais tout arranger pour toi et Erik. Et je te jure que jamais je n'aurais tiré sur lui. » Il y avait dans sa voix une puérilité adorable et déconcertante. Elle croyait que ce n'était qu'un problème d'argent. Dans son esprit, si elle récupérait ce que son mari avait détourné, elle réparerait tout ce qui était cassé dans leur vie et leur apporterait la guérison dont ils avaient tous si désespérément besoin.

Ne voyait-elle pas qu'il était question d'infidélité, de trahison, de secrets et de mensonges, de perte de confiance ? Ne comprenait-elle pas que ces choses ne se réparent pas ? On ne peut rendre son état d'origine à une étoffe déchirée. On peut raccommoder, recoudre, mais il restera toujours une marque, un point plus fragile où le tissu pourra craquer à tout instant.

— Oui, je m'en souviens, répondit-elle à son mari.

Elle voulait tout nier et elle pouvait le faire. C'était la meilleure solution pour elle-même et pour lui. Elle pouvait continuer de nier jusqu'à la mort car il était à jamais impossible que quiconque découvre sa duplicité, mais mentir encore ne ferait qu'affaiblir davantage leur couple. Ils étaient à une étape de leur vie où ils devaient s'accepter l'un l'autre avec tous leurs défauts et décider de poursuivre leur route ensemble ou bien de tout arrêter. De nouveaux mensonges n'empêcheraient pas la douleur, pas à long terme. Elle était sur le point de passer aux aveux, mais Erik la devança :

— Je te propose de tourner la page. Qu'en penses-tu ? Tu t'en sens capable ?

Il se leva du canapé où il était assis et s'agenouilla aux pieds de sa femme. Il lui prit les mains et se serra contre elle.

— Nous avons commis des erreurs l'un et l'autre, mais nous continuons de nous aimer. Pouvons-nous avancer maintenant sans regarder derrière nous, sans regret ni ressentiment ?

— Mais, Erik, j'ai…

— Je t'en supplie, la coupa-t-il. Peux-tu me pardonner ce que j'ai fait ?

— Oui, dit-elle. Mais j'ai aussi besoin de ton pardon.

Elle pressa de toutes ses forces les mains d'Erik dans les siennes et ferma les yeux.

— Ne dis pas un mot de plus. Je t'ai déjà pardonné. Ici et maintenant, je te propose de poursuivre notre chemin ensemble et de mieux nous aimer. Sans jamais, jamais nous retourner sur nos fautes passées. Est-ce que tu nous en crois capables, Linda ?

Elle regarda ce visage si franc, si sincère. Il avait toujours su qu'elle le trompait. Dans les grands yeux bleus d'Erik, Linda lut la douleur, l'acceptation et le pardon. Elle lut aussi que c'était pour ça qu'il avait fait ce qu'il avait fait. Il pensait que s'il lui apportait la sécurité dont elle avait tant besoin, elle ne serait plus poussée à chercher ailleurs un réconfort illusoire. Linda ploya la tête sous le poids de la honte.

Elle n'avait pas réussi à empêcher son père de la quitter, mais aujourd'hui elle allait sauver sa famille et pardonner à tous, y compris à elle-même.

— Oui, dit-elle.

Elle leva les yeux vers Erik. Ici et maintenant, avait-il dit. Il ne voulait bien sûr pas parler de l'appartement en tant que tel, mais c'était pourtant là qu'ils avaient conçu leurs enfants. Ces pièces avaient été le champ de bataille de leurs disputes, l'endroit où ils avaient fait l'amour pour la première fois, où ils avaient ri aux larmes, où ils avaient aussi pleuré, hurlé et cuisiné. Certes, ce loft était hypothéqué pour le moment, mais il n'en restait pas moins leur foyer. Une perle de sagesse de Fred lui revint en mémoire : « Un chemin de mille lieues commence toujours par un premier pas. »

— Oui, répéta-t-elle. Oui, nous le pouvons.

Elle était triste pour Ben. Elle l'aimait bien et le considérait comme un ami. Elle avait couché avec cet homme. C'était irrationnel, mais elle se sentait coupable de sa mort. Elle savait pourtant qu'il était malade. À la pensée de ce qu'il aurait pu faire à Erik, aux enfants, à elle-même, son affection pour lui passa au second plan. En dépit de sa tristesse, elle dut reconnaître qu'elle n'arrivait pas à puiser en elle-même beaucoup de compassion pour Ben.

Elle repensa à la sensation de fin définitive qu'elle avait éprouvée la nuit où son père s'était donné la mort, comme si une part essentielle de sa propre personne venait de la quitter. Par la suite, il n'était plus resté dans son cœur que de la rage. S'il l'avait aimée, il n'aurait pas oublié que la lune était pleine. Il n'aurait pas oublié que la nuit lui appartenait. Il aurait su qu'elle le découvrirait. Dans un sombre recoin de son âme, elle s'était accrochée à cette idée. Mais à présent elle comprenait qu'il n'avait eu rien d'autre en tête que son intolérable douleur psychique.

Quand elle fondit en larmes dans les bras de son mari, elle sut que, pour la première fois, elle s'autorisait à pleurer la mort de son père. Elle pleurait sur lui autant que sur tout ce qu'elle avait failli détruire dans sa vie par son incapacité à le laisser partir.

La lune était pleine et flottait haut dans le ciel quand il se gara dans son allée. Alors qu'il descendait de sa voiture, une grosse Mustang noire qu'il avait achetée pour se consoler après que Clara l'eut quitté en emportant leur toute nouvelle Acura, il reconnut justement le coupé gris argenté parqué de l'autre côté de la rue. Il s'arrêta pour lire la plaque minéralogique. C'était bien la sienne. Une lumière était allumée dans le salon de sa maison. Il n'avait jamais voulu lui reprendre ses clés dans l'espoir qu'elle s'en servirait un jour pour réintégrer le domicile conjugal.

En ouvrant la porte, il la découvrit endormie sur le canapé devant les images muettes de CNN. Elle avait pris une couverture dans l'armoire à linge du premier étage et dormait roulée en boule, ses cheveux déployés sur son oreiller. Elle ressemblait à une petite fille quand elle dormait. Debout dans l'encadrement de la porte, il l'observa, la gorge nouée.

À deux reprises déjà, il avait vu la lumière allumée dans la maison en rentrant le soir et son cœur avait bondi. Mais chaque fois ses espoirs avaient été anéantis quand il avait compris qu'il avait tout bonnement oublié d'éteindre la cuisine ou la chambre en partant.

Mais ce soir elle était là. Elle inspira profondément, exhala un soupir et remua dans son sommeil. Il avait peur de bouger et de voir le mirage se dissiper. Il était près de 4 heures du matin, songea-t-il. Si Clara était là, où était Sean ? Il ne faisait plus partie de l'équipe de nuit, il n'avait donc plus ce prétexte pour découcher. Grady en conclut qu'ils s'étaient disputés. Elle n'avait probablement nulle part où aller. Ses deux meilleures amies étaient mariées et mères de famille. Clara n'avait pas voulu se tourner vers elles et admettre un nouvel échec après son divorce. Elle ne pouvait pas non plus aller chez ses parents à cause des questions incessantes et des commentaires qu'ils ne manqueraient pas de lui infliger. Sa mère continuait d'envoyer des cartes à Grady pour son anniversaire et pour Noël. « Patience, elle finira par te revenir », lui avait-elle écrit sur la dernière en date. Il les conservait toutes dans le tiroir de sa table de chevet.

Clara ouvrit les yeux. En l'apercevant, elle se redressa lentement. Il referma la porte d'entrée derrière lui et s'avança dans le salon.

— Salut, dit-il.

Il ôta son manteau, le déposa sur la rampe de l'escalier et s'assit sur les premières marches. Ce faisant, il entrevit son reflet dans le miroir accroché sur le mur opposé. Il était mal coiffé, il avait les traits tirés et pris du ventre à force de ne manger que des hamburgers depuis des mois.

— Tu lui as raconté que je t'avais appelé.

Elle se frotta les yeux et étira ses bras au-dessus de sa tête.

— Je suis désolé.

— Non, tu n'es pas désolé.

— C'est vrai, je ne suis pas désolé.

La pièce était telle que Clara l'avait arrangée. C'était elle qui avait choisi l'épaisse moquette, le canapé d'angle, la télévision et le meuble qui allait avec. Le plaid dont elle s'était recouverte était un cadeau de mariage. Tricoté en point chenille, comme elle les aimait. Dans un accès de mesquinerie, il avait refusé qu'elle l'emporte, au prétexte que c'était sa sœur qui le leur avait offert.

— Qu'est-ce qui s'est passé ? Vous vous êtes disputés ?

Elle le regarda d'un air agacé.

— À ton avis, Sherlock ?

— Je sais pas, tu l'as quitté ?

Elle enroula ses bras minces autour d'elle, contempla un point sur le sol et gratta du bout de son ongle une croûte invisible sur son coude. Elle évitait son regard. Ses épaules furent secouées par un tremblement. Elle se cacha le visage dans ses mains, mais il ne bougea pas. Elle détestait qu'on la touche quand elle pleurait. Ça la mettait hors d'elle.

— Je suis sincèrement désolé, Clara, dit-il de sa place sur les marches de l'escalier. Je voulais le foutre en rogne. Je n'avais pas l'intention de te créer des problèmes.

— T'en fais pas, lâcha-t-elle avec un rire amer. Pour ça, je n'ai besoin de l'aide de personne. Je sais très bien me mettre dans le pétrin toute seule.

Il avait une envie folle de caresser sa peau, d'enfouir son visage dans sa chevelure. Ses mains voulaient s'emparer d'elle, reconquérir son corps dans cette maison qui avait été le foyer de leur jeune couple. Il voulait entendre son souffle dans l'obscurité de leur chambre, voir un rai de lumière passer sous la porte quand elle se relevait la nuit. Il voulait entendre le ronronnement de son sèche-cheveux le matin et sa voix quand elle chantonnait une mélodie jouée à la radio. Il voulait s'asseoir avec elle sur la véranda le vendredi soir en dégustant un verre de vin et regarder les gamins du voisinage jouer au base-ball dans la rue comme lui-même l'avait fait autrefois. Il ne voulait que ces petites choses, rien d'extravagant, pas de week-ends à Paris, pas de veuve-clicquot. Mais la distance à franchir était si grande et les obstacles semblaient si nombreux. Il n'était même pas sûr que Clara désire faire cet effort de son côté. Il se rendit compte qu'il ne lui avait jamais demandé ce qu'elle voulait et maintenant encore il ignorait ce qui pouvait la rendre heureuse.

— Le pire, reprit Clara, c'est qu'il ne s'est même pas fichu en rogne. Toi, à sa place, tu aurais piqué une crise de jalousie comme un môme.

Il encaissa le coup sans chercher à se défendre. Elle avait raison. Il serait devenu fou en apprenant qu'elle avait appelé un autre homme.

— Comment il a réagi, alors ?

Elle passa ses doigts dans ses cheveux.

— Il s'est contenté de me demander pourquoi je t'avais appelé, si tu me manquais et si j'étais prête à tourner la page.

Elle soupira, repoussa sa couverture et s'assit en tailleur. Elle portait des leggings noirs et un vieux sweat-shirt qu'elle lui avait emprunté. À l'emblème du lycée de Regis, il était tout décoloré et assoupli par de nombreux lavages. Son uniforme d'intérieur, ainsi qu'il l'appelait.

— Il voulait savoir si j'étais sûre de ma décision et de mes sentiments avant de m'engager. Lui-même n'aimait pas Angie quand il l'a épousée, mais ils étaient jeunes et elle attendait un enfant. Il avait fait ce qu'il pensait être son devoir. Et il avait sans doute eu raison. Mais il n'avait jamais aimé Angie au point de pouvoir affronter avec elle les hauts et les bas d'une vie de couple. Il ne voulait pas commettre la même erreur en épousant une femme qui ne l'aimait pas suffisamment.

Grady allait lâcher un commentaire acide sur la grande sagesse et la profondeur de vue de son vieux copain Sean, mais à l'expression de Clara il comprit qu'elle s'attendait précisément à ce genre de remarque de sa part et se ressaisit. Il devait mûrir, se comporter en homme, ou bien risquer de la voir repartir chez Sean le Magnifique. Il opta pour un hochement de tête plein de solennité. En s'apercevant dans le miroir, il se trouva très bien.

— Qu'est-ce que tu lui as répondu ?

— Je lui ai avoué la raison pour laquelle je t'avais appelé.

— Oui, et c'était quoi ?

— Je suis enceinte, dit-elle très calmement, mais en continuant d'éviter son regard. J'ai avoué à Sean que nous avions couché ensemble après l'audience du divorce et que depuis trois mois je n'avais plus mes règles.

Grady eut la sensation d'être balayé par une bourrasque, par un grand vent purificateur qui risquait de l'emporter.

Il se leva de la marche sur laquelle il s'était assis.

— Mais je ne lui ai pas dit que je pense à toi tous les jours, que je me demande à chaque instant où tu es, ce que tu fais et si tu m'as trouvé une remplaçante. Je ne lui ai pas dit que quand lui et moi…

Elle leva les yeux, l'air gêné.

— Je me rappelle comment c'était avec toi.

Pendant un instant, il craignit d'être en train de rêver et de devoir se réveiller avec la déception au ventre. Cela lui était déjà arrivé et, chaque fois, il avait eu un mal fou à sortir de son lit, tant il était terrassé par le chagrin quand il se rendait compte qu'elle était bel et bien partie.

— Clara, dit-il.

— Et avant que tu me demandes comment je sais qu'il est de toi et que tu fiches tout en l'air comme d'habitude, je précise que Sean a subi une vasectomie après la naissance de son deuxième enfant. Il pensait pouvoir annuler l'opération si par la suite nous décidions d'avoir un bébé ensemble.

Elle redressa la tête et le fixa de ses yeux noisette teintés de reflets gris. Il resta pétrifié.

— Je suis enceinte, Grady. J'accepte de revenir à la maison, mais à certaines conditions. Beaucoup de choses vont devoir changer, sinon j'élèverai cet enfant seule. Ça ne me fait pas peur.

— Non, dit-il en s'élançant vers elle. J'ai beaucoup à apprendre, je le sais. Je dois grandir et devenir l'homme que tu mérites. J'en suis capable, tu verras.

De tout son cœur, il espérait dire vrai. Il lui

aurait promis n'importe quoi.

Il se laissa tomber à ses pieds et la saisit par les hanches. Son parfum lui caressa les narines, l'odeur de sa peau mêlée aux senteurs d'agrumes de son shampoing. Déjà, elle lui semblait plus ronde, plus douce, avec des hanches plus généreuses. Elle se pencha vers lui et leurs lèvres se rencontrèrent. À ce contact, elle s'ouvrit à lui comme une fleur. Sa bouche avait un goût délicieux.

— Je ferais n'importe quoi pour toi, dit-il en mettant fin à leur baiser.

À deux mains, il écarta les cheveux qui masquaient son visage.

— Je donnerais ma vie pour toi.

Il sentit alors qu'il pleurait. Ça ne lui était plus arrivé depuis son enfance. Même quand Clara l'avait quitté, il n'avait pas versé une larme.

— J'ai besoin que tu vives, Grady.

Elle plaça ses deux mains sur son ventre.

— Pour nous.

Il laissa retomber sa tête sur les genoux de Clara. Délicatement, elle lui posa une main sur le front.

— Oui, dit-il d'une voix qui n'était plus qu'un murmure étranglé.

24

Avec le recul, je comprends que mes motivations étaient troubles. Sur le moment pourtant tout me paraissait clair. Il m'avait trahi, comme il avait trahi son frère, et ma colère n'était pas moins grande que celle d'Ivan. Cet homme m'avait volée, il avait escroqué ma sœur et son mari, en mettant en péril l'éducation future de mes neveux. Il s'était servi de mon amour dans son propre intérêt. Il m'avait ridiculisée. Moi, la clairvoyante, celle à qui rien n'échappait, je n'avais jamais soupçonné un seul instant qu'il ne fût pas ce qu'il prétendait être. J'étais poussée par une force qui me dépassait. Était-ce un désir de justice, une soif de vengeance ou seulement l'envie de récupérer notre argent au moins en partie pour le restituer à Erik et à Linda ?

Mais ce n'était peut-être rien de tout ça. J'avais risqué ma vie et celle de mon meilleur ami, j'avais risqué mon avenir pour suivre un fantôme sans être certaine de la direction qu'il avait prise. Maintenant je comprenais que ce n'était pas Marcus que je poursuivais, mais mon père.

Il y avait dans le regard de mon père une lueur qui ne brillait que pour moi. Petite fille, je le savais déjà. Il aimait Linda et il avait avec elle une relation privilégiée, mais quand ses yeux se posaient sur moi, il se produisait entre nous une sorte d'alchimie. Linda et moi n'en avions jamais parlé. Nous n'avions plus jamais reparlé de notre père après sa mort. Les blessures de Linda étaient restées à vif pendant de longues années et continuaient de saigner de temps en temps.

Quand il était encore parmi nous, Linda était sans cesse accrochée à ses basques. « Regarde-moi, papa. » Sa mort avait été perçue par elle comme l'ultime acte d'abandon. En un instant, l'adoration qu'elle lui avait vouée et qui semblait finalement n'avoir eu aucune valeur pour lui s'était transformée en colère. Elle lui avait tourné le dos à jamais. Alors j'avais pris le relais et commencé à poursuivre notre père. « Pourquoi, papa ? »

Cette question me hantait et je savais que je pouvais trouver la réponse sur la page suivante, à condition que j'y parvienne. J'écrivais, je laissais un flot de possibilités me traverser, je laissais l'énergie de toutes les histoires du monde se fixer sur le papier. Certains écrivains redoutent le gouffre de la page blanche, moi je ne vivais que pour le remplir.

— Est-ce que c'est juste la volonté de comprendre ? me demanda Jack une nouvelle fois. Crois-tu que ça en vaille la peine ?

Y avait-il une chose au monde qui en vaille davantage la peine ? Chaque personnage recèle en lui toutes les nuances de blanc et de noir, tout un monde ténébreux et surtout la capacité de s'extirper des ténèbres pour se diriger vers la lumière. Je devais m'aventurer dans les zones d'ombre, me plonger dans l'inconnu. Je préférais mourir dans une allée obscure, plutôt que vivre toute une vie d'ignorance dans la lumière.

— Eh bien, laisse-moi te dire que c'est la chose la plus stupide que j'aie jamais entendue. La plupart des gens fuient les ténèbres, Isabel, et avec raison.

— Je ne suis pas la plupart des gens.

— Je sais, déplora-t-il.

— À quoi penses-tu ?

Nous rentrions bredouilles et vidés à la fin

d'une longue journée. Jack et moi étions assis à une grossière table en bois dans un pub qui me rappela celui où Marcus m'avait fait sa demande en mariage. L'endroit n'était éclairé que par les chandelles des torchères accrochées aux murs et par les lumignons disposés sur les tables. De grandes flammes orangées dansaient dans la cheminée en pierre.

— Tu le sais.

— Oui, je le sais.

À notre arrivée à Prague, nous avions loué une voiture, une grosse Mercedes noire dernier modèle. En quittant l'aéroport, nous avions emprunté une autoroute bordée d'affiches publicitaires aux couleurs tapageuses et de panneaux de signalisation que nous ne savions pas lire, tandis que j'essayais de me repérer à l'aide d'une carte que je ne pouvais pas déchiffrer. Protégés par la chance propre aux inconscients, nous avions réussi à pénétrer dans le réseau des rues pavées du centre-ville. Au bout d'une vingtaine de minutes, Jack avait suggéré de consulter mon guide de Prague pour tenter de comprendre la signification des panneaux.

« Il est déconseillé aux touristes de conduire à Prague, indiquait le guide. Le réseau complexe des rues à sens unique et le nombre élevé de zones piétonnières dans le centre historique rendent la conduite particulièrement déroutante et dangereuse pour les étrangers de passage. »

Finalement, nous avions tout de même fini par trouver notre hôtel, qui occupait un immeuble étroit au bout d'une longue rue tortueuse, en bordure d'un parc. Jamais je n'avais été aussi contente de voir un voiturier s'en aller au volant de mon véhicule.

Nous avions passé le reste de la journée à essayer de trouver quelqu'un qui nous aiderait à nous orienter dans la ville et à communiquer avec ses habitants, parce que le tchèque et moi n'avions jamais fait bon ménage. La prononciation de cette langue me semblait impossible à reproduire et je n'avais pas cessé de me ridiculiser chaque fois que j'avais essayé de la parler au cours de mes deux précédentes visites. En fin de compte, Jack est parvenu à nous organiser un rendez-vous le lendemain matin avec le cousin du concierge. Moyennant cent dollars, celui-ci acceptait de passer la journée avec nous et de nous aider à remonter les quelques pistes que j'avais.

— Il ne peut pas venir ce soir ?

— Non, ce soir ce n'est pas possible. Je suis désolé.

— Il n'y a personne d'autre ? ai-je insisté avec l'arrogance typique de l'Américaine que j'étais.

Le concierge m'a répondu avec un haussement d'épaules impassible.

— Demain matin, ça ira très bien, a répondu Jack.

Il a adressé un sourire au concierge et lui a glissé un billet dans la main. L'homme en a paru à la fois ravi et contrarié.

— Non, ça n'ira pas, lui ai-je glissé tandis qu'il me poussait vers l'escalier menant à nos chambres.

— Il faudra pourtant bien.

Notre suite était agréable. Parquets cirés, rideaux en brocart, elle était meublée de quelques belles reproductions d'antiquités et d'un lit aux dimensions confortables. Dans la salle de bains en marbre lustré, les serviettes étaient moelleuses à souhait. J'avais d'abord suggéré de séjourner aux Quatre Saisons, mais Jack m'avait rétorqué que les fugitifs ne sont pas les bienvenus dans les cinq étoiles. J'étais persuadée du contraire.

À l'instant où je me suis allongée sur le lit, le découragement m'a plaquée au matelas.

Une immense fatigue s'est emparée de tout mon être tandis que je mesurais l'étendue de ma folie. Ma blessure à la tête recommençait à me faire souffrir.

— On est venus ici pour rien, ai-je déclaré. Il n'est pas là.

Jack s'est assis près de moi et m'a touché le front.

— Maintenant que nous sommes à Prague, nous allons tout tenter. Et si nous ne le trouvons pas ici, nous rentrerons. Au moins tu auras fait de ton mieux et ça t'aidera à passer à autre chose.

C'est à ce moment précis que j'ai compris qu'il me menait en bateau. Il n'avait jamais cru que Marcus était dans la capitale tchèque, que nous allions le retrouver ou que je tirerais la moindre réponse de cette entreprise insensée. S'il m'avait accompagnée, c'était parce qu'il savait que je serais partie seule. Il n'était venu que pour me ramasser à la petite cuillère et me ramener à la maison. J'ai aussitôt pris la décision de me débarrasser de lui à la première occasion.

— Sortons manger un morceau, m'a-t-il proposé.

J'ai entendu dehors le rire d'une petite fille et une musique douce venant de l'étage du dessus. Il flottait dans l'air un parfum fleuri dû à l'usage excessif d'un désodorisant d'atmosphère. J'ai laissé Jack m'extirper du lit et me pousser jusqu'à la porte.

— Surtout ne t'imagine pas que tu vas pouvoir me fausser compagnie, me planter là au restaurant et filer en catimini.

— Je ne ferais jamais une chose pareille.

— À d'autres.

Il y avait dans sa voix comme un soupçon de colère et j'ai compris que nous étions en train de parler d'autre chose.

À la terrasse d'un pub, nous avons commandé de grandes chopes de bière blonde. Dans un gigantesque plat en fonte, on nous a servi un assortiment de porc, de poulet et de pommes de terre, pareil à tous les repas que j'avais pris dans ce pays avec Marcus. Même en mangeant toute la nuit, nous n'arriverions jamais à en venir à bout. Je n'avais pas faim et pourtant je n'avais rien mangé depuis une éternité.

— Force-toi, m'a encouragée Jack. Tu sais dans quel état tu es quand ton taux de sucre dégringole.

— Non, je suis comment ? ai-je lâché avec humeur.

Pour toute réponse, il a haussé les sourcils.

La nuit était tombée et nous étions tous deux épuisés quand nous avons traversé le pont Charles pour regagner notre hôtel. Jack est monté dans notre chambre pendant que je m'installais devant l'ordinateur mis à la disposition des clients dans le hall afin de consulter ma boîte à lettres électronique. J'avais une vingtaine de messages qui me venaient de libraires, d'admirateurs qui m'avaient vue au journal télévisé et de mon éditeur qui me demandait si j'allais bien. Il y en avait un de ma sœur. Le corps du message était vide, mais son intitulé disait : « Bon sang, sale tête de mule. RENTRE À LA MAISON. Je t'aime. »

Enfin il y en avait un de l'inspecteur Crowe intitulé : « Des choses que vous devriez savoir ».

« Pour commencer, il est de mon devoir de vous demander de vous rendre aux autorités, à votre avocat ou à moi-même. Vous êtes un élément capital dans cette affaire et en disparaissant vous ne vous rendez pas service. Vous n'êtes pas qualifiée pour affronter ces gens et vous allez au-devant de gros ennuis. Cela étant, les informations que vous nous avez communiquées nous ont été très utiles. »

L'inspecteur évoquait ensuite les événements survenus au Topaz Room, les relations qu'entretenaient Charlie Shane et Camilla Novak et l'argent que mon mari avait offert au concierge pour acheter son silence et le persuader d'aider des gens à s'introduire dans notre appartement. Cette petite trahison en comparaison de celle que m'avait infligée Marcus était si insignifiante qu'elle n'a provoqué chez moi aucune réaction.

« D'après nos recherches, Kristof Ragan n'a pas de casier judiciaire aux États-Unis ni ailleurs. Mais, qui que soit cet homme, il représente un danger. Selon ce que vous avez déclaré à Erik Book, il aurait assassiné Camilla Novak. Si c'est vrai, il n'hésitera pas à vous tuer aussi quand il comprendra que vous ne l'avez pas laissé tranquillement s'en aller avec votre argent.

Nous n'avons pas encore été en mesure d'identifier la femme que nous connaissons sous l'initiale S. Sa photo n'apparaît nulle part dans nos fichiers. Nous avons lancé une recherche auprès d'Interpol, mais nous n'aurons pas les résultats tout de suite. Nous savons toutefois qu'Ivan Ragan a des liens avec les mafias russe et albanaise et qu'il a récemment été libéré de prison où il purgeait une peine pour détention illégale d'armes à feu à la suite d'une dénonciation anonyme. Je serais prêt à parier que son frère Kristof l'a donné après la disparition et le meurtre probable de Marcus Raine pour pouvoir faire main basse sur le magot. Ce qui explique sa présence sur ce quai en compagnie d'une bande de types déterminés à lui couler les pieds dans le béton.

J'ai une question pour vous : en épluchant les comptes de sa société Razor Technologies, j'ai constaté que tous les trois mois votre mari faisait un don de dix mille dollars à un orphelinat en République tchèque. Savez-vous quelque chose à ce sujet ? »

Il me donnait ensuite le nom et l'adresse de l'institution. Je connaissais la ville. Elle se situait à environ quarante minutes de Prague. Mon cœur s'est emballé. Crowe attendait-il seulement de moi des informations ou bien était-il en train de m'offrir une piste sur un plateau ?

« Bref, soyez prudente, Isabel. Vous affrontez une bête sanguinaire et vous pourriez bien vous faire mordre. »

Les lumières se sont soudain éteintes dans le hall de l'hôtel. J'ai sursauté et constaté que j'étais seule devant l'écran luminescent. Je suis allée au comptoir de la réception. L'employé ne s'y trouvait plus. Son ordinateur était éteint et j'en ai conclu qu'il avait terminé sa journée. Un écriteau indiquait un numéro à appeler en cas d'urgence.

Je suis retournée devant mon écran et j'ai imprimé le message de l'inspecteur Crowe ainsi que la pièce jointe, une copie de l'ordre de transfert des sommes données à l'orphelinat. Puis je suis montée rejoindre Jack dans notre chambre. Il s'était déjà endormi tout habillé sur le canapé, devant la télévision réglée sur la BBC. Ma tête apparaissait à l'écran, le son était coupé, mais la légende qui défilait sous ma photo disait : « Ce témoin capital est recherché dans une affaire concernant une série de meurtres commis aux États-Unis. Avertissez immédiatement la police si vous reconnaissez cette femme. »

C'était surréaliste et sur le moment je n'ai même pas réagi.

Jack avait un bras sur le front, l'autre replié sur le ventre, et en le voyant ainsi endormi je me suis rappelé ma décision de le semer. Je savais qu'il avait le sommeil lourd. Il me serait facile de fourrer quelques affaires dans un sac, de laisser un mot d'explication et de prendre le large. Sans savoir où j'étais partie, il n'aurait pas d'autre choix que de m'attendre ici ou de rentrer. Mais la vérité c'est que je n'avais pas le courage de me lancer seule dans cette entreprise.

J'ignore combien de temps je suis restée là à le regarder. Des images de la nuit que nous avions passée ensemble me sont revenues en mémoire. J'ai essayé de me rappeler ce que j'avais ressenti. En quoi était-ce différent de ce que j'avais éprouvé avec Marcus ? Était-ce plus réel ? Je me suis agenouillée au pied du canapé et j'ai touché le visage de Jack. Une chaleur familière m'a aussitôt envahie, une sensation que je n'avais jamais connue qu'avec lui.

J'avais en Jack la même confiance absolue qu'en ma propre sœur et en moi-même. Je savais comment fonctionnait son esprit, ce qui le touchait ou le motivait, ce qui comptait pour lui. Jamais je n'avais éprouvé ça avec mon mari. Certes je lui avais accordé ma confiance pendant un certain temps, mais au fond de moi ne l'avais-je pas toujours perçu comme un étranger ? Était-ce la raison pour laquelle j'étais restée avec lui ? Cet attrait inexorable du mystère ?

Jack a ouvert les yeux, mais n'a pas bougé. Nous nous sommes regardés un long moment, puis il a levé sa main pour écarter une mèche de cheveux de mon visage.

— Tu t'es vue à la télé ? m'a-t-il demandé.

J'ai hoché la tête.

— Si un employé de l'hôtel te reconnaît, on risque gros.

J'avais veillé à garder mes lunettes et mes cheveux, mon trait le plus distinctif, étaient restés cachés sous mon bonnet. Il restait à espérer que ces précautions seraient suffisantes.

— Pourquoi es-tu venu ? ai-je demandé.

Il m'a observée sans mot dire, puis m'a répondu :

— Tu le sais bien, non ?

— Oui. Alors tu n'as pas oublié.

Il ne m'a pas demandé de quoi je parlais.

— Bien sûr que non. Tu croyais que je le pourrais ?

— Je ne savais pas quoi en penser.

— Tu t'es envolée. Tu n'étais déjà plus là quand je me suis réveillé.

J'ai réfléchi un instant. Pourquoi avais-je déguerpi au petit matin en profitant de son sommeil ? Sur le moment, j'avais pensé que je venais de ruiner la seule relation solide que j'aie jamais réussi à construire avec un homme. En m'enfuyant, en prétendant que ça n'était jamais arrivé, j'espérais que tout redeviendrait comme avant.

— Je ne savais pas dans quel état d'esprit tu serais en te réveillant et si tu n'aurais pas de remords. Il n'y avait jamais eu d'embarras entre nous et je ne pouvais pas supporter cette idée.

— Isabel, tu étais ivre, mais moi je ne l'étais pas. Enfin pas tout à fait.

— Si, tu l'étais.

— Non, pas du tout. Un peu pompette, peut-être, assez pour perdre mes inhibitions, mais j'avais encore le contrôle de mes actes. Je savais ce que je faisais et ce que je disais.

« Je t'ai toujours aimée, Isabel. » Ces mots planaient entre nous. J'ai détourné les yeux et je me suis assise par terre. Jack s'est redressé et a posé ses deux pieds sur le sol.

— Je crois que j'ai profité de toi, cette nuit-là.

— Non, c'est faux.

Il a baissé la tête et soupiré.

— Quoi qu'il en soit, tu peux me faire confiance maintenant et je sais de quoi tu as besoin. Prends le lit. Ce canapé est tout ce qu'il y a de confortable.

— Jack…

Il m'a ôté mon bonnet et m'a caressé la joue. J'ai saisi sa main et fermé les yeux.

— C'est la dernière chose dont nous devrions parler en ce moment, a-t-il dit. Pour l'instant, réparons ce qui est cassé et mettons tout le reste de côté.

Je n'ai pas protesté et je lui ai tendu le mail de l'inspecteur Crowe.

— Je crois deviner le programme pour demain, a dit Jack après l'avoir lu. Notre guide passera nous chercher à 6 heures. En attendant, essayons de dormir un peu.

Elle était jolie. Pas comme Isabel dont la beauté tenait autant à l'harmonie de ses traits qu'à une sorte de rayonnement intérieur. Pas comme Camilla et le feu de sa passion désespérée. Mais elle était jolie, quoiqu'un peu maigre, à la limite anorexique, avec des épaules décharnées et des poignets fins comme des brindilles. Elle s'appelait Martina. Il avait fait sa connaissance au bar du Quatre Saisons. Elle croyait que cette rencontre était le fruit du hasard, mais elle se trompait.

Il retrouvait chez elle le même désir inassouvi que chez toutes les autres. Chez Camilla qui attendait d'échapper à sa vie présente et pensait avoir besoin pour ça d'argent et d'un homme. Isabel qui attendait le véritable amour, même si elle prétendait y avoir renoncé. Il ne savait pas très bien ce qu'attendait Martina, mais à son regard il devinait qu'elle croyait l'avoir trouvé en lui.

Il comprenait ce sentiment. Lui-même avait attendu toute sa vie. Même pendant les années vécues aux côtés d'Isabel, dans les moments où tout ce qu'il avait jamais souhaité était à sa portée, ce sentiment ne l'avait pas quitté. Il n'avait compris que récemment que c'était un mal chronique dont on ne guérissait jamais.

— À quoi penses-tu ?

— Je pense que tu as la beauté délicate d'une orchidée.

Ses joues rosirent.

— Charmeur, va, murmura-t-elle.

Elle sourit et lui abandonna sa main.

Ils longèrent les terrasses des cafés où des gens étaient installés en dépit du froid, emmitouflés dans leurs manteaux sous des lampes chauffantes. Ils traversèrent la place de la Vieille-Ville ornée d'arbres de Noël. Le marché artisanal installé là pour les fêtes grouillait de monde. Un gitan jouait de l'accordéon et des jeunes gens dansaient avec son singe en habit.

Ils remontèrent une ruelle en se frayant un chemin dans la foule et continuèrent leur promenade en direction du pont Charles. Kristof se rappelait comment il avait enchanté Isabel avec cette balade, lui montrant les attractions touristiques, échangeant quelques mots en tchèque avec les autochtones. Et ce n'était même pas la période de Noël. À présent, sous les flocons de neige qui commençaient à tomber, le spectacle était proprement féerique. Rien n'aurait pu être plus romantique, et Martina était aux anges.

Sur le pont, les étals alignés proposaient aux promeneurs des sculptures sur bois, des aquarelles et des marionnettes. Envahie par les touristes, Prague était devenue une espèce de cirque. D'année en année, depuis la chute du communisme, ils étaient de plus en plus nombreux, et la ville se transformait pour eux. La grisaille qui masquait la beauté des bâtiments avait été effacée, révélant le rose, l'orange et l'ocre des façades aux délicats ornements. Les lourdes portes en ferronnerie avaient été ouvertes sur des jardins dont personne ne soupçonnait l'existence.

Sous le communisme, il était interdit de décorer les immeubles donnant sur la rue. À présent, les gens installaient des jardinières à leurs fenêtres et restauraient tout ce qui avait été laissé à l'abandon. Prague vivait une renaissance qui agissait comme un aimant sur le reste du monde. Les touristes débarquaient en troupeaux dans ce joyau de la vieille Europe. Mais Prague n'était pas la République tchèque et ce que les visiteurs voyaient n'était pas vraiment Prague.

— Les touristes t'ennuient ? demanda-t-elle.

— Non, pas vraiment.

— Tu as l'air soucieux pourtant.

— Ah, dit-il avec un sourire contraint. Alors peut-être qu'ils me dérangent un peu.

Il se pencha pour l'embrasser. Leur premier baiser. Il s'écarta pour contempler l'expression de son visage. Elle avait l'air surprise, mais ravie aussi. Il l'embrassa encore, plus longuement, et lui enlaça la taille de son bras. Elle s'abandonnait à lui, mais lui ne ressentait rien. Aucune chaleur, aucune affection pour elle. À peine une certaine excitation physique et l'ivresse de la victoire. Il aurait peut-être éprouvé quelque chose de différent pour Isabel, voire pour Camilla. Mais ces moments étaient révolus, comme toutes les autres vies qu'il avait vécues.

C'est à ce moment-là, alors que ses joues étaient encore empourprées par la griserie de la conquête, que son regard tomba sur la silhouette et la démarche pleine d'assurance de quelqu'un qu'il connaissait bien. Il crut d'abord à une hallucination. Elle était si présente dans ses pensées qu'il croyait la voir là où elle n'était pas.

Mais elle était bien réelle. Isabel passa devant lui sans le voir. Son visage très pâle était plein de tristesse et de colère. Il tourna vivement les talons et entraîna Martina vers le parapet. De l'autre côté des eaux sombres de la rivière, il montra du doigt un café en plein air.

— Ces tables offrent la meilleure vue sur Prague, dit-il d'une voix qui trahissait peut-être sa nervosité.

— Dans ce cas, allons-y.

« Rien ne l'arrêtera, l'avait mis en garde Sara. Tu es trop faible avec les femmes. »

Tenant toujours Martina par la taille, il regarda Isabel s'enfoncer dans la cohue du pont. Mais, juste avant qu'elle disparaisse, il remarqua qu'elle n'était pas seule. Il y avait un homme avec elle. Il était sûr de le connaître mais il lui fallut un moment avant de le replacer dans son contexte. Quand il se rappela qui était cet homme, il fut envahi par une rage froide.

Martina avait probablement perçu un changement d'humeur chez lui.

— Est-ce que ça va ? lui demanda-t-elle. Marek, tout va bien ?

— Oui, tout va bien. Viens, suis-moi.

Il lui prit la main et se lança sur les traces des deux Américains.

— Elle est là.

Martina avait trouvé étrange qu'il écourte leur rendez-vous, mais il n'avait pas le choix. Il avait inventé une excuse, prétexté un léger malaise et l'avait reconduite à son hôtel en promettant de revenir la voir le lendemain. Il l'avait froissée, mais il se rattraperait à leur prochaine rencontre.

En rentrant chez lui, il appela Sara.

— Je te l'avais bien dit.

— J'ai besoin d'aide.

— Je m'en occupe.

Il fut pris de panique.

— Non, je m'en charge.

Après un silence, Sara répondit :

— Comme tu voudras. C'est quoi, l'adresse de son hôtel ?

25

Le philosophe grec Héraclite pensait que l'univers était en constante mutation et que la seule condition permanente y était le changement. « On ne se baigne jamais deux fois dans le même fleuve, disait-il. Car ce n'est pas le même fleuve et ce n'est pas le même homme. » Je crois dur comme fer à cet adage. Mais je crois aussi que certaines choses ne passent pas au-dessus de nous, telle une rivière en crue, mais à travers nous. Elles nous transforment de l'intérieur, et le fleuve devient une mare d'eau stagnante dans laquelle nous restons embourbés, stoppés dans notre évolution et incapables de nous extirper de la vase.

De la route déjà émanait une impression de désespoir, bien qu'il n'y eût rien de particulièrement sinistre dans ce bâtiment gris dont la silhouette trapue se détachait sur le vert de la campagne environnante. J'avais lu suffisamment d'articles sur les orphelinats de la période postcommuniste pour éprouver une certaine appréhension à l'idée de ce que nous allions trouver. Mais en nous approchant nous avons découvert que l'endroit était bien entretenu, même si le jardin semblait un peu nu en cette journée hivernale. Il y avait un bouquet d'arbres qui l'été devait ombrager un sentier de promenade, et des jeunes gens en tout point semblables à ceux que l'on croiserait dans un lycée américain déambulaient dans l'enceinte. Bravant une température glaciale, une jeune fille lisait un livre sous un arbre, une autre, les yeux clos, une paire d'écouteurs sur les oreilles, écoutait de la musique, assise sur les marches du perron qui menait à une double porte. Attroupés près de l'entrée, des garçons maigrichons fumaient et prenaient des airs de durs malgré leurs traits encore juvéniles.

J'ai senti tous les regards converger sur nous dès que nous sommes descendus de la Mercedes. Un couple d'Américains sortant d'une grosse bagnole en compagnie d'un autochtone qui leur servait de guide n'était pas fait pour passer inaperçu. À l'étage, j'ai vu des silhouettes s'approcher de la fenêtre.

— Les Tchèques et les Ukrainiens, quand ils sont en bonne santé, partent les premiers, nous a expliqué Ales, notre guide, dans son anglais irréprochable. Mais ces Roms resteront là jusqu'à leurs dix-huit ans. Ensuite, qui sait ? Ils dealeront ou se prostitueront.

— Des Roms ? a fait Jack sans comprendre.

Derrière son air impénétrable, Ales masquait mal son dédain.

— Des gitans, si vous préférez. Ils nous causent beaucoup de problèmes au plan politique et économique.

Marcus m'avait parlé de cette haine ancestrale des Tchèques envers les Roms et des crimes odieux auxquels elle avait donné lieu par le passé. Cette haine n'était pas éteinte et les Tchèques, même les plus éduqués, maudissaient ces populations qui n'étaient pour eux qu'un ramassis de délinquants, de drogués, d'escrocs et de profiteurs des prestations sociales. Une phrase lue dans un livre d'Emily m'est revenue en mémoire, elle était tirée d'une histoire intitulée *Madeline et le gitan* : « Car les gitans n'aiment se fixer nulle part. Ils ne viennent que pour mieux repartir plus tard. » Le gouvernement tchèque avait mis fin à leur mode de vie nomade. Du coup, il s'était trouvé dans l'obligation de leur construire des logements, provoquant ressentiment et animosité entre les deux communautés. « Un problème insoluble », avait conclu Marcus.

— Regardez comme ils vous guettent, nous a dit Ales avec un rictus méprisant. Ils vous prennent pour Brad Pitt et Angelina Jolie. Ils s'imaginent que vous allez en choisir un pour le ramener dans votre château en Amérique.

Ales n'avait pas plus de vingt-cinq ans. Il avait le teint très pâle, des cheveux blonds et des yeux noisette. Avec ses épaules rentrées, sa démarche souple et le sourire carnassier de ses dents jaunes et acérées, il me faisait penser à un jeune loup. Je ne l'aimais pas, mais nous étions obligés de subir sa présence et il était indiscutable qu'il connaissait la région comme sa poche.

— Tu entends ça ? m'a glissé Jack à l'oreille. Il trouve que je ressemble à Brad Pitt.

Il essayait d'être drôle mais je n'étais pas d'humeur à rire.

— J'espère que la voiture sera toujours là quand nous repartirons, a lâché Ales avec un rire rauque qui s'est transformé en toux de fumeur.

Pendant tout le trajet il avait grillé cigarette sur cigarette par sa vitre ouverte et nous avions été trop polis pour le prier d'arrêter.

J'ai jeté un coup d'œil derrière moi. Un des garçons s'était déjà détaché du groupe et tournait autour de la Mercedes tandis que ses copains le regardaient faire en ricanant.

À l'intérieur, Ales a glissé deux mots en tchèque à l'oreille de la jeune réceptionniste. Celle-ci s'est levée de son siège et a disparu quelques instants. À son retour, elle a prononcé quelques mots à l'adresse d'Ales. Il lui a répondu par un hochement de tête et nous a guidés vers une rangée de chaises en plastique orange.

— Je lui ai raconté que vous étiez des journalistes enquêtant sur les orphelinats tchèques. Elle a promis que quelqu'un allait venir vous parler.

— Nous ferions peut-être mieux de dire la vérité, ai-je objecté.

Ales a secoué la tête.

— Non, c'est mieux comme ça. Vous verrez.

Les minutes ont passé. Au bout d'une heure, Ales nous a plantés là pour aller fumer sur le perron. Jack était tendu et n'avait pratiquement pas prononcé un mot de toute la journée. Nous avions fouiné dans la partie de la ville que j'avais autrefois visitée en compagnie de Marcus, mais aussi d'autres localités de la région, montrant aux gens des photos et posant des questions. En vain. Nous n'avions obtenu que des réponses négatives et des regards hostiles. Même flanqués de notre guide, nous étions perçus comme des étrangers trop curieux. Une femme nous avait même chassés de son magasin.

— Elle n'aime pas les Américains, nous avait expliqué Ales avec un sourire caustique. Elle dit que vous n'êtes que des porcs.

— Charmant, avait lâché Jack.

Ales avait ri, mais nous étions restés hermétiques à son humour. Si bien qu'à notre arrivée à l'orphelinat j'étais totalement démoralisée et, à en juger par sa mine, Jack n'était pas dans de meilleures dispositions d'esprit.

— Je me demande ce que cela fait de grandir dans un endroit pareil, m'a dit Jack après le départ d'Ales.

J'ai promené mon regard sur les murs gris, sur les lourdes portes métalliques, sur l'éclairage cru au néon.

— J'imagine qu'on se sent très seul, ai-je répondu.

Une porte s'est ouverte à ce moment-là et une jeune femme s'est avancée vers nous. Menue, la peau blanche, les cheveux blonds tirés en arrière, elle avait les lèvres peintes dans un rouge carmin qui jurait avec l'austérité de sa jupe grise, de son chemisier blanc et de ses mocassins plats.

— Bonjour, je m'appelle Gabriela Pavelka et je suis la directrice de cette institution. En quoi puis-je vous aider ?

— Ouf, vous parlez notre langue, ai-je dit, soulagée de savoir que nous pourrions avoir cette conversation sans passer par Ales.

— Oui, a-t-elle répondu et à sa façon de redresser les épaules j'ai vu qu'elle en tirait une certaine fierté. Vous êtes journalistes, c'est ça ?

— Non, ai-je bredouillé en coulant un regard vers Ales.

Appuyé à la balustrade, il discutait avec une fille qui avait un motif de style tribal tatoué autour des yeux. La gamine lui a souri et a accepté la cigarette qu'il lui offrait.

— Notre guide a mal compris. Y a-t-il un endroit où nous pourrions parler ?

— À quel sujet, si je peux me permettre ? Je ne suis pas autorisée à parler aux médias.

— C'est au sujet d'une donation privée.

— Allons dans mon bureau.

Sur ces mots, elle s'est dirigée vers la porte par laquelle elle était apparue. D'un geste de la main, Jack m'a fait signe d'entrer seule. J'ai emboîté le pas à la directrice. Jack se sentait probablement obligé de garder un œil sur notre guide et sur notre voiture de location, ce qui n'était sans doute pas une mauvaise idée.

Gabriela m'a escortée jusqu'à son bureau, une pièce terne et exiguë. En entrant, j'ai tout de suite remarqué la photo de mariage. On y voyait la directrice de l'orphelinat dans une robe de dentelle blanche embrasser un bel homme à la mâchoire virile et aux cheveux bruns coupés très court. Puis j'ai regardé la bague ornée d'un petit diamant et l'alliance en or à son doigt fin. Sur la table de travail, une tasse de café était en train de refroidir. Près d'un BlackBerry rouge, un exemplaire de *Vogue* en anglais semblait avoir été glissé en hâte sous une pile de dossiers. Il y avait une autre photographie encadrée qui montrait Gabriela portant sur la hanche un garçonnet aux cheveux châtains et j'ai reconnu Central Park à l'arrière-plan.

— Je vois que vous connaissez New York, ai-je dit.

— Oui, après mes études j'y ai été jeune fille au pair pendant trois ans. C'est là-bas que j'ai appris l'anglais.

— Vous le parlez remarquablement bien, ai-je ajouté.

Le compliment était sincère, mais j'espérais aussi flatter sa vanité.

— Merci, m'a-t-elle répondu avec un sourire un peu moins guindé. Vous êtes de New York ?

— Oui.

Elle a pris la photo sur sa table et l'a regardée longuement.

— New York me manque. J'adorais cette ville.

— Pourquoi êtes-vous rentrée ?

— Parce que trop de jeunes gens quittent la Tchéquie et ne reviennent jamais. Si nous partons tous, qu'adviendra-t-il de notre pays ? Je voulais travailler avec les enfants et j'ai pris la direction de cet orphelinat.

Elle a accompagné ses paroles d'un ample geste du bras.

— C'est un travail très important, ai-je dit.

— Oui, m'a-t-elle répondu d'un air grave.

Elle a contemplé la photo encore un instant puis l'a reposée sur sa table.

— Bien, parlons de notre affaire…

J'ai sorti de mon sac la copie de l'ordre de virement envoyée par l'inspecteur Crowe en pièce jointe de son mail. Je l'ai tenue dans ma main un moment tandis que Gabriela attendait que je me décide à parler.

— Est-ce qu'on vous a jamais menti ?

J'ai vu aussitôt son regard filer vers la photo de son mariage.

— Oui, comme tout le monde, m'a-t-elle répondu avec un haussement d'épaules fataliste. Les gens mentent. C'est la vie.

Là-dessus, j'ai entrepris de lui raconter ce qui m'était arrivé, en laissant de côté les épisodes les plus sanglants. Au fur et à mesure de mon récit, mon interlocutrice a paru de plus en plus captivée.

— Aujourd'hui, je suis à la recherche de cet homme, ai-je dit pour conclure. J'ignore si vous pouvez m'aider, mais vous êtes la seule piste dont je dispose.

Elle a secoué la tête d'un air consterné.

— C'est terrible et je suis sincèrement désolée pour vous, mais je ne vois pas en quoi je peux vous être utile.

— Savez-vous quoi que ce soit au sujet de l'homme qui vous a fait don de cet argent ?

— Je suis au courant des donations, bien sûr, car elles représentent des montants importants. Quarante mille dollars par an. Mais ces dons sont anonymes. Selon la rumeur, ce généreux donateur aurait passé son enfance ici et en serait parti à l'âge de dix-huit ans pour émigrer aux États-Unis. Il aurait fait fortune en Amérique et voudrait maintenant aider d'autres orphelins comme lui. Mais ce ne sont que des bruits.

Derrière la fenêtre, la campagne s'étendait à perte de vue. Au loin un gros oiseau noir volait très haut dans le ciel en dessinant des cercles concentriques. J'étais dans l'impasse. L'argent était bien arrivé ici, et alors ?

— Le véritable nom de mon mari est Kristof Ragan. Il a un frère prénommé Ivan. Gardez-vous des archives ?

Je n'avais pas terminé ma phrase qu'elle faisait déjà non de la tête.

— Depuis la chute du communisme, les nouveaux dossiers sont informatisés. Mais nos archives sont incomplètes, quand elles n'ont pas été détruites. Les dernières années ont donné lieu à de nombreuses opérations de modernisation.

— Mais il doit bien y avoir quelque chose. Peut-être un employé qui travaille ici depuis longtemps.

— Quand je parlais de modernisation, je ne parlais pas que de vieux papiers. Cette institution est désormais gérée avec des fonds privés, mais autrefois ces orphelinats étaient sous le contrôle de l'État. Les pratiques étaient archaïques et les responsables corrompus à l'extrême. Nous avons dû prendre nos distances avec ces anciennes méthodes pour le bien des enfants confiés à notre garde.

Devant mon air découragé, elle m'a adressé un sourire désolé.

Qu'avais-je espéré ? Que quelqu'un d'ici pourrait me fournir un moyen de retrouver Kristof Ragan ? Qu'ils m'ouvriraient leurs archives et que j'y trouverais un indice ? Je n'aurais pas pu le dire, mais je mesurais maintenant toute l'inutilité de ce voyage. Mon mari avait disparu et son passé s'était effacé. Avait-il grandi dans un endroit comme celui-ci, sous le régime communiste, dans la peur et la solitude ? Y avait-il quoi que ce soit de vrai dans tout ce qu'il m'avait raconté sur son propre compte ? Dorénavant, il me fallait accepter l'idée que je n'en saurais peut-être jamais rien.

— Je suis navrée, a répété la directrice de l'orphelinat. Je ne sais vraiment pas comment vous aider. Vous en savez déjà plus que nous sur notre donateur anonyme.

Je devais avoir l'air défaite quand je suis revenue dans la salle d'attente, parce que Jack a bondi immédiatement sur ses pieds en me voyant.

— Alors ? Qu'est-ce que tu as trouvé ?

— Rien du tout.

Pendant que nous quittions le bâtiment et

rejoignions notre voiture, je lui ai rapporté l'entretien que je venais d'avoir avec Gabriela Pavelka.

— Où est passé Ales ? ai-je demandé.

Nous avons scruté les alentours. Le vent s'était levé, faisant chuter la température. Tous les gosses qui traînaient là un peu plus tôt s'étaient volatilisés.

— Nous ferions bien de le retrouver, a dit Jack, parce que c'est lui qui a les clés de la voiture.

J'ai regagné le perron et je me suis assise sur les marches.

— Je l'ai vu bavarder avec une fille, ai-je dit à Jack qui tournait en rond autour de la Mercedes.

— Tu penses que Marcus a grandi ici ?

— Ça expliquerait pas mal de choses.

— Oui, je suppose.

De gros nuages se rapprochaient de nous et le ciel se teintait d'un gris métallique qui annonçait la neige. J'ai serré mes bras contre ma poitrine, mais la sensation de froid venait de l'intérieur. Rien ne parviendrait à me réchauffer.

— J'ai un mauvais pressentiment, Jack.

Il est venu se placer devant moi. Le vent ébouriffait ses cheveux et gonflait les pans de son manteau. Derrière lui, Ales est sorti d'un bosquet, suivi par la fille avec qui je l'avais vu discuter. Elle avait une chevelure noir corbeau, des épaules larges et des hanches étroites. Ses yeux étaient sombres et les tatouages semblaient lui dessiner un masque. Elle se cache derrière ça pour se protéger, ai-je pensé. Les tatouages sont comme des armures qui empêchent le monde de voir ce qu'il y a derrière. La fille était décoiffée. De la terre et des brins d'herbe étaient collés au dos de sa veste.

— Nous sommes prêts à repartir, a dit Jack à Ales qui approchait. Où étiez-vous passé ?

Ales a désigné la fille d'un geste du menton.

— Elle croit savoir où se trouve l'homme que vous recherchez.

Si je faisais abstraction un instant des tatouages et des yeux charbonneux, ce que je voyais était une très jeune fille totalement terrifiée. J'aurais voulu la prendre dans mes bras, mais tout en elle me repoussait.

— Comment le sait-elle ?

Je l'ai observée, mais elle a baissé la tête pour éviter mon regard.

— Elle ne parle pas votre langue, nous a expliqué Ales. Mais elle m'a dit que Kristof Ragan et son frère Ivan sont des légendes ici. Ils ont séjourné dans cet orphelinat à l'époque du communisme, puis ils sont partis en Amérique. Ils sont maintenant très riches et vivent dans de belles maisons. Ils envoient de l'argent et c'est grâce à eux que l'école a des ordinateurs et des manuels de bonne qualité.

La fille gardait les yeux rivés au sol. J'ai eu la sensation très nette qu'on nous manipulait sans pouvoir dire qui, de la fille ou de notre guide, tirait les ficelles. Mais j'étais assez désespérée pour jouer le jeu.

— *Kde ?* ai-je demandé à la gamine. Où ça ?

Elle a levé vers moi de grands yeux étonnés.

— *Prosím*. S'il te plaît. *Kde je Kristof Ragan ?*

26

K*de je Kristof Ragan ?*

Et maintenant il ne reste qu'un silence angoissant troublé seulement par le bruit de mes pas dans la neige et mon souffle haletant. Devant moi la rue pavée disparaît sous la neige qui s'accumule sur les marches et les rebords des fenêtres. Deux coups de feu retentissent et j'entends siffler une balle à mon oreille. Cette fois elle n'est pas passée loin. Je me retourne vers lui, sa haute silhouette se détache comme une tour noire sur le fond blanc de la neige.

Il ne se presse pas, mais gagne du terrain. En claudiquant, je continue à grimper lentement la rue en pente. Je passe devant les portes closes d'un café, d'une maroquinerie et d'un magasin de vêtements pour enfants. Je frappe aux portes et j'appelle à l'aide, mais la ville semble avaler le moindre son et personne ne vient m'ouvrir. Devant moi, les deux battants d'une porte en fer sont entrouverts sur une cour intérieure. J'entre et je referme la porte derrière moi. Je suis à bout de forces. Je dois me cacher.

Le vent pris au piège hurle aux quatre coins de la cour. Je longe les murs en m'efforçant de ne pas marcher là où la neige est tombée afin de ne pas laisser d'empreintes. Une porte est ouverte sur un passage obscur. À peine l'ai-je atteinte que j'entends grincer les gonds du portail donnant sur la rue. Une phrase que j'ai dite hier à Jack me revient en mémoire : « Je préfère mourir dans une allée obscure, plutôt que vivre toute une vie d'ignorance dans la lumière. »

Je l'entends qui m'appelle. Sa voix est si calme qu'on pourrait croire qu'il va me demander si je n'ai pas oublié de lui acheter des rasoirs. Je me plaque contre les pierres glacées d'un mur. Du fond du passage, l'écho me renvoie un bruit d'eau tombant goutte à goutte. Je suis prise au piège, sans aucune arme pour me défendre. Je ferme les yeux et tente de reprendre mon souffle.

— Isabel, nous devons parler. Je vais poser mon arme.

À travers la mince ouverture de la porte, je le vois déposer son pistolet dans la neige et lever les bras au-dessus de sa tête. Mon instinct me crie de rester cachée dans l'ombre du passage et de ne pas bouger, mais la question qui me hante, cette question qui est la cause de toutes les mauvaises décisions que j'ai prises au cours des derniers jours, cette question me pousse à me montrer. En dépit de tout ce qu'il m'a avoué, je n'ai toujours pas ma réponse. Je n'ai pas encore le pourquoi de toute cette histoire.

Je pousse la porte, qui s'ouvre dans un grand craquement. Il tourne son visage vers moi et à ce moment précis une rafale de vent s'engouffre dans la cour en balayant le tapis de neige. Il a changé de tête. Il s'est laissé pousser la barbe et ses cheveux ont légèrement foncé. Il est maintenant plus proche du châtain que de la blondeur que je lui ai connue. Nous restons un moment figés sur place à nous regarder. Puis il laisse retomber ses bras et glisse ses mains dans ses poches.

Je me demande si j'ai l'air aussi étrange pour lui qu'il l'est pour moi. Mes vêtements sont en désordre et j'ai perdu une chaussure. Il me sourit d'un air navré.

— Isabel, Isabel, tu es beaucoup trop confiante, c'est ça ton problème.

Sans me laisser le temps de lui demander

ce qu'il veut dire par là, il sort un autre pistolet des pans de son manteau. J'aperçois un éclair de lumière avant qu'une douleur atroce me transperce. Dans ma chute, je heurte durement le sol glacé. Au-dessus de moi s'étend un ciel couleur de plomb. À la grisaille et au blanc de la neige se mêle maintenant un rouge sombre. La seule chose que j'entends c'est le bruit étouffé de ses pas qui s'éloignent sans hâte.

Kde je Kristof Ragan ?

Je me revois posant cette question fatale. Jusque-là, nous n'étions pas menacés. Si je n'avais pas posé cette question et si la fille ne m'avait pas répondu, je serais en ce moment dans un avion en partance pour New York. Peu à peu je sens que je me détache de la douleur et flotte très haut au-dessus du feu qui me dévore les entrailles. Il me semble entendre vaguement des détonations, mais comment savoir si ces bruits sont réels, si ce ne sont pas seulement les battements de mon cœur. Je regarde la neige tomber à gros flocons et voyage à travers cette poussière d'étoiles tandis que mon esprit se repasse le film des dernières heures.

La fille au visage tatoué a répondu en tchèque à Ales. Elle parlait vite, d'une voix à peine audible, et je ne comprenais pas un traître mot de ce qu'elle disait.

Ales a hoché la tête puis s'est tourné vers moi.

— Elle peut vous conduire dans un endroit où des gens sauront vous dire où il est.

Jack m'a lancé un regard de mise en garde.

— Ce n'est pas une bonne idée.

— Que veut-elle ? ai-je demandé.

Ales a allumé une énième cigarette.

— À votre avis ? Du fric, bien sûr. Deux cents dollars.

— D'accord.

Jack m'a attrapé le bras et m'a attirée à l'écart.

— Tu es tombée sur la tête ou quoi ? Partons d'ici. Je ne te laisserai pas suivre cette fille. Non mais réfléchis un peu. Tu ne vois pas qu'ils te manipulent ?

Sans lâcher mon bras, il a regardé Ales. Il avait consenti à m'accompagner jusque-là dans mon délire, dans une aventure désespérée qui ne mènerait nulle part, mais sa patience était à bout et surtout il redoutait que je ne finisse par trouver ce que j'étais venue chercher.

— Qu'elle nous révèle où il est, a-t-il lâché. Elle aura son argent, mais nous n'irons nulle part avec vous si elle ne nous dit pas maintenant où elle a l'intention de nous emmener.

Ales a traduit, mais au regard mauvais qu'elle a lancé alors à Jack il m'a semblé que la fille avait déjà compris. Elle a répondu sèchement en tchèque.

— Il y a un endroit où il est connu, a répété Ales. Le genre d'endroit où on peut se procurer n'importe quoi, de la drogue ou des armes à feu.

— Mais encore ? a insisté Jack d'un ton hostile.

Des plaques rouges étaient apparues sur son cou et j'ai vu une veine battre à sa tempe.

La fille s'est retournée, a marmonné quelques mots à Ales et a commencé à s'éloigner.

— Elle laisse tomber, a expliqué notre interprète. Elle dit qu'après tout rien ne l'oblige à vous aider et qu'elle ne veut pas de votre sale fric d'Américains.

— Parfait, a répondu Jack. Maintenant partons d'ici.

Il s'est dirigé vers la voiture, puis s'est arrêté, sans me lâcher le bras. Se rappelant sans doute que nous avions été assez bêtes pour lui laisser les clés de la voiture, il s'est retourné vers Ales.

— Et vous ? a-t-il demandé. Est-ce que vous voulez de notre sale fric ?

Ales a considéré Jack avec ce regard de ressentiment que je vois désormais sur tous les visages quand je voyage à l'étranger.

Avec un bref hochement de tête, il a dit :

— Allons-y, si c'est ce que vous voulez.

Mais d'un cri j'ai voulu retenir la fille qui avait déjà parcouru la moitié de la vaste pelouse. Elle s'est arrêtée net et s'est retournée. Alors d'un geste brusque j'ai dégagé mon bras de l'étreinte de Jack et couru vers elle. J'ai entendu Jack m'appeler.

— Attends-moi dans la voiture, je n'en ai pas pour longtemps, lui ai-je lancé.

Il s'est pris la tête entre les mains et s'est adossé à la Mercedes en marmonnant dans sa barbe.

— Vous comprenez notre langue, ai-je dit à la fille.

— Un peu, oui.

— Vous pouvez m'aider ?

— Oui, je peux vous aider à le retrouver.

Je me rappelle avoir pensé qu'elle devait être jolie avant qu'elle se fasse faire tous ces tatouages qui dessinaient des volutes autour de ses yeux, le long de son nez et de part et d'autre de sa bouche. Je me suis demandé si ça faisait mal de se faire tatouer le visage et où cette fille avait trouvé l'argent. Il se dégageait d'elle une odeur de tabac et de sexe. L'orphelinat tolérait-il que ses pensionnaires fassent subir à leurs corps ce genre de traitement ? Ces jeunes étaient-ils suivis par des éducateurs ? Quelqu'un se souciait-il d'eux ? Le regard de la fille était vide, comme celui d'un chat. J'ignorais si je devais la croire ou pas. En d'autres circonstances, je me serais méfiée, mais le désespoir m'avait ôté tout jugement.

— D'accord, lui ai-je dit. Je vous suis.

Nous sommes repartis en direction de la voiture. Jack et moi nous sommes disputés pendant un bon quart d'heure, tandis qu'à distance Ales et la fille fumaient en nous observant d'un air dédaigneux. Finalement, à court de mots, nous sommes montés dans la voiture et un instant plus tard les deux autres nous ont rejoints. C'est alors que j'ai remarqué le petit sac en nylon que tenait la fille.

— Vous ne devez pas demander l'autorisation de quelqu'un avant de vous absenter ?

J'ai jeté un coup d'œil en direction du bâtiment, m'attendant à voir un éducateur sortir de la maison et me demander où j'emmenais leur pensionnaire. Mais l'endroit semblait avoir été déserté. La gamine a eu un petit rire sarcastique.

— Comment vous appelez-vous ? ai-je ajouté.

Mais elle a cessé de parler anglais et m'a regardée d'un air buté.

— Elle s'appelle Petra, m'a répondu Ales en s'installant au volant.

Il a remonté l'allée et regagné la route sinueuse que nous avions empruntée pour venir. L'après-midi touchait à sa fin et le soleil descendait à l'horizon. Aussi loin que portait mon regard, il n'y avait pas une seule voiture sur la route, devant ou derrière nous.

— Elle ne peut pas quitter l'orphelinat comme ça, ai-je insisté, craignant d'avoir participé à un kidnapping.

— Elle n'est pas orpheline, m'a dit Ales. Elle ne vit pas là.

— Dans ce cas, qui est-ce ?

Petra et moi étions assises sur la banquette arrière, Ales et Jack à l'avant. Jack, qui ne disait plus rien et boudait en regardant à travers sa fenêtre, a tourné brusquement la tête vers notre chauffeur.

— Oui, qui est-ce ? a-t-il demandé à son tour.

Ales a ouvert la bouche pour répondre, mais la voiture a commencé à ralentir et a fini par s'arrêter tout à fait. D'une adroite manœuvre, Ales l'a rangée sur le bas-côté.

Jack s'est dressé sur son siège.

— Qu'est-ce qui se passe ? s'est-il enquis d'une voix inquiète.

— Je ne sais pas, a dit l'autre.

Il a tiré sur la manette actionnant l'ouverture du capot. Jack est descendu avec lui de la voiture et les deux hommes ont disparu derrière le battant relevé. J'ai voulu descendre à mon tour, jugeant préférable de ne pas perdre Jack de vue dans un moment pareil, mais Petra m'a retenue par le bras. Tournant mon regard vers elle, je l'ai vue qui souriait et secouait la tête. C'est alors que j'ai aperçu son arme.

— Jack !

Le capot s'est refermé dans un claquement sec. À travers le pare-brise, je n'ai plus vu qu'Ales qui nous observait. J'ai dégagé mon bras et tenté d'ouvrir ma portière, mais un violent coup de crosse dans les reins m'a stoppée net. Ales est remonté dans la voiture, a démarré sans le moindre problème et verrouillé les portières.

Prise de panique, je me suis mise à hurler.

— Où est-il ? Où est Jack ?

Mais ils n'ont pas prononcé un mot, tandis qu'Ales exécutait une marche arrière et ramenait la voiture sur la chaussée. Le canon de son arme enfoncé dans mes côtes, Petra ne me quittait pas des yeux. À travers la vitre arrière, j'ai aperçu le corps de Jack gisant sur l'accotement.

J'ai hurlé de plus belle et failli pleurer de soulagement en le voyant bouger les jambes. Il s'est redressé d'un bond et a pris en chasse la voiture en agitant les bras au-dessus de sa tête. Mais la Mercedes a tourné dans un virage et je l'ai perdue de vue. J'ai reçu alors un coup sur la nuque et sombré dans un trou noir.

27

J'aperçois Trevor dans un coin de la cour.

— Joyeux Noël, tante Izzy.

— Que fais-tu ici, Trevor ? Ce n'est pas prudent.

Il s'avance lentement vers moi.

— Je t'avais bien dit qu'il te fallait une arme.

— Je sais, je sais. Tu es un garçon futé, Trevor. Maintenant, écoute-moi bien. Il faut que tu dises à ta mère que je l'aime et que je suis désolée. Tu as compris ?

— Dis-le-lui toi-même, me répond-il avec un sourire.

Mais je suis seule dans cette cour. Je vois maintenant qu'elle est jonchée de détritus : un tas de pneus usagés, une table déglinguée, une boîte remplie de livres détrempés, une chaise à trois pieds, des jardinières cassées. Surgissant de nulle part, un chat noir bondit sur un débris métallique rongé par la rouille et m'observe de son perchoir. Il me semble entendre des bruits de voix et le hurlement d'une sirène de police. Il me semble entendre prononcer mon prénom, mais ce n'est peut-être que le vent.

Isabel... Isabel.

Comment suis-je arrivée ici ? Les souvenirs me reviennent par bribes.

Quand je repris connaissance, j'étais allongée sur un sol de béton glacé. Ales et Petra avaient disparu. J'étais ligotée au niveau des poignets et des chevilles. Passant en un instant de l'inconscience à la lucidité, j'essayai de me débarrasser de mes liens. L'endroit n'était éclairé que par un mince rai de lumière grise tombant d'un soupirail. Froid, humide et sombre. Une cave. Je me trouvais à l'intérieur d'une espèce de cage. Tout autour de moi, d'autres cages étaient empilées les unes sur les autres. L'une d'elles renfermait une bicyclette et une étagère. Une autre une pile de valises, un carton de livres et un vélo d'appartement hors d'usage. À l'évidence, ce sous-sol servait de débarras, mais on n'y entrait pas souvent, à voir le fatras qui m'entourait.

À Prague, dans les ambassades et les résidences de luxe, j'avais vu, lors de mes séjours précédents, des portails coulisser et des voitures s'engouffrer dans des entrées dont on n'aurait jamais soupçonné l'existence.

Mes ravisseurs avaient probablement fait entrer notre Mercedes de location dans une ouverture de ce type et j'avais été engloutie par les murs de la Vieille Ville. Jack ne pourrait jamais me retrouver. Prise de panique, je tirai de toutes mes forces sur mes liens, mais au bout de quelques minutes à m'acharner je sentis que je n'étais pas seule.

Il était assis dans un coin de la cave, à l'extérieur de ma cage, caché dans la pénombre. Je n'eus pas besoin de voir son visage pour le reconnaître.

— Je ne voulais pas que tu sois mêlée à tout ça. Je t'avais dit de ne pas chercher à me retrouver.

Il toussa. L'humidité l'avait toujours incommodé.

— Comment as-tu pu penser un seul instant que je t'obéirais ? Tu me connais donc si mal ?

— Je l'espérais.

— Pourquoi m'as-tu fait ça ?

Je sentis monter dans ma gorge un sanglot impossible à refouler.

— Je t'aimais. Et toi, m'as-tu seulement aimée ?

— Bien sûr que oui. Et je serais resté si je l'avais pu.

— Tout ce que tu m'as raconté sur ta vie, est-ce que c'était vrai ?

— Non.

— Alors dis-moi la vérité, maintenant.

— Pourquoi ?

— Tu me le dois bien, non ? Je ne sais même pas comment je dois t'appeler.

— Appelle-moi Marcus. C'était mon prénom dans notre vie ensemble. Il n'y a que ça qui compte.

— Raconte, je t'écoute.

— Il n'y a rien à raconter, dit-il de ce ton distant qui lui était habituel. Quand mon père est mort, ma mère n'a pas pu nous garder, mon frère et moi. Elle n'en avait pas les moyens, ni l'envie peut-être. Quelle importance ? Nous avons été placés dans l'orphelinat où tu es allée aujourd'hui. Nous étions l'un et l'autre assez âgés pour comprendre qu'on nous avait abandonnés. Nous avons connu une enfance solitaire, austère et douloureuse.

Il remua sur son siège, révélant par ce seul signe combien l'évocation de ces souvenirs lui était pénible.

— Mais nous avons réussi à survivre, pendant que le régime s'effondrait sur lui-même. À la fin du communisme, Ivan et moi avons émigré aux États-Unis. Je me suis inscrit à la fac, j'ai décroché une bourse et obtenu un visa d'études. Ivan avait un permis de travail, mais la société qui l'avait fait venir était illégale. Ivan a toujours fait dans la petite délinquance. Enfant déjà, il rackettait les autres gosses.

— La vie d'Ivan ne m'intéresse pas.

— Que veux-tu savoir ?

— Commençons par Marcus Raine.

Il marqua une pause et prit une longue inspiration.

— Je voulais ce qu'il avait. Son argent, sa copine. Alors je me suis servi.

— Comment ?

— J'ai séduit Camilla. Elle était amoureuse de Marcus Raine ou peut-être simplement de son argent. Il projetait de retourner en Tchéquie avec le fric qu'il avait amassé aux États-Unis et de monter son affaire à Prague. Comme moi, il était parti faire fortune en Amérique, mais il voulait retourner dans son pays natal et participer à son développement. Il n'était pas favorable à ce que les plus doués d'entre nous s'installent à l'étranger pour toujours. Dans son esprit, ces jeunes devaient aller tenter leur chance ailleurs, puis revenir aider la République tchèque quand ils auraient gagné assez d'argent. Mais Camilla n'avait pas la moindre envie de rentrer au pays. Je lui avais promis de lui offrir ce qu'elle voulait. Elle m'a procuré une clé de l'appartement de Raine. Ensuite j'ai tué Marcus. Enfin, Ivan s'en est chargé. Ses associés nous ont donné un coup de main pour faire disparaître le corps. Une entreprise funéraire du Queens a accepté de l'incinérer. Tout le reste n'a été qu'un jeu d'enfant. Je lui ai pris sa vie, son identité et son fric. Ça n'a pas été plus compliqué que ça. J'ai dit à Camilla qu'il fallait qu'on arrête de se voir un moment, qu'on éveillerait les soupçons en se mettant ensemble trop vite. Et puis je t'ai rencontrée.

— Une rencontre qui n'avait rien d'un hasard.

— Oui, c'est vrai.

— Pourquoi l'avoir provoquée ?

— Parce que tu comprenais Prague.

— Alors tu as pensé que je te comprendrais.

— Peut-être.

— Et Camilla ? Elle s'est lassée d'attendre ?

— Oui. Sept ans, c'est long. Au début, j'ai réussi à la convaincre d'être patiente, parce qu'il y avait beaucoup de fric à la clé. Je lui donnais de l'argent chaque mois et je continuais à la voir. Mais elle a fini par comprendre.

— Quoi donc ?

— Que j'avais obtenu ce que j'avais toujours voulu. Que je t'aimais et que je ne te quitterais pas à moins d'y être obligé.

— Alors Camilla a commencé à te faire des scènes, à m'envoyer des messages. Pourquoi ne pas l'avoir tuée à ce moment-là ?

— Je ne pouvais pas. Je ne savais pas à qui elle avait parlé et je craignais qu'elle ne m'ait balancé aux flics. Je ne pouvais pas prendre le risque de l'éliminer.

— Pas tant que tu n'avais pas organisé ta propre disparition, détruit toutes les preuves et transféré l'argent que nous avions sur nos comptes. Ensuite, tu es revenu effacer tes traces. Tu as tué Camilla en lui tranchant la gorge.

— C'était risqué, mais nécessaire.

Des milliers de questions se bousculaient dans ma tête. Mais mes idées s'embrouillaient et les coups que j'avais reçus sur le crâne n'arrangeaient rien.

— Ce matin-là quand tu as quitté la maison, savais-tu que tu ne me reverrais pas ?

— Non. Mon départ était imminent, une affaire d'un ou deux jours tout au plus. Mais je ne savais pas que ce serait notre dernier matin.

— Qu'est-ce qui s'est passé ?

— Ivan est venu me trouver. Après le meurtre de Raine, je l'avais balancé aux flics en racontant qu'il planquait des armes chez lui. Il avait plongé, mais Camilla lui avait rendu visite en taule et, pour se venger de moi, lui avait raconté ce que j'avais fait. Ivan voulait sa part du fric, mais surtout il voulait se venger.

— Tu as tué tous ces hommes, mais tu lui as laissé la vie sauve. Pourquoi ?

— Tu poses trop de questions, Isabel.

— Pourquoi ?

— Pour la raison qui m'avait poussé à l'épargner dans le passé, parce qu'il était mon frère. Sa mort ne m'aurait rien apporté. Et puis ça n'a plus d'importance, maintenant.

— Si, c'en a pour moi, parce que j'ai besoin de savoir.

— C'est pour ça que tu as risqué ta vie en te lançant à ma recherche ?

— On ne se refait pas.

— Voilà pourquoi je t'aimais, Isabel. Tu es toujours si sûre de toi.

— Si tu m'as aimée, alors raconte-moi tout.

Il poussa un long soupir, toussota une nouvelle fois, tandis que je m'escrimais à défaire mes entraves. Enfin je sentis que j'avais réussi à détacher mes poignets. Il faisait très sombre dans la cave et Marcus ne remarqua rien.

— Qu'est-ce que tu veux encore savoir ?

— Qui est S ?

Je ne m'attendais pas à ce qu'il réponde, pourtant il le fit.

— Elle s'appelle Sara, c'est une femme que j'ai aimée dans une autre vie. Elle a été mon premier amour, en quelque sorte. Je l'ai laissée derrière moi quand je suis parti vivre aux États-Unis. À l'époque où j'allais à la fac, elle s'est enrôlée dans les services secrets puis, quelques années après, elle m'a rejoint aux États-Unis et a créé là-bas sa propre affaire.

— Services Unlimited, un réseau de prostitution.

— Oui, entre autres activités.

— Elle était ta maîtresse. Le SMS, ce jour-là, c'est elle qui te l'avait envoyé.

Il leva ses paumes ouvertes vers le ciel en signe d'assentiment.

— Nous avons une relation compliquée. Je l'ai aimée autrefois, mais aujourd'hui je n'ai plus aucun contrôle sur elle.

— Elle a dévasté tes locaux et notre appartement. Elle me déteste. Je l'ai lu dans son regard quand nous nous sommes croisées ce jour-là à ton bureau.

— Les femmes comme Sara ne connaissent pas la haine. Elle est seulement jalouse, possessive et folle de rage de savoir que je t'aimais trop pour la laisser te tuer.

— C'est elle qui m'a pris la bague de ta mère ? Est-ce que tu la lui as donnée ?

— Tu es tellement naïve. On croirait entendre une petite fille.

— Cette bague n'a jamais appartenu à ta mère.

— Bien sûr que non.

— Est-ce qu'il y a quoi que ce soit de vrai dans tout ce que tu m'as raconté ?

Il me regarda sans chercher à dissimuler la pitié que je lui inspirais.

— Pourquoi est-ce si important pour toi ? Ce que nous avons partagé était réel, mais maintenant c'est terminé.

— Aide-moi seulement à comprendre.

— Comme tu viens de me le dire si justement : on ne se refait pas.

Cette conversation se rejoue dans ma tête, comme si je l'entendais dans un casque. Je vois les images de la scène défiler sur le mur qui me fait face. Mais j'entends aussi d'autres bruits. Des voix, des sirènes, puis un crépitement insistant. Des coups de feu, peut-être. Mais le son est si lointain et le vent continue d'appeler mon nom.

— Assez de questions.

Il se leva brusquement, une ombre parmi les ombres dans la lumière grise de la cave. Pendant qu'il me parlait, j'avais réussi à libérer mes chevilles. Encore une fois, il m'avait sous-estimée.

Il s'approcha et ouvrit la porte de ma cage. Allait-il m'égorger comme il avait égorgé Camilla ? Aimait-il le pouvoir qu'il exerçait sur ses victimes et l'intimité que suppose ce mode d'exécution ? Quand il fut suffisamment proche de moi, je pris mon élan et le repoussai violemment. De mon épaule, je lui portai un coup au creux de l'estomac en lui arrachant un grognement de douleur. Sous l'effet de la surprise, il lâcha son arme. Je me précipitai, mais au moment où je passais devant lui il me rattrapa par le col, déchirant mon pull. J'avais la tête qui tournait et je faillis m'évanouir. Il me projeta de toutes ses forces contre la grille de la cage. Ma lèvre se fendit en heurtant le métal des barreaux.

Mais je devais saisir ma chance et je n'ai pas hésité. Quittant ma cage, je courus vers un rectangle de lumière qui devait venir de la porte ouverte de la cave. Je l'entendis gémir derrière moi, tandis que je grimpais quatre à quatre une volée de marches, aiguillonnée par l'énergie du désespoir. En haut de l'escalier, je poussai une autre porte qui donnait sur la rue. Dehors, le silence régnait, et une pâle lueur dans le ciel annonçait l'aube. Sans savoir où j'étais ni où j'allais, je me mis à courir. Quelques mètres derrière moi, j'entendis le claquement d'une porte dont l'écho se répercuta sur les murs qui m'entouraient.

Isabel. Sa voix ressemblait à l'idée que je me faisais du gémissement des saints bordant le pont Charles.

Il y avait encore tant de questions sans réponse. Mais, même si c'était un peu tard, j'avais enfin compris qu'il me fallait fuir les ténèbres et courir vers la lumière, si elle voulait encore m'accueillir.

Je courus dans le dédale des rues pavées, le long des immeubles aux façades ouvragées qui se dressaient dans leur calme splendeur, devant les cafés aux portes closes et les fontaines vidées pour l'hiver. Puis, sortant de ce labyrinthe, je débouchai sur la place de la

Vieille-Ville. Pendant quelques secondes, je crus l'avoir semé, mais j'entendis le bruit de ses pas derrière moi. Quelques flocons de neige avaient commencé à tomber. Je perdis ma bataille pour la lumière en percutant un banc. L'espace d'un instant, les ténèbres me rattrapèrent et j'entendis résonner dans ma tête la question que j'aurais voulu n'avoir jamais posée.

Kde je Kristof Ragan ?

En dépit du froid glacial, en dépit de tout le rouge qui m'entoure, je me sens au chaud maintenant, heureuse et plus légère. Une voix à l'intérieur de moi essaie de me mettre en garde. Je ne devrais pas me sentir aussi bien, c'est mauvais signe. J'entends d'autres coups de feu, des gens qui parlent, des bruits de pas qui s'approchent puis s'éloignent. Je pense à mon père qui s'est détaché de nous et je comprends mieux maintenant qu'on puisse être attiré par le néant. Il règne sans cesse un tel chaos à l'intérieur de nous.

Le calme, voilà à quoi j'aspire, mais une voix autoritaire m'emplit les oreilles. « Si tu t'endors, tu vas mourir. Tu comprends ? Réveille-toi, Izzy. Tu as mal, je sais, mais secoue-toi. Bats-toi, n'abandonne pas. » La voix de ma sœur. Pour une fois, je fais ce qu'on me dit.

Le monde reprend ses contours en même temps que se réveille le feu qui me dévore les entrailles. Un spasme atroce me soulève l'estomac, mais je ne veux pas mourir dans cette cour. Cette pensée m'emplit de terreur et la peur me donne un soudain élan. Je me remets sur mes pieds et parviens à ne pas crier en dépit de la douleur pareille à un éclair blanc qui me traverse de part en part.

Tout tangue autour de moi et je prends appui contre le mur pour gagner péniblement le portail par lequel il s'est enfui. Je distingue une traînée de sang dans la neige. Je me rappelle avoir entendu des coups de feu. Est-il blessé ? Quelqu'un l'a-t-il abattu ? Par terre, la neige est piétinée en tous sens et les flocons qui continuent de tomber comblent peu à peu les empreintes de pas. Je suis la traînée de sang, en laissant une trace rouge dans mon sillage.

Le silence s'est fait, à moins que je ne sois devenue sourde. Je descends une rue en pente abrupte, passe devant un café près de la tour du pont du Petit-Côté. Un homme en me croisant me regarde bizarrement, puis passe son chemin en allongeant le pas. Pas fou, il ne se retourne pas et ne cherche pas à me venir en aide.

Je m'agrippe à une rampe en fer forgé et descends une volée de marches étroites. Elle donne sur une ruelle pavée bordée d'une boutique de marionnettes au rideau baissé, d'un petit hôtel et d'un immeuble d'habitation moderne à ma gauche. Devant moi, je reconnais le canal Certovka, le canal du Diable.

Je continue à suivre la traînée de sang jusqu'à un appontement surplombant la rive. Il règne là un calme serein. Des cygnes voguent paisiblement sur les eaux noires du canal et la neige tombe doucement sur leurs plumes blanches. Un peu en aval, la roue d'un moulin en bois tourne lentement, indifférente au drame qui est en train de se jouer.

Soudain je l'aperçois en contrebas. Il se tient sur un petit bateau dont il défait l'amarre. Il est blessé, il a peur. Je suis sur le point de l'appeler quand tout bascule dans un vacarme assourdissant. Des mains m'empoignent, m'écartent de la rambarde à laquelle je me cramponne. Je suis entourée de policiers armés jusqu'aux dents. Ils poussent des hurlements et moi aussi je hurle, je crie son prénom encore et encore. Je ne veux pas qu'il meure, pas encore. Il y a tant de choses que je dois encore comprendre.

Il reste immobile un instant, lâche la corde et semble prêt à se rendre. Le bateau commence à dériver. Autour de moi, les hurlements continuent et des mains m'attirent. Je croise son regard, mais je n'y lis plus rien. Puis il lève son arme.

Je hurle son prénom tandis que son corps tressaute sous l'impact des balles. Il tombe à genoux. Le bateau tangue, mais ne se renverse pas. Il lâche son arme, qui coule dans l'eau avec un clapotement sonore. Puis il s'affaisse lentement et j'assiste au spectacle de la vie qui s'en va. Une terrifiante immobilité s'installe et la barque est emportée par le courant. Résignée, je m'abandonne aux mains qui veulent me plaquer au sol. La terre est dure et froide. Je m'accroche pour rester consciente mais les contours se brouillent, les couleurs pâlissent autour de moi. Une femme me parle. Elle crie, mais je ne la comprends pas, et même si je la comprenais je n'aurais pas la force de lui répondre.

28

L'espace d'un instant, tout un univers est capturé dans le cadre d'une photo. Mais pas dans n'importe quelle photo. Seulement dans la photo parfaite, celle où se mêlent la lumière et l'ombre, dans laquelle l'expression d'un visage raconte toute une histoire du début à la fin, dans laquelle un reflet revêt une signification. L'instant présent figé, ce qui l'a précédé perd tout son sens et ce qui le suivra n'en aura jamais.

À l'écart, dans un coin de la galerie, Linda Book regardait les visiteurs tandis qu'ils découvraient ses photographies. Elle observait les sourires, les froncements de sourcils, le doigt pointé sur un détail, le hochement de tête approbateur. Son exposition intitulée *Rendez-vous* suscitait un vif intérêt, beaucoup plus que les précédentes. Elle aurait voulu croire que son art était passé à une étape supérieure, mais c'était probablement faux. Imitant les photos des détectives privés, elle avait saisi sur le vif des couples d'amoureux à travers toute la ville. Certaines prises de vue étaient mises en scène, mais elle refusait de dire lesquelles. Des critiques lui avaient reproché son impudeur, compte tenu des scandales qui avaient récemment touché sa famille. Mais d'autres jugeaient son travail superbe et sensationnel. La revue *Art Forum* avait écrit à son propos : « L'une des séries de travaux les plus fascinantes que nous ait offertes Linda Book. Peut-être son œuvre la plus achevée. »

L'exposition avait débuté depuis une semaine, et les curieux continuaient de se presser dans la galerie, un exploit pour un mardi. Personne n'avait reconnu l'artiste cachée dans le public. Le portrait d'elle qui était exposé remontait à plusieurs années et avait subi quelques retouches. Elle y campait une déesse aux cheveux ébouriffés par le vent dont le visage ne portait pas encore les marques de la maternité, du chagrin, de la déception et de la trahison. Son mari, qui s'était glissé dans le public, tendant l'oreille aux conversations, lui adressa un sourire de connivence. Ici et ailleurs, il était le seul à la connaître.

À la façon dont ils faisaient l'amour le matin quand les enfants étaient à l'école, dont ils s'étaient tenu la main dans le taxi qui les avait conduits jusqu'ici et dont ils se souriaient maintenant d'un air complice, on aurait pu croire qu'elle était encore cette jeune femme épargnée par les épreuves de la vie.

À travers la grande baie vitrée, elle reconnut Isabel et Jack qui approchaient d'un pas tranquille. Appuyée au bras de Jack, sa sœur semblait si petite et si fragile. Ses blessures physiques et émotionnelles mettraient longtemps à se refermer. Mais Isabel allait guérir, Linda y veillerait.

Elle alla à la rencontre de son mari au centre de la salle d'exposition. Ils partirent tous ensemble en direction du loft. Ils avaient prévu de dîner tous les quatre et de regarder à la télévision une émission qu'aucun d'eux n'était certain d'avoir envie de voir.

Les enfants passaient la nuit chez Margie et Fred. Linda et Erik auraient un peu de l'intimité qui leur avait si cruellement manqué. À présent que la maison de Riverdale était équipée d'un téléviseur à écran géant et d'une console de jeux vidéo, les enfants ne voyaient plus d'inconvénient à rendre visite à leurs grands-parents. Linda se sentait donc moins coupable de les laisser là-bas. Quand Emily l'avait appelée pour se plaindre que Margie préparait du poisson pour le dîner et ne les autorisait pas à commander une pizza, Linda, très détendue, lui avait répondu que le poisson était bon pour la santé et qu'elle devrait s'y faire.

Linda embrassa sa sœur avec précaution, craignant de réveiller sa blessure.

— Tu ne voulais pas revoir l'expo ? la taquina-t-elle.

Izzy eut un petit rire. Elle était déjà venue à plusieurs reprises depuis l'inauguration et même une fois avant l'ouverture.

Linda s'attendait à une réplique plaisante, mais rien ne vint. Sa sœur gardait la même expression tourmentée et n'avait plus ri de bon cœur depuis des mois. Comment aurait-on pu le lui reprocher ?

Quand ils arrivèrent au loft, Erik commanda des plats chinois et alluma la télé. Izzy était restée très silencieuse en chemin et Linda se demanda avec inquiétude s'ils n'étaient pas en train de commettre une erreur.

— Tu es sûre que c'est une bonne idée ? lui demanda-t-elle.

— Pour ma part, je pense que c'est une très mauvaise idée, déclara Jack. Nous n'apprendrons rien que nous ne sachions déjà. À quoi bon retourner le couteau dans la plaie.

Erik approuva.

— Jack a raison.

— Je veux la voir, déclara Izzy en s'installant sur le divan. Il le faut.

Personne ne la contredit. Il était trop tard, de toute façon. L'émission avait déjà commencé.

« La romancière à succès filait le parfait amour avec son mari informaticien dans leur magnifique appartement de Manhattan. Au sommet de leur carrière, ils menaient une vie de luxe et possédaient tout ce qu'on peut rêver. Mais Isabel Connelly allait bientôt découvrir que celui qu'elle connaissait sous le nom de Marcus Raine n'était pas l'homme qu'il prétendait être. »

« Nous avons été appelés sur les lieux d'un triple meurtre dans les locaux de la société Razor Technologies », expliquait un inspecteur Crowe à la coupe de cheveux impeccable. Dans son élégant costume, il campait un flic très photogénique. « Sur place, nous avons découvert les corps de Rick Marino, d'Eileen Charlton et de Ronald Falco. Les lieux étaient dévastés, tous les ordinateurs et les dossiers avaient été emportés et Isabel Connelly gisait sans connaissance dans le bureau de son mari. L'affaire était sérieuse, mais à ce stade nous étions loin de supposer qu'elle avait des ramifications internationales ni qu'elle nous permettrait d'élucider une affaire de disparition remontant à plusieurs années. »

Le reportage s'attardait ensuite sur la disparition et le meurtre probable de Marcus Raine, trahi par sa petite amie Camilla Novak, et expliquait comment Kristof Ragan avait réussi à usurper l'identité de sa victime, à détourner son argent puis à utiliser le numéro de Sécurité sociale d'Isabel pour établir le dossier d'immatriculation de sa société d'informatique. Il revenait aussi sur l'enfance de Ragan dans un orphelinat et sur l'obtention de son diplôme dans une université américaine.

« Kristof Ragan avait tous les atouts pour réussir. Comment ce jeune homme charmant et travailleur a-t-il été entraîné sur la voie du meurtre, de l'usurpation d'identité et de l'escroquerie ? » déplorait le journaliste, tandis que défilaient à l'écran des images de l'orphelinat tournées récemment. Elles montraient des enfants installés devant des ordinateurs, jouant au football ou lisant autour d'une table.

Un psychiatre avait été appelé à la rescousse.

« Il n'est pas difficile d'imaginer le désespoir qu'a pu ressentir un enfant comme Kristof Ragan, abandonné dans un orphelinat et probablement maltraité sous le régime communiste », déclarait l'expert, qui avait le physique de l'emploi avec son nœud papillon rouge et ses lunettes rondes. « Cette éducation aura provoqué des dommages durables, une détestation de soi et le désir d'être un autre. Ragan était fort probablement un sociopathe, dénué de conscience, manipulant dans son propre intérêt des femmes comme Camilla Novak ou Isabel Connelly. »

Linda regarda sa sœur, dont le visage ne montrait aucune émotion, et fut soulagée de la voir poser sa tête sur l'épaule de Jack qui la tenait enlacée.

— Nous sommes redevenus des amis, comme avant, avait déclaré Isabel quelques jours plus tôt.

Mais Linda n'était pas dupe et voyait bien qu'il y avait plus entre eux que de l'amitié.

— Je ne suis pas prête pour autre chose, avait ajouté Isabel.

— Pas encore, avait dit Linda.

— Oui, pas encore.

« Mais Camilla Novak a fini par se lasser de n'être qu'un simple pion dans le jeu de Ragan. Elle est allée trouver le FBI. Alors a commencé une enquête de plusieurs mois. Mais la veille du jour où la police fédérale avait prévu de perquisitionner aux bureaux et au domicile de Raine, une équipe d'un autre genre investissait les lieux. »

Suivaient des images de la femme qu'Isabel connaissait sous le nom de S. Arrêtée dans un immeuble du Queens, elle était emmenée, menottes aux poignets, par l'inspecteur Crowe.

« En étudiant les relevés de son téléphone portable, nous avons remarqué qu'il avait passé plusieurs appels à une certaine Sara Benes », expliquait à la caméra l'inspecteur Breslow, qui semblait plus soignée et un peu plus âgée que dans la réalité.

« Ancien agent des services secrets tchèques, Sara Benes s'était alliée au crime organisé en montant sa société Services Unlimited, qui tenait lieu de couverture à un réseau de prostitution. Liée depuis l'enfance aux deux frères Ragan, elle est venue en aide à Kristof quand celui-ci a décidé de changer de vie. Elle s'est chargée de recruter une équipe de malfrats pour mettre à sac le bureau et l'appartement de Ragan en veillant à détruire tous les indices qui auraient pu l'impliquer dans cette affaire. Sara Benes est aujourd'hui inculpée d'assassinat, d'association de malfaiteurs et d'obstruction à la justice. Mais elle ne purgera pas sa peine aux États-Unis. Étant entrée illégalement dans notre pays, elle sera extradée vers la République tchèque. »

Linda observa sa sœur. Isabel promenait son doigt d'un air absent le long de la cicatrice qui lui barrait le front.

« Camilla Novak a-t-elle pris peur et révélé sa trahison à Ragan dans l'espoir qu'il lui laisserait la vie sauve ? Est-ce ainsi qu'il a appris que le FBI allait refermer son piège sur lui ? »

« C'est ce que nous pensons », déclara l'agent spécial Tyler Long, qui avait dirigé l'enquête fédérale réduite à néant par les agissements de Sara Benes et de ses acolytes.

« Mais Kristof Ragan n'était pas du genre à épargner les traîtres. Attention, les images qui vont suivre sont susceptibles de heurter la sensibilité de certains spectateurs. »

Le reportage se poursuivait avec les photos récupérées par Isabel sur la clé USB de Camilla Novak. On y voyait Kristof Ragan tuer sauvagement trois hommes puis abandonner son frère agonisant sur un quai de Brooklyn.

« Toutefois Kristof Ragan a fini par payer. En découvrant la trahison de son mari, Isabel Raine l'a suivi jusqu'à Prague, où elle le soupçonnait de se cacher. Son enquête l'a conduite jusqu'à l'orphelinat où Ragan avait grandi, car des documents bancaires lui avaient révélé que Kristof Ragan faisait des dons à cette institution depuis de longues années. »

« Mais Ragan avait un coup d'avance sur sa femme. Il réussit à la kidnapper et l'aurait probablement assassinée sans le remarquable travail d'investigation des inspecteurs Crowe et Breslow de la police de New York. »

« Nous avions perdu la trace d'Isabel Raine, mais nous avions une petite idée de l'endroit où elle avait pu aller, poursuivit Grady Crowe. En épluchant plusieurs années de documents bancaires de Razor Technologies, nous avons découvert que la société avait fait l'acquisition d'un appartement à Prague. Nous avons pris contact avec les autorités tchèques, qui ont dépêché sur place l'une de leurs équipes. Les agents ont débarqué au moment précis où Isabel Raine venait d'échapper aux griffes de Ragan. Une poursuite s'est aussitôt engagée, qui s'est terminée par la mort de Kristof Ragan, abattu par la police. »

La suite était illustrée par un film d'amateur. Alerté de bon matin par des bruits sous ses fenêtres, un touriste avait capté la scène.

Des images tremblantes et de piètre qualité montraient Kristof Ragan blessé à la jambe, qui prenait la fuite, le pistolet au poing. Il descendait une ruelle, courait vers un canal, dévalait les marches d'un appontement et grimpait dans un petit bateau. Il rangeait son arme et commençait à défaire l'amarre. Puis Isabel Raine apparaissait dans le cadre. On la voyait penchée à la rambarde, une seconde avant que la police, qui avait surgi derrière elle, cherche à l'éloigner. Tandis qu'elle se débattait et criait, Kristof Ragan levait son arme et la police ouvrait le feu.

Face à ce spectacle, Isabel se couvrit les yeux et fondit en larmes. Jack la serra plus étroitement contre lui.

— Éteins ça, Erik, dit-il.

Erik s'empara de la télécommande et chercha le bouton d'arrêt.

« Kristof Ragan est mort sur les lieux. Sa vie criminelle a pris fin à Prague, sur le canal du Diable. »

— Non, protesta Isabel. Laisse, je veux écouter cette émission jusqu'au bout.

« Isabel Raine, plus connue sous son nom de plume d'Isabel Connelly, a refusé d'être interviewée pour la réalisation de ce reportage, mais Jack Mannes, son agent, nous a fait savoir que la célèbre romancière se remet des blessures infligées par son mari et coopère pleinement à l'enquête en cours. À la clôture du dossier, Mme Connelly et sa famille pourront récupérer les fonds qui leur ont été volés, mais il semble qu'une grande partie de cet argent ait disparu sans laisser de trace. »

Le reportage se concluait sur le cliché éculé qu'ils entendaient partout depuis des semaines à propos de la réalité dépassant la fiction. Erik éteignit la télévision et pendant un instant ils restèrent tous plongés dans leurs pensées à fixer l'écran noir.

Quand l'interphone sonna, ils tressaillirent, puis rirent d'eux-mêmes.

— Le traiteur chinois ! s'exclama Erik en s'extirpant du canapé.

Comme ils se levaient pour dresser la table et déboucher la bouteille de vin, Linda s'étonna une fois de plus qu'ils puissent continuer à se préoccuper de banalités quand ils venaient de traverser des événements tout sauf ordinaires. Dormir, s'occuper des enfants, faire l'amour, commander des plats chinois. Erik et elle s'étaient rendus coupables l'un envers l'autre de graves trahisons et pourtant en ce moment même son mari lui tendait un verre de pinot gris en l'embrassant. Un homme qui avait été son amant avait failli la détruire avant de mettre fin à ses jours, mais elle continuait de dire des phrases du genre : « Cette soupe est trop salée. » Isabel avait subi de terribles blessures physiques et psychologiques, mais cela ne l'empêcha pas d'avoir un petit sourire ironique quand Jack raconta que certains de ses romans étaient de retour dans la liste des meilleures ventes à cause des récents événements survenus dans sa vie. Linda promena son regard dans l'appartement qu'ils aimaient tant et qu'ils allaient peut-être devoir vendre. On avait retrouvé une partie des fonds transférés par Kristof Ragan avant sa fuite, mais personne n'avait pu leur dire quelle somme leur reviendrait, ni quand ils récupéreraient cet argent. Par chance, son exposition marchait bien et elle avait vendu plusieurs œuvres à un bon prix. De son côté, Isabel avait signé pour un nouveau livre. Leur avenir n'était donc pas si sombre. En comparaison de tout ce qu'elles avaient failli perdre, l'argent ne semblait plus aussi important qu'avant. Ils étaient tous réunis, sains et saufs, et sans être tout à fait heureux, parce qu'ils étaient encore traumatisés et que le futur restait incertain, ils avaient au moins repris espoir. Cela seul comptait.

Personne ne sembla savoir quoi dire jusqu'à ce que Jack lève son verre.

— À l'avenir, déclara-t-il. Sans un regard vers le passé.

29

Me voilà de nouveau seule devant le clavier de mon ordinateur à tisser une histoire tirée de mon expérience et de mon imagination. J'ai beau me dire que rien de ce que j'inventerai ne pourra jamais rivaliser avec la réalité des derniers événements survenus dans ma vie, j'écris, parce que je le dois, parce que je ne sais rien faire d'autre. Je dois métaboliser ce que j'ai vécu sur le papier, l'organiser afin de le maîtriser à ma façon. Voilà comment je comprends le monde.

J'écris l'histoire d'un petit garçon dans un orphelinat de l'Europe communiste. J'imagine ses journées habitées par la peur et ses nuits tristes et solitaires. J'imagine combien lui manque la mère qui l'a abandonné, combien il regrette le confort du petit lit auquel il était habitué. Je sais ce que c'est que d'être abandonnée, de perdre ceux qu'on aime et de vivre dans la peur. Je sais ce que c'est que de vouloir être quelqu'un d'autre, ailleurs. Je ne connais pas ce petit garçon, mais les sentiments qu'il éprouve me sont familiers. J'arrive à ressentir de la compassion pour lui, même si l'homme qu'il est devenu ensuite a voulu m'anéantir pour sauver sa peau. Il n'y a que sur la page blanche que je parviens à répondre à la grande question : pourquoi ? Et je trouve en moi-même les réponses dont j'ai besoin. Il le faut bien.

J'entends Jack jouer du marteau en bas. Il a repris les travaux de rénovation de sa maison et s'occupe en ce moment d'installer des étagères dans une pièce qu'il appelle mon bureau. J'ai beau lui dire que nous ne vivons pas ensemble, que je me suis installée là en attendant de vendre mon appartement et de décider ce que je vais faire de ma vie, il me répond qu'il le sait, bien sûr.

Kristof Ragan n'a jamais été mon mari, ni au regard de la loi ni d'aucune façon. Il était un homme que j'aimais et que je croyais connaître. Je me rappelle sa voix, sa sagesse dont il me faisait bénéficier. Je garde de bons souvenirs de lui. Je ne peux pas le nier.

Il y a quelques jours, j'ai pris un café avec l'inspecteur Crowe dans l'East Village. Arrivée sur place un peu avant l'heure de notre rendez-vous, j'observais la clientèle : étudiants, artistes, jeunes cadres, gothiques et fêtards terminant leur nuit. Une confusion des genres qu'on ne voit qu'à New York.

Crowe semblait reposé et d'excellente humeur quand il est entré et m'a cherchée des yeux dans la salle.

En arrivant à ma table, il a souri et m'a serré la main.

— Vous avez l'air en forme.

Il s'est assis en face de moi. Après les interrogatoires, les soupçons et les accusations, en dépit de tout ce qui s'était passé entre nous quand nous pensions être dans deux camps rivaux, l'homme m'était sympathique.

— Et vous, vous avez l'air heureux, lui ai-je dit.

Il a levé sa main et m'a montré son alliance.

— Ma femme est revenue et nous allons avoir un bébé.

Cette nouvelle m'a bouleversée plus qu'elle ne l'aurait dû. J'ai senti s'abattre sur moi tout le poids des regrets. Cela n'a pas échappé à Grady Crowe.

— Excusez-moi. Un idiot insensible, voilà ce que je suis trop souvent hélas.

— Non, pas du tout, vous méritez tout le

bonheur qui vous arrive.

— Vous aussi, vous méritez d'être heureuse.

J'ai pensé à Jack et j'ai répondu :

— J'y travaille.

Nous avons commandé du café et des crêpes aux pommes de terre.

— Alors, vous aviez quelque chose à me dire ou bien c'était juste pour le plaisir de me voir ? m'a-t-il demandé avec un sourire moqueur.

Crowe était un très bel homme. Mais il devenait beaucoup plus séduisant maintenant qu'il n'y avait plus en lui ni colère ni amertume. Ce qui est le cas de tout un chacun, je suppose.

— Je me demandais juste s'il y avait encore des détails que je ne connaîtrais pas. Des éléments que vous n'auriez pas confiés ni aux journalistes qui ont réalisé ce reportage ni à moi-même.

— Comme quoi, par exemple ?

— Je ne sais pas. Je pensais au FBI. Comment Kristof a-t-il appris qu'ils enquêtaient sur lui ? Pourquoi ne sont-ils pas intervenus plus tôt ?

— Camilla est allée trouver le FBI environ un mois avant que Kristof Ragan se fasse la belle. Ils ont immédiatement ouvert une enquête, mais les fédéraux sont très pointilleux sur les preuves. Ils aiment prendre leur temps.

Il a bu une gorgée de son café.

— Ils pensent qu'au dernier moment Camilla a prévenu Ragan pour lui donner le temps de prendre le large avant leur descente. Elle devait se sentir coupable de l'avoir dénoncé et s'imaginait peut-être qu'il lui pardonnerait.

— Mais qui était cet homme que Camilla devait rencontrer dans Central Park ? Celui qui est mort sous mes yeux ? Pourquoi était-elle prête à lui donner ces photos ?

— Il a été identifié. Il s'agit d'un certain Vasco Berisha, un mafieux albanais en affaires avec Ragan.

— Pourquoi tenait-il à avoir ces photos ? À quoi lui auraient-elles servi ? S'il s'agit bien de photos prises par une caméra de surveillance, je ne comprends pas non plus comment elles ont pu tomber entre les mains de Camilla Novak.

— Techniquement, ce n'était pas des photos de surveillance. Elles ont été prises par Camilla elle-même. Elle filait Ragan pour le compte du FBI et Charlie Shane l'informait sur les allées et venues de votre mari. Nous avons trouvé les mêmes clichés dans son appareil photo numérique. Elle en a fourni un jeu au FBI et s'apprêtait visiblement à en remettre un autre à Berisha. Ma théorie est qu'après avoir avoué sa trahison à Ragan, elle a compris son erreur. Elle savait que Ragan ne lui pardonnerait pas et que le FBI ne serait pas capable de le débusquer à temps. Alors elle s'est dit que les associés de son frère parviendraient à le retrouver. Ragan avait tué plusieurs de leurs hommes. Elle allait les aider à se venger.

J'ai secoué la tête.

— Qu'est-ce qu'il y a ? m'a demandé Crowe.

— Si votre théorie est juste, Berisha n'était qu'un second couteau. Il n'avait aucun moyen de savoir où s'était enfui Ragan. Pourtant c'est à cause de lui que je suis partie pour Prague. J'ai cru que c'était le mot qu'il avait prononcé en mourant. *Praha*, Prague en tchèque. Finalement, ce n'est peut-être pas ce qu'il a dit.

— Mais Ragan était bien à Prague. Quoi qu'il ait dit, Berisha ne vous a peut-être fourni qu'un prétexte pour suivre votre instinct. Mais il n'est pas exclu non plus que ce soit bien le mot qu'il ait prononcé.

— J'aurais donc entendu ce que je voulais entendre ?

— Possible. Vous saviez où il irait, mais vous aviez peut-être perdu toute confiance en vous. Vous aviez besoin de quelque chose de plus tangible que votre intuition.

J'ai repensé à cette soirée à Central Park. J'étais certaine que c'était bien ce que Berisha avait dit. Mais Crowe avait raison, je n'avais plus confiance en moi à cette époque.

— Auriez-vous par hasard un contact au FBI avec qui je pourrais parler de l'affaire ?

— Qu'est-ce que ça changerait, maintenant ?

Beaucoup de choses. Ça m'aiderait à assembler les pièces du puzzle et à comprendre enfin ce qui m'était arrivé. Mais le problème dans la vie, contrairement à la fiction, c'est que les pièces ne s'assemblent pas toujours.

La serveuse nous a apporté notre commande et j'ai versé un peu de crème dans mon café.

— Je me reproche de n'avoir pas été assez curieuse, comme vous le savez. Je n'ai vu que ce que je voulais voir et j'ai arrangé le reste. Je ne veux pas réitérer cette erreur.

Il a acquiescé.

— Je ne vous ai rien caché, je vous en fais le serment. Mais je vais vous mettre en contact avec l'agent Long. C'est un type bien.

— Merci.

Crowe m'a jeté un regard espiègle.

— Vous n'avez pas l'intention d'en faire un livre, des fois ?

Je me suis contentée de sourire.

Nous avons encore bavardé un moment. Crowe m'a confié qu'il avait lu un de mes romans. Il l'avait aimé, mais avait relevé quelques inexactitudes. Je lui ai demandé s'il accepterait que je lui soumette mes questions à l'avenir et il a accepté. L'idée a même semblé le séduire.

— Alors, est-ce que vous allez faire un livre de ce qui vous est arrivé ? a-t-il insisté.

— C'est possible. D'une manière ou d'une autre, cette histoire finira par refaire surface, mais ça ne marche pas comme vous l'imaginez. Le processus est plus elliptique.

Il a hoché la tête d'un air songeur, mais n'a plus prononcé un mot sur ce sujet.

Nous nous sommes dit au revoir dans la rue. Nous avons échangé une poignée de main avant de nous séparer. Il avait parcouru une cinquantaine de mètres quand il m'a rappelée.

— Un truc que vous avez dit m'a été d'un grand secours.

— Quoi donc ?

— Vous vous souvenez, nous étions dans votre appartement et vous m'avez déclaré : « L'amour permet d'accepter et de tourner la page. Le pardon vient peut-être ensuite. »

— J'en suis ravie.

Il m'a adressé un dernier signe de la main,

puis il s'est dirigé vers sa Chevrolet Caprice banalisée. L'inspecteur Breslow l'attendait au volant et pendant une seconde je me suis demandé ce qu'allait être leur prochaine affaire.

« L'amour permet d'accepter et de tourner la page. Le pardon vient peut-être ensuite. » Cette phrase me fait penser à Linda et à Erik. À mon père aussi, à la question du pourquoi à laquelle je n'ai pas pu trouver de réponse pendant toutes ces années. Elle me fait aussi penser à cet homme que j'ai connu sous le nom de Marcus Raine. Un homme que j'ai aimé, à qui j'ai pardonné quand sa première trahison aurait dû m'inciter à m'interroger. Mais il ne sert à rien de regretter maintenant.

Après ma rencontre avec Crowe, sur le chemin de la maison, je me suis arrêtée pour vérifier ma boîte postale, ce que je n'avais plus fait depuis des mois. Ce serait pour moi une forme de retour à la normalité, à ma routine d'autrefois. Elle serait probablement pleine de prospectus parmi lesquels se seraient glissées une ou deux lettres importantes, une invitation à une conférence ou quelques lettres d'admirateurs.

J'ai ouvert la boîte, pris le tas de papiers

qu'elle contenait, jeté les prospectus dans la corbeille de recyclage, en ne gardant que les enveloppes dont l'adresse avait été écrite à la main. Je les ai fourrées dans mon sac et, avant de refermer la boîte, j'ai jeté un dernier coup d'œil à l'intérieur. C'est alors que j'ai remarqué une petite boîte marron tout au fond. J'ai tendu le bras pour l'attraper. Il n'y avait pas d'adresse d'expéditeur.

En bas, Jack continue de donner des coups de marteau. J'ouvre le tiroir de mon bureau et j'en sors la boîte. Je la garde ici depuis que je l'ai rapportée de la poste, mais je n'en ai soufflé mot à personne. Pas même à Jack. Ni à Linda. Je soulève le couvercle et prends entre mon pouce et mon index la bague ornée d'un rubis.

Je crois savoir ce qu'elle signifie. Je n'ai pas besoin de l'écrire ni de l'inventer. Je crois qu'elle signifie qu'il m'aurait aimée s'il l'avait pu. C'est ce qu'il voulait me faire savoir. Je sens au plus profond de moi se réveiller une blessure qui ne s'est pas encore refermée. J'admire le feu de la pierre et je me rappelle qu'il m'a abandonnée à une mort lente dans un lieu étranger et glacial. Si Jack n'avait pas prévenu la police tchèque, si les inspecteurs Breslow et Crowe n'avaient pas trouvé l'adresse où Marcus se cachait, je ne serais plus en vie aujourd'hui. Je repense au tee-shirt que portait Rick Marino, l'associé de Marcus, la dernière fois que je l'avais vu : l'amour tue à petit feu.

Kristof Ragan avait jeté son dévolu sur une autre femme. Elle s'appelait Martina Nevins. Je l'avais appris par le journal télévisé. Cette riche héritière anglaise passait les fêtes de fin d'année avec sa famille à Prague. Elle avait perdu son fiancé quelques années plus tôt et ne s'en était jamais remise. Nul doute qu'elle aurait été la prochaine victime de Kristof Ragan. Elle en avait toutes les caractéristiques : la perte d'un être cher qui l'avait fragilisée, l'espoir qui la rendait vulnérable.

Il aurait pu lui offrir ce rubis en lui disant ce qu'il m'avait dit autrefois : « Ceci est mon cœur que je te remets. Je donnerais ma vie pour toi. »

Mais finalement il avait choisi de me renvoyer la bague. Je la conserverai, pour toujours me souvenir que l'amour est dans nos actes et non dans nos paroles. Tout le monde n'a pas la force ou la capacité d'aimer quelqu'un d'autre ou de s'aimer soi-même. Certains d'entre nous ont un cœur secret qu'ils ne peuvent partager.

Je referme mon ordinateur portable et descends montrer la bague à Jack. Je veux qu'il la voie, qu'il sache ce qu'elle signifie pour moi et comment elle m'a aidée à comprendre Kristof Ragan, mon père et moi-même. Parce que je veux que Jack partage son cœur avec moi. Mais, avant de lui demander ça, je dois partager mon propre cœur avec lui.

En m'entendant entrer dans la pièce, il détourne la tête des étagères qu'il est en train d'installer. Je lui montre le rubis dans le creux de ma main. Il fronce les sourcils, tient un instant le bijou dans la lumière puis me le rend, et je vois qu'il a l'air soucieux.

— Où as-tu trouvé ça ?

Je le lui explique.

— Que vas-tu en faire ?

Je lui réponds franchement et il me semble qu'il me comprend. Il m'enlace délicatement et approche ses lèvres des miennes. Nous nous embrassons pour la première fois depuis cette nuit que nous avons passée ensemble il y a de cela un siècle.

Avec Jack il n'y a jamais de pourquoi, de questions, de curiosité à satisfaire. Il n'est pas un mystère. Il est mon ami le plus cher et ma sœur semble penser que c'est assez pour commencer. Comme d'habitude elle a mille fois raison.

NOTE DE L'AUTEUR

Ce livre n'aurait peut-être jamais été écrit si je n'avais pas eu la chance de séjourner à Prague pendant l'été 2007. Dans le cadre d'un programme d'échange de notre appartement avec celui d'une adorable famille tchèque, mon mari, ma petite fille et moi-même avons passé cinq semaines à explorer les rues de Prague, sans conteste l'une des plus belles villes que j'aie jamais visitées. Le dédale de ses ruelles pavées, ses places cachées, ses immeubles monumentaux et son mystère furent pour moi une véritable source d'inspiration. Si vous n'êtes jamais allé à Prague, faites le voyage. Et si vous y êtes déjà allé, retournez-y.

Lors de ma visite, j'ai eu l'honneur de rencontrer l'illustre James Ragan. Ce poète et scénariste tchèque rentre chaque année dans son pays pour enseigner à l'université Saint-Charles. Il m'a fait découvrir dans sa ville des coins où je n'aurais jamais mis les pieds sans lui et m'a raconté son évolution depuis la chute du communisme. Lui et sa charmante famille nous ont accueillis et nous leur devons une expérience inoubliable. Son merveilleux recueil de poésie *The Hunger Wall* continue de m'inspirer aujourd'hui encore et m'a permis de revivre mon rêve praguois longtemps après mon retour.

J'ai également été reçue sur place par la talentueuse équipe de mon éditeur tchèque, Euromedia Group. Denisa Novotna, l'attachée de presse, femme intelligente, charmante et drôle, a répondu patiemment à mes incessantes questions tout en organisant pour moi un nombre impressionnant d'interviews. Pendant mon séjour, je me suis exprimée à la télévision, à la radio et dans de multiples journaux. C'est ainsi que j'ai appris à me déplacer dans la ville en taxi, en métro et à pied. Il n'y a pas de meilleur moyen de faire connaissance avec un lieu (quand vous pouvez à peine articuler deux mots dans la langue locale) que d'insister pour vous déplacer sans l'aide de personne et de prouver que vous en êtes capable.

Grâce à l'un de mes contacts dans les forces de l'ordre, j'ai eu l'occasion de passer plusieurs heures en compagnie d'un agent de la

CIA qui a vécu de longues années en République tchèque et de ce fait possède une connaissance intime de Prague depuis l'époque de la Révolution de velours et de la chute du communisme. Les anecdotes qu'il m'a racontées et les informations qu'il m'a fournies ont largement nourri mon imagination. Je ne peux hélas révéler son nom.

J'ai également consulté dans le cadre de mes recherches le site du *Prague Post* (www.praguepost.com) et celui de l'office du tourisme (www.prague.cz), de même que celui de la BBC (www.bbc.com).

Les erreurs que j'ai pu commettre et les libertés que j'ai pu prendre, notamment avec la géographie locale pour les besoins de mon récit, sont de mon seul fait.

REMERCIEMENTS

Il devient plus difficile à chacun de mes romans de remercier ceux et celles qui ont contribué à son avènement, car le nombre de mes supporters en ligne ne cesse de grandir d'année en année. Qu'ai-je fait pour mériter leur attention ? Je l'ignore. Mais je saisis cette chance de leur rendre un chaleureux hommage.

Mon mari, Jeffrey Unger, et notre fille, Ocean Rae, sont le centre lumineux de mon univers. Chaque jour, ils m'inspirent et nourrissent mes réflexions, ils me font rire et me maintiennent les pieds sur terre. Dans les grands yeux bleus de ma fille, je vois le monde tout entier. Mon mari est celui qui permet à ce monde de rester intact. Je ne serais pas l'écrivain ni la personne que je suis sans leur présence à mes côtés.

Mon formidable agent, Elaine Markson, et son non moins formidable assistant, Gary Johnson, sont pour moi plus que des partenaires en affaires. Ce sont des amis chers. Chaque jour, ils apportent à ma vie et à ma carrière une chose inestimable, même quand il s'agit d'une simple conversation au téléphone sans importance particulière. Ils veillent sur moi et je sais que je peux compter sur eux en toute circonstance. Alors, un grand merci à toi, Elaine.

L'agent spécial à la retraite Paul Bouffard et sa femme, Wendy Bouffard, m'ont offert leur chaleureuse amitié et beaucoup de bière à la pression. Ils me procurent aussi un espace pour écrire quand j'en ai besoin. Paul reste ma principale source pour ce qui a trait aux questions de procédures juridiques et de criminalité. Il accueille toutes mes questions, même les plus incongrues, avec bonhomie et un intérêt réel. Wendy m'a apporté de précieux conseils en relisant mon manuscrit. J'apprécie l'immense chance que représente la présence dans nos vies de Paul et Wendy et de leurs chats, Freon et Fenway.

Un éditeur tel que Crown/Shaye Areheart Books est le rêve de tout écrivain. Cette maison regorge de gens intelligents, créatifs et passionnés pour qui les livres ont une réelle importance. Shaye Areheart est un éditeur de réel talent et l'une des personnes les plus chaleureuses qu'il m'ait été donné de rencontrer.

Jenny Frost m'a apporté son indéfectible soutien et son enthousiasme et semble continuellement trouver de nouveaux moyens originaux de diffuser mes livres dans le monde entier. Mes humbles remerciements à Philip Patrick, Jill Flaxman, Whitney Cookman, David Tran, Patricia Shaw, Jie Yang, Jacqui LeBow, Andy Augusto, Kira Walton, Patty Berg, Donna Passanante, Katie Wainwright, Annsley Rosner, Sarah Brievogel, Linda Kaplan, Karin Schulze, Kate Kennedy et Christine Kopprasch. Sans oublier bien sûr l'équipe commerciale de tout premier ordre. Chaque fois que je rencontre un libraire, j'entends parler des inlassables efforts que ces gens déploient pour moi. Chez Crown/Shaye Areheart Books, chaque membre de l'équipe consacre tout son talent à défendre les livres et pour ça je leur serai éternellement reconnaissante.

Comme toujours, ma famille et mes amis continuent de me soutenir, de m'entourer de leur affection, de me réconforter et de me remonter le moral dans ma folle vie d'écrivain. Mes parents, Joseph et Virginia Miscione, qui ont quitté Houston pour s'installer en Pennsylvanie, sont mes plus fervents admirateurs. Ils achètent tous mes livres et les font connaître autour d'eux. Leur soutien m'est infiniment précieux. Je tiens à remercier mon frère, John Miscione, et sa femme, Tara Teaford Miscione, pour leur immense gentillesse et leurs encouragements. Tara fut l'une de mes premières et de mes plus précieuses lectrices. Je remercie également Heather Mikesell pour son impitoyable œil de professionnelle et ses innombrables relectures. Je n'imagine plus éditer une seule ligne qui n'ait été relue par elle. Combien elle doit redouter de voir dans l'intitulé d'un de mes mails : « Pourrais-tu relire ça vite fait ? » Enfin merci à Marion Chartoff et à Tara Popick, les amies de toujours, qui m'apportent tant. Je suis une fille très chanceuse.

[illegible] en Espagne par

SAGRAFIC S.L.

Plaza Urquinaona, n° 14 [illegible]

08010 Barcelona (España)

(00 34) 932 721 570

pour les **ÉDITIONS VDB**

84210 La Roque-sur-Pernes

Dépôt légal, septembre 2010

Impression réalisée par

SAGRAFIC S.L.

Plaza Urquinaona, nº 14 -7º, 3ª

08010 Barcelona *(Espagne)*

(00 34) 972 771 570

pour les **EDITIONS V.D.B.**

84210 La Roque-sur-Pernes

Dépôt légal : septembre 2010